#수학개념학습
#학습만화
#재미있는수학
#만화로개념잡는

개념클릭

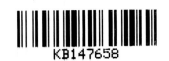

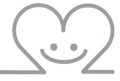

Chunjae
Makes
Chunjae

▼

개념클릭

편집총괄	지유경
편집개발	정소현, 조선영, 원희정, 최윤석, 김선주, 박선민
디자인총괄	김희정
표지디자인	윤순미, 장미
내지디자인	박희춘, 이혜진
제작	황성진, 조규영

발행일	2018년 6월 1일 개정초판 2022년 4월 15일 5쇄
발행인	(주)천재교육
주소	서울시 금천구 가산로9길 54
신고번호	제2001-000018호
고객센터	1577-0902

공 부 가 즐 거 워 지 는

개념 클릭

★ 해법수학 ★

3-2

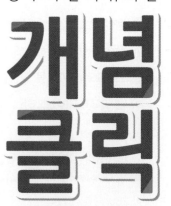

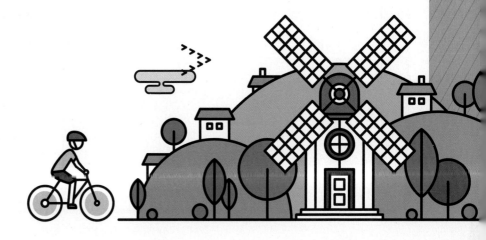

구성과 특징

수학 공부를 쉽고, 재미있게 할 수 있는 교재는 없을까?

개념을 자세히 설명해 놓으면 잘 읽지 않고, 그렇다고 설명을 안 할 수도 없고…….

만화로 교과서 개념을 설명한 책은 많지만, 수박 겉핥기 식으로 넘어가기만 하니…….

개념클릭 해법수학이 탄생하게 된 배경입니다.

개념클릭 해법수학 4단계 시스템!

1 단계 만화로 재미있게 개념 익히기

2 단계 개념 집중 연습으로 개념 꽉 잡기

3 단계 익힘책 문제로 실력 다지기

4 단계 단원 평가로 실력 체크

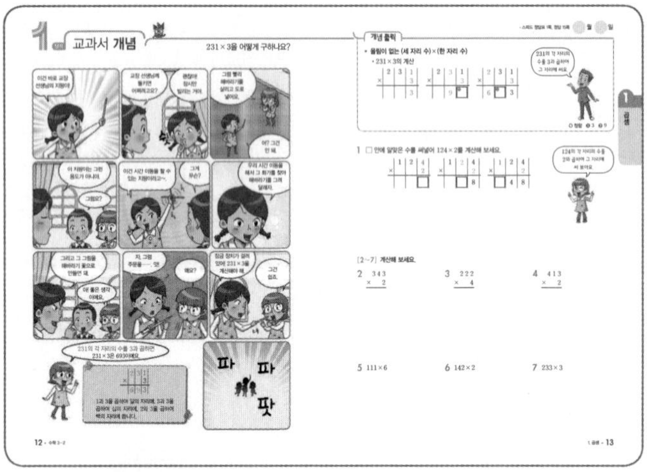

1 단계 교과서 **개념**

만화를 보면 개념이 저절로~

간단한 **확인 문제**로 개념을 정리하세요.

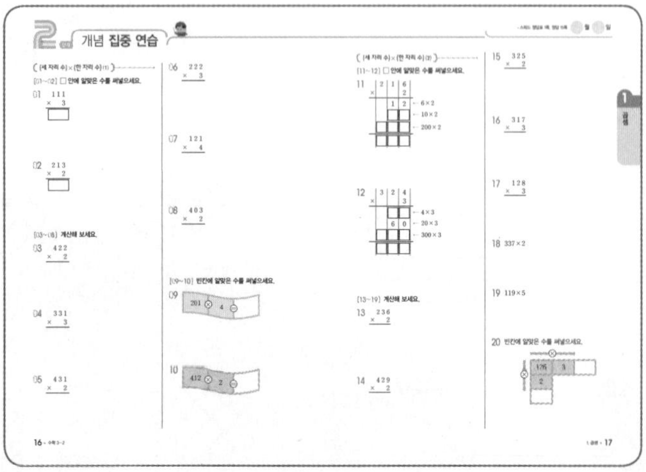

2 단계 개념 **집중 연습**

교과서 개념 문제를 반복하여 풀어 보면서

개념을 꽉 잡아요.

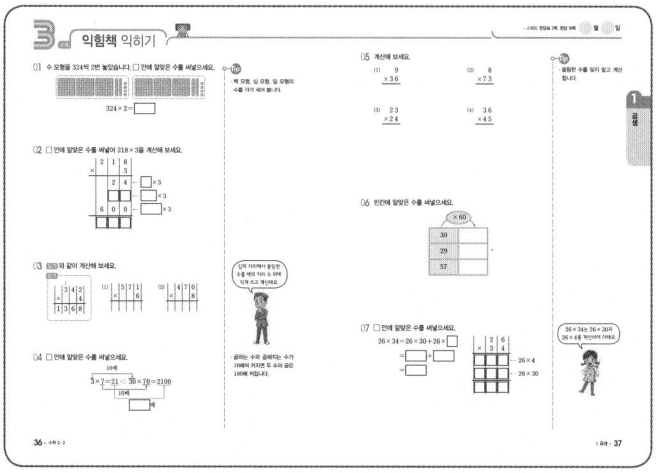

3단계 익힘책 익히기

익힘책 문제를 풀어 보면서 **실력**을 키워요.

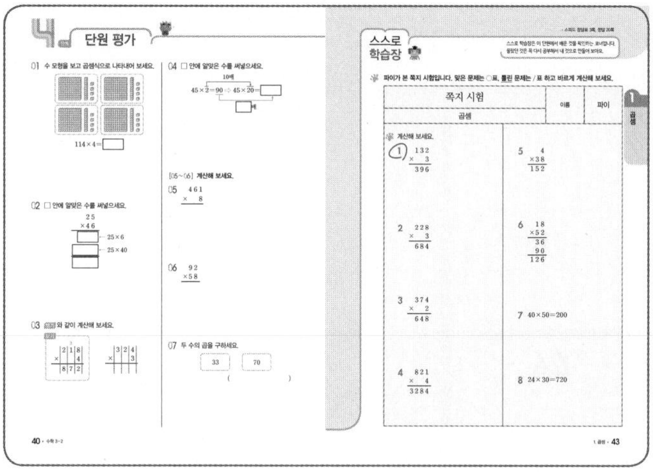

4단계 단원 **평가**

한 단원을 마무리하며 스스로 **실력 체크**를 해요.

스스로 학습장

한 단원을 학습한 후 내가 무엇을 알고 무엇을 모르는지 확인하는 코너입니다.

개념클릭만의 모바일 학습

찰칵! 표지 QR

표지에 있는 **QR코드**를 찍으면 개념 동영상·만화를 학습할 수 있습니다.

찰칵! 도비라 QR

단원 시작에 있는 **QR코드**를 찍으면 각 단원의 개념 동영상 강의를 볼 수 있습니다.

차례

Contents

이 책의 **등장인물**

빈센트 반 고흐

풍경화와 초상화를 그린
유명한 화가.
진지하고 조용한 성격으로
그림을 무척 좋아한다.

리온

마법 학교의 모범생인
10살 소녀.
수학을 좋아하고 발랄한 성격으로
파이와 단짝 친구이다.

파이

마법 학교의 개구쟁이
10살 소년.
수학을 싫어하지만 밝고
긍정적인 성격이다.

사라

마법 학교의 11살 소녀.
파이와 리온이의 마법 학교의
1년 선배이다.

프롤로그
지니어스 마법 학교
지난 시간에 내 준 수학 숙제 검사하자.
다들 숙제는 해 왔겠지?
헉! 뭐야? 숙제가 있었어?
너 또 숙제 안 한거야?
파이, 숙제 한 것 좀 보자.
저 숙제 못 했어요. 그리고 사실 왜 수학을 공부해야 하는지 모르겠어요.
그냥 마법을 쓰면 되잖아요.
휴…… 그건 그렇지 않아.
마법과 더불어 다른 과목들도 함께 공부해야 더욱 훌륭한 마법사가 될 수 있단다.
흠흠~ 그건 그렇고 어쨌든 숙제를 안 했다니…….
벌을 받아야겠다.
버… 벌이요?
짝꿍인 리온이도 같이!!
엥? 저는 왜요?

교장실
휴~ 숙제 안 해 온 벌이 교장 선생님 책상 정리라니…….
나도 너 때문에 같이 벌 받게 됐잖아.
미… 미안! 근데 이걸 언제 다 정리하지?
너 설마 마법을 쓰려는 거야?
마법으로 하면 금방 할 수 있어.
히히히
자, 그럼…….
야! 안 돼!
왜! 비켜~.
선생님께서 마법은 쓰지 말라셨어.
호루돈 이리피비!
팍
푹
픽
파앗
아…
꿀꺽
따아아
파지직
내가 그러니까 마법 쓰지 말랬잖아.
무슨 소리야. 네가 방해만 안 했으면 됐잖아.

1

곱셈

QR 코드를 찍으면 1단원 개념 동영상 강의를 볼 수 있어요.

이번에 배울 내용

- (세 자리 수)×(한 자리 수)
- (몇십)×(몇십), (몇십몇)×(몇십)
- (몇)×(몇십몇)
- (몇십몇)×(몇십몇)
- 곱셈의 활용

난 다 봤지~
크크크
사라 언니!
누나 해바라기 좀 살려주세요
해바라기는 마법으로 살릴 수 없어.
NO NO
왜…왜요?
이 해바라기는 유명 화가가 그린 걸 마법으로 만든 거야.
난 그 화가가 누구인지 알고 너희를 도울 방법도 알지~.
정말이요?
언니, 저희 좀 도와주세요.
OK~
도와주세요!
너희를 도울 방법이 이 금고 안에 있어.
뭐가 들었는데요.
앗! 근데 이거 왜 안 열리니?
비밀번호를 눌러야죠.
이 금고의 비밀번호가 23×6인가 봐요.
똑똑하네
올림에 주의하여 계산하면 23×6은 138이에요.
자, 열렸죠?
너 수학 좀 하는구나!

$$\begin{array}{r} {\scriptstyle 1} \\ 2\,3 \\ \times\quad 6 \\ \hline 1\,3\,8 \end{array}$$

일의 자리 계산에서 올림하는 수를 십의 자리 수 위에 작게 쓰고 계산합니다.

준비 학습

1 그림을 보고 □ 안에 알맞은 수를 써넣으세요.

(1)

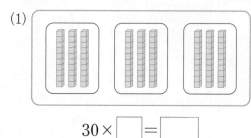

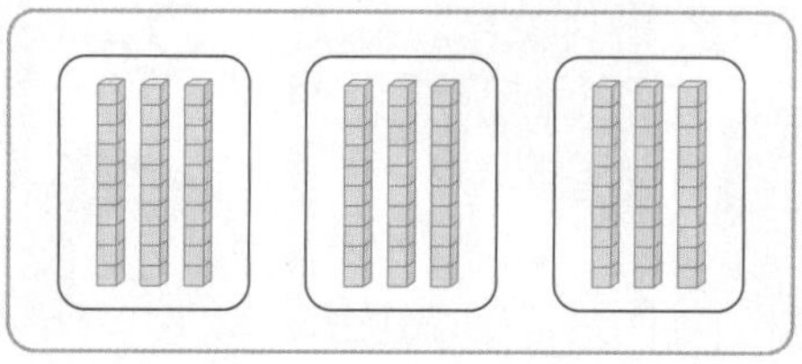

$30\times\square=\square$

(2)

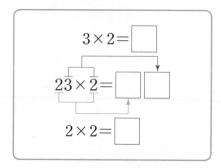

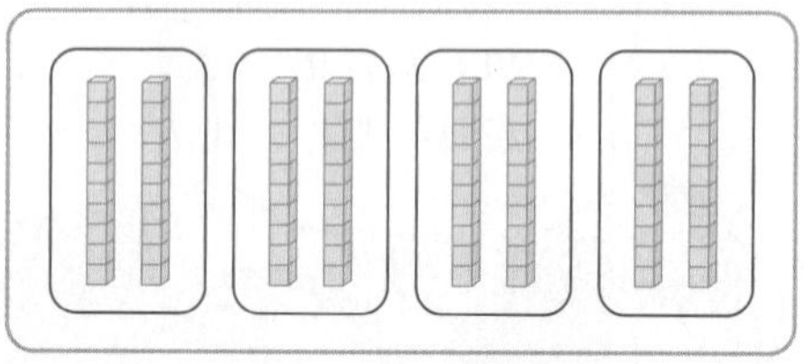

$20\times\square=\square$

2 □ 안에 알맞은 수를 써넣으세요.

$3\times2=\square$

$23\times2=\square\square$

$2\times2=\square$

3 계산해 보세요.

(1) $\begin{array}{r} 11 \\ \times\ \ 6 \\ \hline \end{array}$

(2) $\begin{array}{r} 32 \\ \times\ \ 3 \\ \hline \end{array}$

개념 체크 **1** ◀ 3학년 1학기 4단원

(몇십)×(몇)의 계산

$20\times3=60$ ($2\times3=6$)

$\begin{array}{r} 20 \\ \times\ \ 3 \\ \hline 60 \end{array}$

(몇)×(몇)에 0을 1개 붙입니다.

개념 체크 **2** ◀ 3학년 1학기 4단원

올림이 없는 (몇십몇)×(몇)의 계산 (1)

$2\times3=6$

$12\times3=36$

$1\times3=3$

개념 체크 **3** ◀ 3학년 1학기 4단원

올림이 없는 (몇십몇)×(몇)의 계산 (2)

$\begin{array}{r} 12 \\ \times\ \ 3 \\ \hline 36 \end{array}$

→ $2\times3=6$

→ $1\times3=3$

4 관계있는 것끼리 선으로 이으세요.

21 × 7	•		•	104
52 × 2	•		•	147
62 × 3	•		•	186

개념 체크 **4** ◀ 3학년 1학기 4단원

십의 자리에서 올림이 있는 (몇십몇)×(몇)의 계산

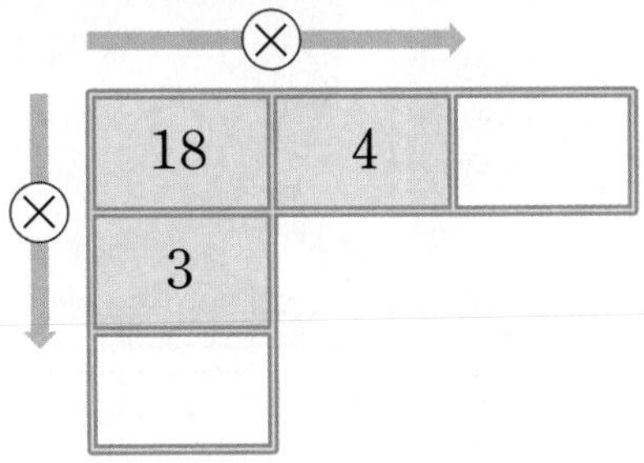

$1 \times 9 = 9$

$41 \times 9 = 369$

$4 \times 9 = 36$

$$\begin{array}{r} 4\ 1 \\ \times\quad 9 \\ \hline 3\ 6\ 9 \end{array}$$

$1 \times 9 = 9$
$4 \times 9 = 36$

5 빈칸에 알맞은 수를 써넣으세요.

| | 18 | 4 | |
| 3 | | |

개념 체크 **5** ◀ 3학년 1학기 4단원

일의 자리에서 올림이 있는 (몇십몇)×(몇)의 계산

$6 \times 4 = 24$

$16 \times 4 = 64$

$1 \times 4 = 4,\ 4 + 2 = 6$

$$\begin{array}{r} 2 \\ 1\ 6 \\ \times\quad 4 \\ \hline 6\ 4 \end{array}$$

6 계산 결과를 비교하여 ○ 안에 >, =, <를 알맞게 써넣으세요.

| 24 × 6 | ◯ | 45 × 3 |

개념 체크 **6** ◀ 3학년 1학기 4단원

십의 자리, 일의 자리에서 올림이 있는 (몇십몇)×(몇)의 계산

$6 \times 4 = 24$

$36 \times 4 = 144$

$3 \times 4 = 12,\ 12 + 2 = 14$

$$\begin{array}{r} 2 \\ 3\ 6 \\ \times\quad 4 \\ \hline 1\ 4\ 4 \end{array}$$

#

단계 교과서 **개념**

231 × 3을 어떻게 구하나요?

이건 바로 교장 선생님의 지팡이!

교장 선생님께 들키면 어쩌려고요?

괜찮아! 잠시만 빌리는 거야.

그럼 빨리 해바라기를 살리고 도로 넣어요.

어? 그건 안 돼.

이 지팡이는 그런 용도가 아니야.

그럼요?

이건 시간 이동을 할 수 있는 지팡이라고~.

그게 무슨?

우리 시간 이동을 해서 그 화가를 찾아 해바라기를 그려 달래자.

그리고 그 그림을 해바라기 꽃으로 만들면 돼.

아! 좋은 생각이에요.

자, 그럼 주문을…… . 앗!

왜요?

잠금 장치가 걸려 있어! 231 × 3을 계산해야 해.

그건 쉽죠.

231의 각 자리의 수를 3과 곱하면 231 × 3은 693이에요.

$$\begin{array}{r} 2\,3\,1 \\ \times\qquad 3 \\ \hline 6\,9\,3 \end{array}$$

1과 3을 곱하여 일의 자리에, 3과 3을 곱하여 십의 자리에, 2와 3을 곱하여 백의 자리에 씁니다.

파 파 팟

개념 클릭

• **올림이 없는 (세 자리 수)×(한 자리 수)**

• 231×3의 계산

	2	3	1
×			3
			3

	2	3	1
×			3
		9	❶

	2	3	1
×			3
	6	❷	3

231의 각 자리의 수를 3과 곱하여 그 자리에 써요.

○ 정답 ❶ 3 ❷ 9

1 □ 안에 알맞은 수를 써넣어 124×2를 계산해 보세요.

	1	2	4
×			2
			□

	1	2	4
×			2
		□	8

	1	2	4
×			2
	□	4	8

124의 각 자리의 수를 2와 곱하여 그 자리에 써 보아요.

[2~7] 계산해 보세요.

2
```
  3 4 3
×     2
```

3
```
  2 2 2
×     4
```

4
```
  4 1 3
×     2
```

5 111×6

6 142×2

7 233×3

1 단계 교과서 개념

215×4를 어떻게 구하나요?

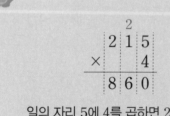

개념 클릭

- **일의 자리에서 올림이 있는 (세 자리 수)×(한 자리 수)**
  - 215×4의 계산

$$1 \times 4 = 4, \ 4 + 2 = 6$$

> 일의 자리에서 올림한 수를 십의 자리 계산에 더해요.

1 곱셈

◎ 정답 **❶** 4 **❷** 6

---

1 □ 안에 알맞은 수를 써넣어 124×3을 계산해 보세요.

> 124×3은 4×3, 20×3, 100×3을 계산하여 더해요.

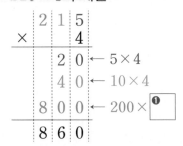

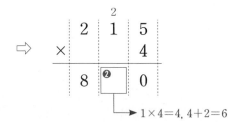

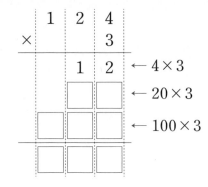

[2~4] □ 안에 알맞은 수를 써넣으세요.

2
```
    □
  3 2 5
×     3
───────
```

3
```
    □
  2 1 7
×     4
───────
```

4
```
    □
  1 1 8
×     5
───────
```

[5~7] 계산해 보세요.

5 114×6

6 228×2

7 319×3

((세 자리 수) × (한 자리 수) (1))

[01~02] □ 안에 알맞은 수를 써넣으세요.

01
```
   1 1 1
 ×   3
```

02
```
   2 1 3
 ×   2
```

[03~08] 계산해 보세요.

03
```
   4 2 2
 ×   2
```

04
```
   3 3 1
 ×   3
```

05
```
   4 3 1
 ×   2
```

06
```
   2 2 2
 ×   3
```

07
```
   1 2 1
 ×   4
```

08
```
   4 0 3
 ×   2
```

[09~10] 빈칸에 알맞은 수를 써넣으세요.

09
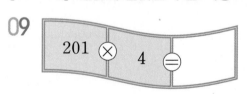
201 ⊗ 4 =

10
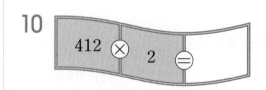

((세 자리 수) × (한 자리 수) (2))

[11~12] □ 안에 알맞은 수를 써넣으세요.

11
```
    2  1  6
 ×        2
 ─────────────
       1  2   ← 6×2
    □  □      ← 10×2
 □  □  □      ← 200×2
 ─────────────
 □  □  □
```

12
```
    3  2  4
 ×        3
 ─────────────
       □  □   ← 4×3
    6  0      ← 20×3
 □  □  □      ← 300×3
 ─────────────
 □  □  □
```

[13~19] 계산해 보세요.

13
```
    2 3 6
 ×      2
```

14
```
    4 2 9
 ×      2
```

15
```
    3 2 5
 ×      2
```

16
```
    3 1 7
 ×      3
```

17
```
    1 2 8
 ×      3
```

18 337×2

19 119×5

20 빈칸에 알맞은 수를 써넣으세요.

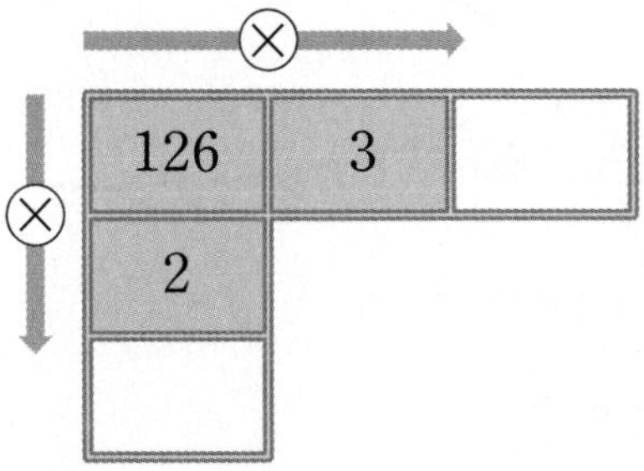

921 × 7을 어떻게 구하나요?

내 동전!

안 돼~

데구르르

쑤욱

도… 동전이 여기에 빠졌어.

안 돼. 찾아야 해.

첨벙 첨벙

윽! 동전에 손이 안 닿아.

아저씨가 고흐 아저씨 맞죠? 입장료는 저희가 내 드릴게요.

너희같은 꼬맹이들이 돈이 있다고?

그럼요, 많죠~.

921프랑씩 담긴 주머니가 7개 있으니까~.

모두 얼마인지 내가 계산할게요.

올림에 주의하여 계산하면 921 × 7은 6447이니까 모두 6447프랑이에요.

$$
\begin{array}{r}
\overset{1}{9}\ 2\ 1 \\
\times \qquad 7 \\
\hline
6\ 4\ 4\ 7
\end{array}
$$

십의 자리 계산에서 100을 백의 자리로 올림하고 백의 자리 계산에서 6000을 천의 자리로 올림하여 계산합니다.

그럼 입장료를 꼭 내주고 싶다면 그렇게 하렴.

대신 저희 부탁 좀 들어주세요.

개념 클릭

• 십의 자리, 백의 자리에서 올림이 있는 (세 자리 수)×(한 자리 수)

• 131×5의 계산

	1	3	1	
×			5	
			5	← 1×5
	1	5	0	← 30×5
	5	0	0	← 100×5
	6	5	5	

⇨

	1 (올림 1)	3	1
×			5
	❶ □	5	5

• 921×7의 계산

		9	2	1	
×				7	
				7	← 1×7
		1	4	0	← 20×7
	6	3	0	0	← 900×7
	6	4	4	7	

⇨

		9 (올림 1)	2	1
×				7
	6	4	4	7

정답 ❶ 6

1 □ 안에 알맞은 수를 써넣어 951×6을 계산해 보세요.

	9	5	1	
×			6	
			6	← 1×6
	□	□	□	← 50×6
□	□	□	□	← 900×6
□	□	□	□	

951×6은
십의 자리, 백의 자리에서
모두 올림이 있어요.

[2~3] □ 안에 알맞은 수를 써넣으세요.

2

□
　2 7 3
× 　　3
[　　]

3

□
　6 4 2
× 　　3
[　　]

십의 자리에서 올림한 수는
백의 자리 수 위에 작게 쓰고
백의 자리를 계산할 때 더해요.

[4~6] 계산해 보세요.

4

　1 6 2
× 　　3

5

　3 4 1
× 　　7

6

　5 3 2
× 　　4

20×30을 어떻게 구하나요?

$$
\begin{aligned}
20 \times 30 &= 20 \times 3 \times 10 \\
&= 60 \times 10 \\
&= 600
\end{aligned}
$$

$$
\begin{array}{r}
20 \\
\times\ 30 \\
\hline
600
\end{array}
$$

개념 클릭

- **(몇십)×(몇십), (몇십몇)×(몇십)**

  · 20×30의 계산

  $$20 \times 30 = 20 \times 3 \times 10$$
  $$= 60 \times 10$$
  $$= \boxed{❶}$$

  ```
     2 0
  ×  3 0
  ───────
   6 0 0
  ```

  20과 30의 3을 먼저 곱한 다음 10을 곱하면 돼요.

  · 14×20의 계산

  10배

  $$14 \times 2 = 28 \Rightarrow 14 \times 20 = \boxed{❷}$$

  10배

  ```
       1 4          1 4
  ×      2     ⇨  ×  2 0
  ─────────       ────────
       2 8          2 8 0
  ```

  ○ 정답　❶ 600　❷ 280

[1~2] □ 안에 알맞은 수를 써넣으세요.

1
```
   1 7            1 7
×    3     ⇨    × 3 0
───────        ───────
   5 1          □
```

2
```
   2 2            2 2
×    4     ⇨    × 4 0
───────        ───────
   8 8          □
```

(몇십몇)×(몇십)은 (몇십몇)×(몇)의 10배예요.

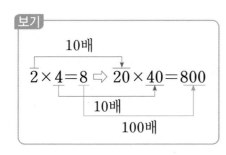

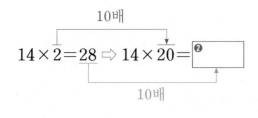

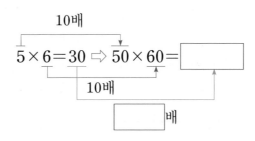

3 보기와 같이 계산해 보세요.

보기

10배

$$2 \times 4 = 8 \Rightarrow 20 \times 40 = 800$$

10배

100배

10배

$$5 \times 6 = 30 \Rightarrow 50 \times 60 = \boxed{}$$

10배

$$\boxed{} 배$$

[4~6] 계산해 보세요.

4 30×30

5 31×30

6 92×30

((세 자리 수) × (한 자리 수) (3))

[01~05] □ 안에 알맞은 수를 써넣으세요.

01
```
      7 2 3
  ×       3
  ─────────
          9  ← 3×3
      [    ] ← 20×3
  [       ] ← 700×3
  ─────────
  [       ]
```

02
```
      5 4 1
  ×       2
  ─────────
      [    ] ← 1×2
      8 0  ← 40×2
  [       ] ← 500×2
  ─────────
  [       ]
```

03
```
    [ ]
      9 3 1
  ×         5
  ───────────
  [         ]
```

04
```
    [ ]
      8 6 2
  ×         4
  ───────────
  [         ]
```

05
```
    [ ]
      4 9 1
  ×         6
  ───────────
  [         ]
```

[06~10] 계산해 보세요.

06
```
    1 7 4
  ×     2
```

07
```
    2 9 3
  ×     3
```

08
```
    6 1 2
  ×     4
```

09
```
    7 3 1
  ×     5
```

10
```
    5 8 3
```

(몇십)×(몇십), (몇십몇)×(몇십)

[11~12] □ 안에 알맞은 수를 써넣으세요.

11 $3\times5=$ □ ⇨ $30\times50=$ □

100배

12 $24\times2=$ □ ⇨ $24\times20=$ □

10배

[13~18] 계산해 보세요.

13
$$\begin{array}{r} 3\,0 \\ \times\,2\,0 \\ \hline \end{array}$$

14
$$\begin{array}{r} 2\,1 \\ \times\,3\,0 \\ \hline \end{array}$$

15
$$\begin{array}{r} 4\,3 \\ \times\,3\,0 \\ \hline \end{array}$$

16 60×20

17 14×30

18 53×20

[19~20] 빈칸에 알맞은 수를 써넣으세요.

19 70 ⊗ 80 ⊜ □

20 35 ⊗ 40 ⊜ □

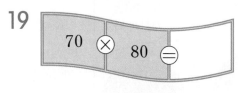

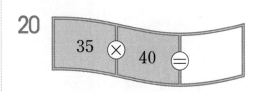

9×23을 어떻게 구하나요?

아저씨, 이제 저희 부탁을 들어주세요.

야! 무슨 부탁인데?

저희 해바라기 그림 좀 그려 주세요.

그림을 그려 달라고? 난 화가도 아닌데……

사실 난 화가가 되고 싶긴 하지만 …….

화가가 되려면 좀 더 많은 경험과 …….

사탕 가게

우아~ 사탕이다!

사라 선배님, 사탕 사 주세요!

윽!

어서 오렴. 한 봉지에 9개씩 담긴 사탕 23봉지가 있단다.

그럼 사탕이 몇 개 있다는 거야?

그건 9×23을 계산해 봐.

9를 일의 자리, 십의 자리에 각각 곱하면 $9 \times 23 = 207$이에요.

$$\begin{array}{r} \overset{2}{} 9 \\ \times\ 2\ 3 \\ \hline 2\ 0\ 7 \end{array}$$

9와 3의 곱은 27이므로 20을 십의 자리로 올림하여 계산합니다.

사탕 207개쯤은 금방 먹을 수 있지. 전부 주세요.

그걸 다 먹으면 이가 썩을텐데~. 사탕보다는 과일이 낫지 않을까?

아~ 맞다!

사탕

내가 아는 과일 가게로 가자.

쌔앵~

내 장사를 망치다니!!

개념 클릭

- **(몇)×(몇십몇)**
  - **9×23의 계산**

9×23은
23×9와 같아요.

1

곱셈

○ 정답 ❶2 ❷0 ❸7

---

1 □ 안에 알맞은 수를 써넣어 8×24를 계산해 보세요.

일의 자리 계산
8×4=32에서
30을 십의 자리로
올림하고 나머지 2를
일의 자리에 써요.

[2~7] 계산해 보세요.

2
```
     4
  × 2 7
```

3
```
     6
  × 3 5
```

4
```
     9
  × 2 4
```

5
```
     5
  × 3 4
```

6
```
     7
  × 2 5
```

7
```
     8
```

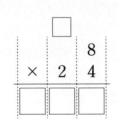

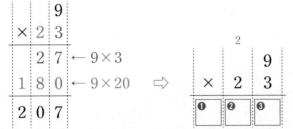

25×13을 어떻게 구하나요?

여긴 내가 가끔 아르바이트 하는 곳이야.

아르바이트요?

음~ 뭐랄까? 화가가 되기 전……

다양한 경험을 통해 화가로서의 자질을 갖추기 위해……

자랑

허세

헉! 녀석들은 어딜 간 거야?

텅-

허둥

지둥

녀석들이 사고치기 전에 찾아야 해.

고흐군, 아르바이트 시간도 아닌데 벌써 온 건가?

아… 사장님~.

하하

마침 잘됐네. 바쁜데 좀 도와주면 좋겠어.

이…이런…

아주 성실한 친구고만!

맛있겠다.

응! 전부 몇 개나 될까?

한 줄에 바나나가 25개씩 모두 13줄이니까……

자- 다음은..

모르겠어.

크흡..

25×3과 25×10을 계산하여 더하면
25×13=325이니까 모두 325개야.

$$\begin{array}{r} 2\ 5 \\ \times\ 1\ 3 \\ \hline 7\ 5 \\ 2\ 5\ 0 \\ \hline 3\ 2\ 5 \end{array}$$

← 25×3

← 25×10

25×3과 25×10을 계산하여 더합니다.

얘들아~ 아저씨 좀 도와줘.

고흐 아저씨?

개념 클릭

- **올림이 한 번 있는 (몇십몇)×(몇십몇)**
  - 25×13의 계산

$$
\begin{array}{r} {\scriptstyle 1} \\ 2\,5 \\ \times\,1\,3 \\ \hline 5 \end{array}
\Rightarrow
\boxed{①}
\begin{array}{r} 2\,5 \\ \times\,1\,3 \\ \hline 7\,5 \end{array}
\Rightarrow
\begin{array}{r} 2\,5 \\ \times\,1\,3 \\ \hline 7\,5 \\ 5\,0 \end{array}
\Rightarrow
\begin{array}{r} 2\,5 \\ \times\,1\,3 \\ \hline 7\,5 \\ 2\,5\,0 \end{array}
\Rightarrow
\begin{array}{r} 2\,5 \\ \times\,1\,3 \\ \hline 7\,5 \\ 2\,5\,0 \end{array}
\begin{array}{l} \leftarrow 25\times3 \\ \leftarrow 25\times10 \end{array}
$$

$\boxed{②}$

○ 정답 ❶ 1 ❷ 325

1   □ 안에 알맞은 수를 써넣어 37×12를 계산해 보세요.

$$
\begin{array}{r} 3\,7 \\ \times\,1\,2 \\ \hline 7\,4 \end{array}
\Rightarrow
\begin{array}{r} 3\,7 \\ \times\,1\,2 \\ \hline 7\,4 \end{array}
\Rightarrow
\begin{array}{r} 3\,7 \\ \times\,1\,2 \\ \hline \boxed{} \\ \boxed{} \\ \boxed{} \end{array}
\begin{array}{l} \leftarrow 37\times2 \\ \leftarrow 37\times10 \end{array}
$$

37×12는 37×2와 37×10의 합이에요.

[2~3] □ 안에 알맞은 수를 써넣으세요.

2
$$
\begin{array}{r} 2\,3 \\ \times\,4\,2 \\ \hline \boxed{} \\ \boxed{} \\ \boxed{} \end{array}
\begin{array}{l} \\ \leftarrow 23\times2 \\ \leftarrow 23\times40 \end{array}
$$

3
$$
\begin{array}{r} 2\,6 \\ \times\,1\,3 \\ \hline \boxed{} \\ \boxed{} \\ \boxed{} \end{array}
\begin{array}{l} \\ \leftarrow 26\times3 \\ \leftarrow 26\times10 \end{array}
$$

26과 일의 자리 3을 먼저 곱하고, 26과 십의 자리 1을 곱하여 더해요.

[4~6] 계산해 보세요.

4
$$
\begin{array}{r} 1\,3 \\ \times\,2\,5 \\ \hline \end{array}
$$

5
$$
\begin{array}{r} 8\,3 \\ \times\,1\,2 \\ \hline \end{array}
$$

6
$$
\begin{array}{r} 1\,4 \\ \times\,2\,7 \\ \hline \end{array}
$$

((몇) × (몇십몇))

[01~04] □ 안에 알맞은 수를 써넣으세요.

01
$$\begin{array}{r} 5 \\ \times\,2\,3 \\ \hline \end{array}$$
□ ← 5 × 3
□ ← 5 × 20
□

02
$$\begin{array}{r} 7 \\ \times\,1\,4 \\ \hline \end{array}$$
□ ← 7 × 4
□ ← 7 × 10
□

03
	□	
		4
×	5	6
□	□	□

04
	□	
		8
×	3	2
□	□	□

[05~10] 계산해 보세요.

05
$$\begin{array}{r} 7 \\ \times\,2\,7 \\ \hline \end{array}$$

06
$$\begin{array}{r} 6 \\ \times\,4\,3 \\ \hline \end{array}$$

07
$$\begin{array}{r} 5 \\ \times\,8\,1 \\ \hline \end{array}$$

08
$$\begin{array}{r} 6 \\ \times\,5\,4 \\ \hline \end{array}$$

09 8 × 35

10 9 × 47

((몇십몇) × (몇십몇) (1))

[11~12] □ 안에 알맞은 수를 써넣으세요.

11
```
    3 2
  × 2 4
  ─────
  1 2 8  ← 32 × 4
  ┌───┐
  │   │  ← 32 × 20
  └───┘
  ┌───┐
  │   │
  └───┘
```

12
```
    2 6
  × 1 2
  ┌───┐
  │   │  ← 26 × 2
  └───┘
  ┌───┐
  │   │  ← 26 × 10
  └───┘
  ┌───┐
  │   │
  └───┘
```

[13~18] 계산해 보세요.

13
```
    5 2
  × 1 3
```

14
```
    2 4
  × 2 4
```

15
```
    1 4
  × 1 5
```

16
```
    1 2
  × 2 7
```

17
```
    4 6
  × 1 2
```

18
```
    4 5
  × 2 1
```

[19~20] 빈칸에 알맞은 수를 써넣으세요.

19
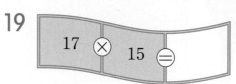
17 × 15 =

20
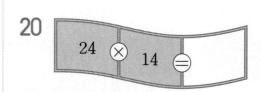

53×29를 어떻게 구하나요?

53×9와 53×20을 계산하여 더하면
53×29=1537이므로 사과는 모두 1537개야.

$$
\begin{array}{r}
5\ 3 \\
\times\ 2\ 9 \\
\hline
4\ 7\ 7 \quad \leftarrow 53 \times 9 \\
1\ 0\ 6\ 0 \quad \leftarrow 53 \times 20 \\
\hline
1\ 5\ 3\ 7
\end{array}
$$

53×9와 53×20을 계산하여 더합니다.

개념 클릭

• **올림이 여러 번 있는 (몇십몇)×(몇십몇)**

　• 53×29의 계산

$$
\begin{array}{r}
5\,3 \\
\times\,2\,9 \\
\hline
\end{array}
\Rightarrow
\begin{array}{r}
\overset{2}{5}\,3 \\
\times\,2\,9 \\
\hline
4\,7\,7 \\
\end{array}
\Rightarrow
\begin{array}{r}
5\,3 \\
\times\,2\,9 \\
\hline
4\,7\,7 \\
1\,0\,6\,0 \\
\end{array}
\Rightarrow
\begin{array}{r}
5\,3 \\
\times\,2\,9 \\
\hline
4\,7\,7 \\
1\,0\,6\,0 \\
\hline
\boxed{}❶ \\
\end{array}
$$

← 53×9
← 53×20

53과 일의 자리 9를 먼저 곱하고, 53과 십의 자리 2를 곱하여 더해요.

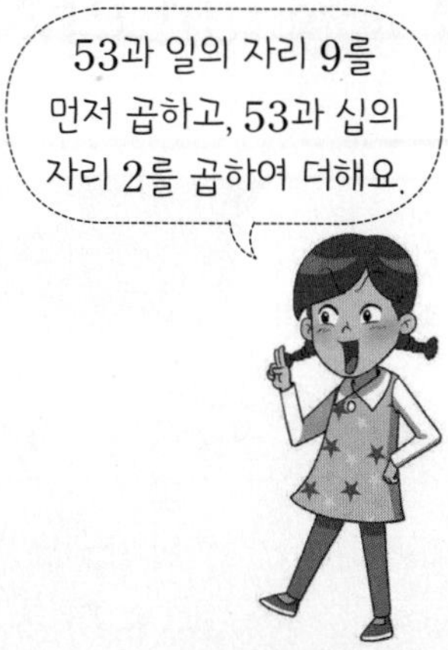

◑ 정답　❶ 1537

1 □ 안에 알맞은 수를 써넣어 41×38을 계산해 보세요.

$$
\begin{array}{r}
4\,1 \\
\times\,3\,8 \\
\hline
3\,2\,8 \\
\end{array}
\Rightarrow
\begin{array}{r}
4\,1 \\
\times\,3\,8 \\
\hline
3\,2\,8 \\
\boxed{} \\
\end{array}
\Rightarrow
\begin{array}{r}
4\,1 \\
\times\,3\,8 \\
\hline
3\,2\,8 \\
\boxed{} \\
\hline
\boxed{} \\
\end{array}
$$

← 41×8
← 41×30

41×38은 41×8과 41×30의 합과 같아요.

[2~7] □ 안에 알맞은 수를 써넣으세요.

2
$$
\begin{array}{r}
3\,5 \\
\times\,4\,6 \\
\hline
2\,1\,0 \\
\boxed{} \\
\hline
\boxed{} \\
\end{array}
$$
← 35×6
← 35×40

3
$$
\begin{array}{r}
5\,4 \\
\times\,2\,7 \\
\hline
\boxed{} \\
\boxed{} \\
\hline
\boxed{} \\
\end{array}
$$
← 54×7
← 54×20

4
$$
\begin{array}{r}
2\,8 \\
\times\,3\,9 \\
\hline
\boxed{} \\
\boxed{} \\
\hline
\boxed{} \\
\end{array}
$$
← 28×9
← 28×30

5
$$
\begin{array}{r}
4\,5 \\
\times\,3\,2 \\
\end{array}
$$

6
$$
\begin{array}{r}
7\,6 \\
\times\,7\,4 \\
\end{array}
$$

7
$$
\begin{array}{r}
6\,3 \\
\times\,8\,5 \\
\end{array}
$$

1 단계 교과서 개념

곱셈을 어떻게 활용하나요?

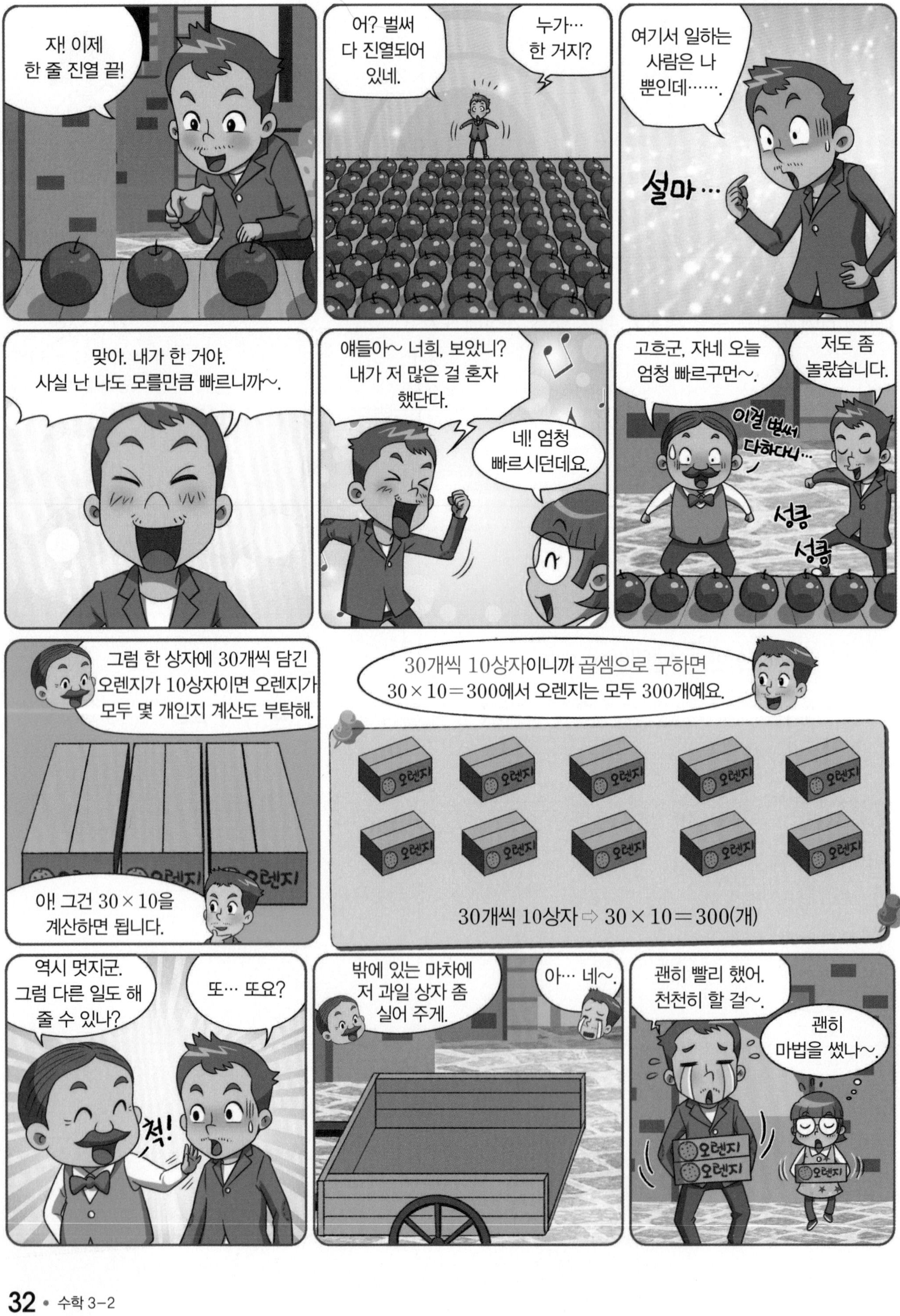

개념 클릭

- **곱셈 활용하기**

  한 상자에 오렌지가 30개씩 담겨 있습니다. 10상자에 담긴 오렌지는 모두 몇 개일까요?

  30개씩 10상자 ⇨ $30 \times 10 = $ ⓵ ☐ (개)

(한 상자에 담긴 오렌지의 개수) × (상자 수)를 계산하여 오렌지기 모두 몇 개인지 구해요.

◐ 정답 ❶ 300

1 지수네 학교의 3학년 학생은 132명입니다. 한 사람이 우유를 하루에 한 개씩 마신다면 일주일 동안 마신 우유는 모두 몇 개인지 구하려고 합니다. 물음에 답하세요.

(1) 일주일은 며칠일까요?

(   )

(2) 일주일 동안 마신 우유는 모두 몇 개일까요?

$132 \times $ ☐ $ = $ ☐ (개)

2 정음이네 가족은 감을 따러 갔습니다. 딴 감을 한 상자에 40개씩 30상자에 담았다면 상자에 담은 감은 모두 몇 개일까요?

$40 \times $ ☐ $ = $ ☐ (개)

3 고구마 캐기 체험학습에서 한 명이 65개씩 30명의 학생들이 고구마를 캤습니다. 학생들이 캔 고구마는 모두 몇 개일까요?

$65 \times $ ☐ $ = $ ☐ (개)

4 구슬이 한 통에 29개씩 들어 있습니다. 39통에 들어 있는 구슬은 모두 몇 개일까요?

$29 \times $ ☐ $ = $ ☐ (개)

((몇십몇) × (몇십몇) (2))

[01~02] ☐ 안에 알맞은 수를 써넣으세요.

01
```
    2 8
  × 4 6
```
☐ ← 28 × 6

☐ ← 28 × 40

☐

02
```
    4 4
  × 4 7
```
☐ ← 44 × 7

☐ ← 44 × 40

☐

[03~09] 계산해 보세요.

03
```
    6 1
  × 2 5
```

04
```
    2 6
  × 7 7
```

05
```
    3 5
  × 4 5
```

06
```
    3 3
  × 4 7
```

07
```
    5 4
  × 2 5
```

08
```
    4 6
  × 3 2
```

09
```
    6 1
  × 3 4
```

10 빈칸에 알맞은 수를 써넣으세요.

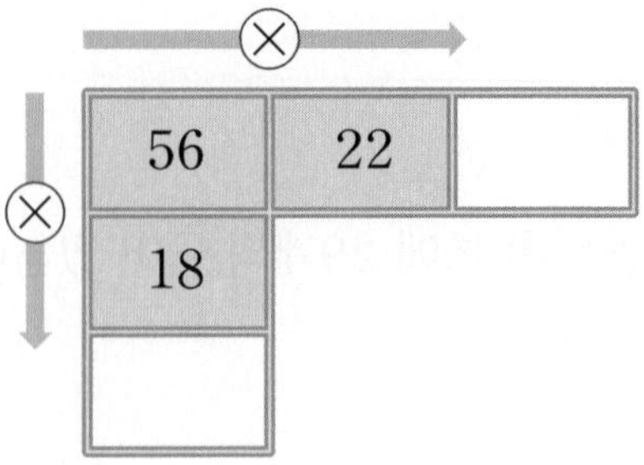

곱셈 활용하기

[11~14] 가게에 있는 물건의 값을 나타낸 것입니다. 물음에 답하세요.

과자 220원
30원
317원
컵라면 672원

11 원석이는 사탕을 30개 샀습니다. 사탕의 값은 모두 얼마일까요?

$$30 \times \boxed{} = \boxed{} \text{(원)}$$

12 소영이는 과자를 4봉지 샀습니다. 과자의 값은 모두 얼마일까요?

$$220 \times \boxed{} = \boxed{} \text{(원)}$$

13 하선이는 음료수를 2캔 샀습니다. 음료수의 값은 모두 얼마일까요?

$$317 \times \boxed{} = \boxed{} \text{(원)}$$

14 별이는 컵라면을 3개 샀습니다. 컵라면의 값은 모두 얼마일까요?

$$672 \times \boxed{} = \boxed{} \text{(원)}$$

1
곱셈

15 선물 한 개를 포장하는 데 리본이 128 cm 필요합니다. 같은 선물 7개를 포장하려면 리본이 몇 cm 필요할까요?

$$128 \times \boxed{} = \boxed{} \text{(cm)}$$

16 한 상자에 138개씩 들어 있는 귤이 6상자 있습니다. 6상자에 들어 있는 귤은 모두 몇 개일까요?

$$138 \times \boxed{} = \boxed{} \text{(개)}$$

17 은희는 동화책을 하루에 26쪽씩 읽으려고 합니다. 14일 동안 동화책을 모두 몇 쪽 읽을 수 있는지 식을 쓰고 답을 구하세요.

식 _____

답 _____

18 꽃 한 송이를 만드는 데 색 테이프가 24 cm 필요합니다. 같은 꽃 53송이를 만들려면 색 테이프가 몇 cm 필요한지 식을 쓰고 답을 구하세요.

식 _____

답 _____

01 수 모형을 324씩 2번 놓았습니다. □ 안에 알맞은 수를 써넣으세요.

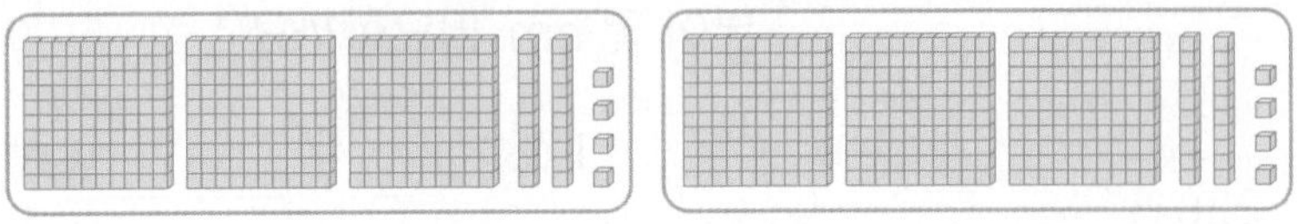

$$324 \times 2 = \boxed{}$$

Tip

• 백 모형, 십 모형, 일 모형의 수를 각각 세어 봅니다.

02 □ 안에 알맞은 수를 써넣어 218×3을 계산해 보세요.

$$
\begin{array}{r}
2\ 1\ 8 \\
\times\quad 3 \\
\hline
2\ 4 \leftarrow \boxed{} \times 3 \\
\boxed{}\ \boxed{} \leftarrow \boxed{} \times 3 \\
6\ 0\ 0 \leftarrow \boxed{} \times 3 \\
\hline
\boxed{}\ \boxed{}\ \boxed{}
\end{array}
$$

03 보기 와 같이 계산해 보세요.

보기

$$
\begin{array}{r}
\overset{1}{3}\ 4\ 2 \\
\times\quad 4 \\
\hline
1\ 3\ 6\ 8
\end{array}
$$

(1)
$$
\begin{array}{r}
5\ 7\ 1 \\
\times\quad 6 \\
\hline
\end{array}
$$

(2)
$$
\begin{array}{r}
4\ 7\ 0 \\
\times\quad 8 \\
\hline
\end{array}
$$

십의 자리에서 올림한 수를 백의 자리 수 위에 작게 쓰고 계산해요.

04 □ 안에 알맞은 수를 써넣으세요.

10배
$$3 \times 7 = 21 \Rightarrow 30 \times 70 = 2100$$
10배

$$\boxed{} 배$$

• 곱하는 수와 곱해지는 수가 10배씩 커지면 두 수의 곱은 100배 커집니다.

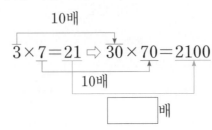

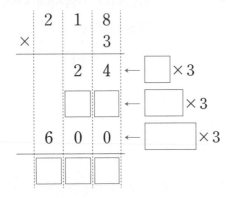

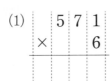

05 계산해 보세요.

(1) $\begin{array}{r} 9 \\ \times 36 \\ \hline \end{array}$

(2) $\begin{array}{r} 8 \\ \times 73 \\ \hline \end{array}$

(3) $\begin{array}{r} 23 \\ \times 24 \\ \hline \end{array}$

(4) $\begin{array}{r} 36 \\ \times 45 \\ \hline \end{array}$

Tip

• 올림한 수를 잊지 말고 계산합니다.

06 빈칸에 알맞은 수를 써넣으세요.

$\times 60$

30	
29	
57	

07 □ 안에 알맞은 수를 써넣으세요.

$26 \times 34 = 26 \times 30 + 26 \times \square$

$= \square + \square$

$= \square$

	2	6	
×	3	4	
□	□	□	← 26×4
□	□	□	← 26×30
□	□	□	

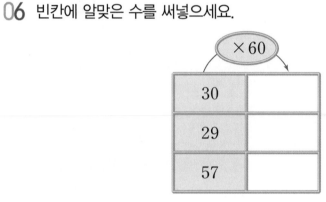

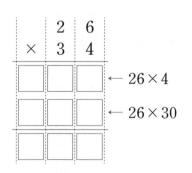

26×34는 26×30과
26×4를 계산하여 더해요.

1 곱셈

08 계산 결과를 비교하여 ○ 안에 $>$, $=$, $<$를 알맞게 써넣으세요.

349×2 ○ 209×3

Tip
- 일의 자리에서 올림한 수를 잊지 말고 십의 자리 계산할 때 더합니다.

09 계산 결과가 같은 것끼리 선으로 이으세요.

25×60 •	• 70×60
60×70 •	• 30×50
24×20 •	• 12×40

10 계산 결과가 큰 순서대로 기호를 쓰세요.

㉠ 4×71 ㉡ 9×28 ㉢ 8×32

( )

- 계산 결과를 먼저 알아보고 크기를 비교합니다.

11 보기 와 같이 계산 결과를 찾아 색칠해 보세요.

보기
$123\times2=246$

102×3 313×3
243×2 230×2

369	480	306
246	460	946
406	939	486

- (세 자리 수)×(한 자리 수)를 계산하여 계산 결과를 표에서 찾아봅니다.

12 잘못된 부분을 찾아서 바르게 계산해 보세요.

$$\begin{array}{r} 26 \\ \times 57 \\ \hline 182 \\ 130 \\ \hline 312 \end{array} \Rightarrow \begin{array}{r} 26 \\ \times 57 \\ \hline \end{array}$$

13 승강기에는 안전을 위하여 동시에 탈 수 있는 최대 정원이 다음과 같이 표시되어 있습니다. 몸무게가 68 kg인 사람 15명이 승강기에 탔습니다. 승강기에 탄 사람들의 몸무게는 모두 몇 kg일까요?

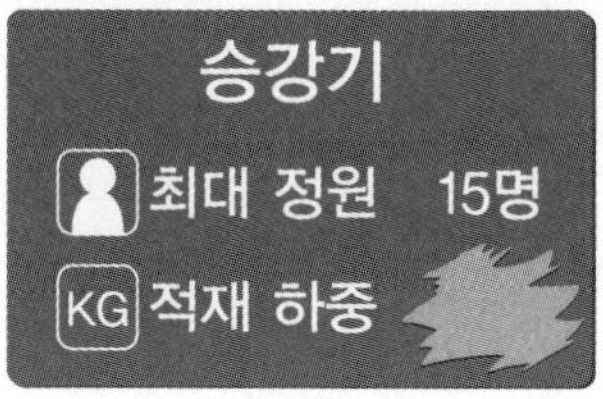

(　　　　　　　　)

Tip

승강기에 실을 수 있는 최대 무게를 '적재 하중'이라고 해요.

14 객실 한 량의 좌석 배치도가 다음과 같은 열차가 있습니다. 물음에 답하세요.

1A	2A	3A	4A	5A	6A	7A		8A	9A	10A	11A	12A
1B	2B	3B	4B	5B	6B	7B		8B	9B	10B	11B	12B
							통로					
1C	2C	3C	4C	5C	6C	7C		8C	9C	10C	11C	12C
1D	2D	3D	4D	5D	6D	7D		8D	9D	10D	11D	12D

(1) 객실 한 량에는 좌석이 몇 개 있을까요?

(　　　　　　　　)

(2) 이 열차의 객실이 14량이라면 좌석이 모두 몇 개 있을까요?

(　　　　　　　　)

• 객실 한 량에는 좌석이 4개씩 12줄 있습니다.

4단계 단원 평가

01 수 모형을 보고 곱셈식으로 나타내어 보세요.

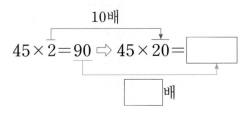

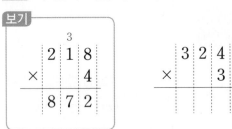

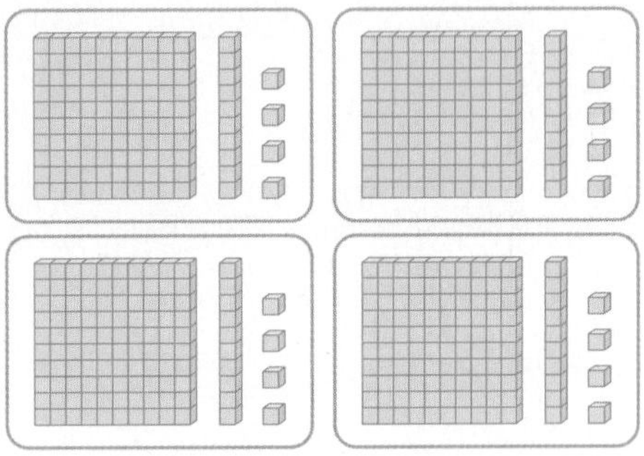

$114 \times 4 = \square$

02 □ 안에 알맞은 수를 써넣으세요.

$$\begin{array}{r} 25 \\ \times\ 46 \\ \hline \square \\ \square \\ \hline \square \end{array}$$

$\square \leftarrow 25 \times 6$

$\square \leftarrow 25 \times 40$

03 보기 와 같이 계산해 보세요.

보기

$$\begin{array}{r} {}^{3} \\ 2\ 1\ 8 \\ \times \quad\ \ 4 \\ \hline 8\ 7\ 2 \end{array}$$

$$\begin{array}{r} 3\ 2\ 4 \\ \times \quad\ \ 3 \\ \hline \end{array}$$

04 □ 안에 알맞은 수를 써넣으세요.

10배

$45 \times 2 = 90 \Rightarrow 45 \times 20 = \square$

□배

[05~06] **계산해 보세요.**

05

$$\begin{array}{r} 461 \\ \times \quad 8 \\ \hline \end{array}$$

06

$$\begin{array}{r} 92 \\ \times 58 \\ \hline \end{array}$$

07 두 수의 곱을 구하세요.

33	70

(　　　　　　　　)

08 빈칸에 알맞은 수를 써넣으세요.

×	20	30
30		
35		

09 계산 결과가 옳은 것에 ○표 하세요.

$7 \times 32 = 214$ ( )

$6 \times 45 = 270$ ( )

10 관계있는 것끼리 선으로 이으세요.

315×4 •　　　　• 1312

164×8 •　　　　• 1290

　　　　　　　　　　• 1260

11 계산 결과가 다른 하나를 찾아 기호를 쓰세요.

㉠ 25×60　　㉡ 30×50

㉢ 22×70　　㉣ 375×4

( )

12 계산 결과를 비교하여 ○ 안에 >, =, <를 알맞게 써넣으세요.

42×36 ○ 54×27

13 빈칸에 알맞은 수를 써넣으세요.

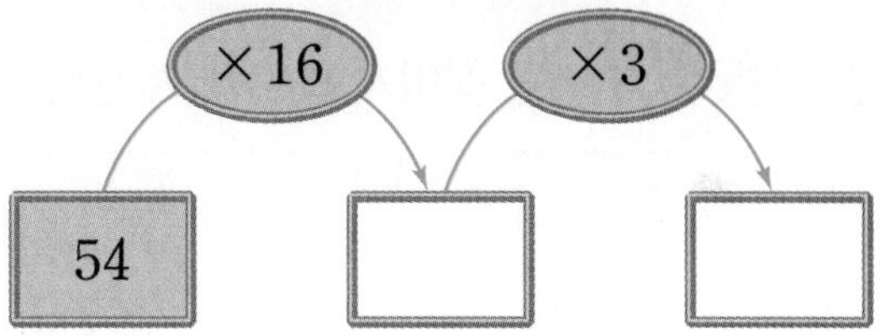

14 덧셈식을 곱셈식으로 나타내고 답을 구하세요.

$874 + 874 + 874 + 874 + 874$

식 ____________________

답 ____________________

15 계산 결과가 큰 것부터 차례로 기호를 쓰세요.

㉠ 80×50
㉡ 53×70
㉢ 564×7

(　　　　　　　　)

16 잘못된 부분을 찾아서 바르게 계산해 보세요.

$$\begin{array}{r} 49 \\ \times 75 \\ \hline 245 \\ 343 \\ \hline 588 \end{array} \Rightarrow \begin{array}{r} 49 \\ \times 75 \\ \hline \end{array}$$

17 달걀이 한 판에 30개씩 들어 있습니다. 29판에 들어 있는 달걀은 모두 몇 개일까요?

(　　　　　　　　)

18 □ 안에 알맞은 수를 써넣으세요.

$$\begin{array}{r} 3\ 2\ \square \\ \times \quad\ \ 3 \\ \hline 9\ 8\ 1 \end{array}$$

19 예원이는 매일 줄넘기를 350번씩 합니다. 일주일 동안에는 줄넘기를 모두 몇 번 할까요?

(　　　　　　　　)

20 미술 수업 준비물로 색종이를 3학년 전체 학생에게 한 명당 4묶음씩 주려고 합니다. 색종이는 모두 몇 묶음 필요한지 곱셈식을 쓰고 답을 구하세요.

반	1	2	3	4	5
학생 수(명)	25	30	25	28	24

식 ______________________

답 ______________

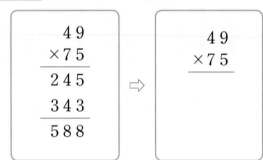

스스로 학습장 🎓

스스로 학습장은 이 단원에서 배운 것을 확인하는 코너입니다.
몰랐던 것은 꼭 다시 공부해서 내 것으로 만들어 보아요.

🐾 파이가 본 쪽지 시험입니다. 맞은 문제는 ○표, 틀린 문제는 /표 하고 바르게 계산해 보세요.

쪽지 시험		이름	파이
곱셈			

🐾 계산해 보세요.

①
```
  1 3 2
×     3
───────
  3 9 6
```

2
```
  2 2 8
×     3
───────
  6 8 4
```

3
```
  3 7 4
×     2
───────
  6 4 8
```

4
```
    8 2 1
×       4
─────────
  3 2 8 4
```

5
```
      4
×   3 8
───────
  1 5 2
```

6
```
    1 8
×   5 2
───────
    3 6
    9 0
───────
  1 2 6
```

7 $40 \times 50 = 200$

8 $24 \times 30 = 720$

2

나눗셈

QR 코드를 찍으면 2단원 개념 동영상 강의를 볼 수 있어요.

이번에 배울 내용

- (몇십)÷(몇)
- (몇십몇)÷(몇)
- (세 자리 수)÷(한 자리 수)
- 맞게 계산했는지 확인하기

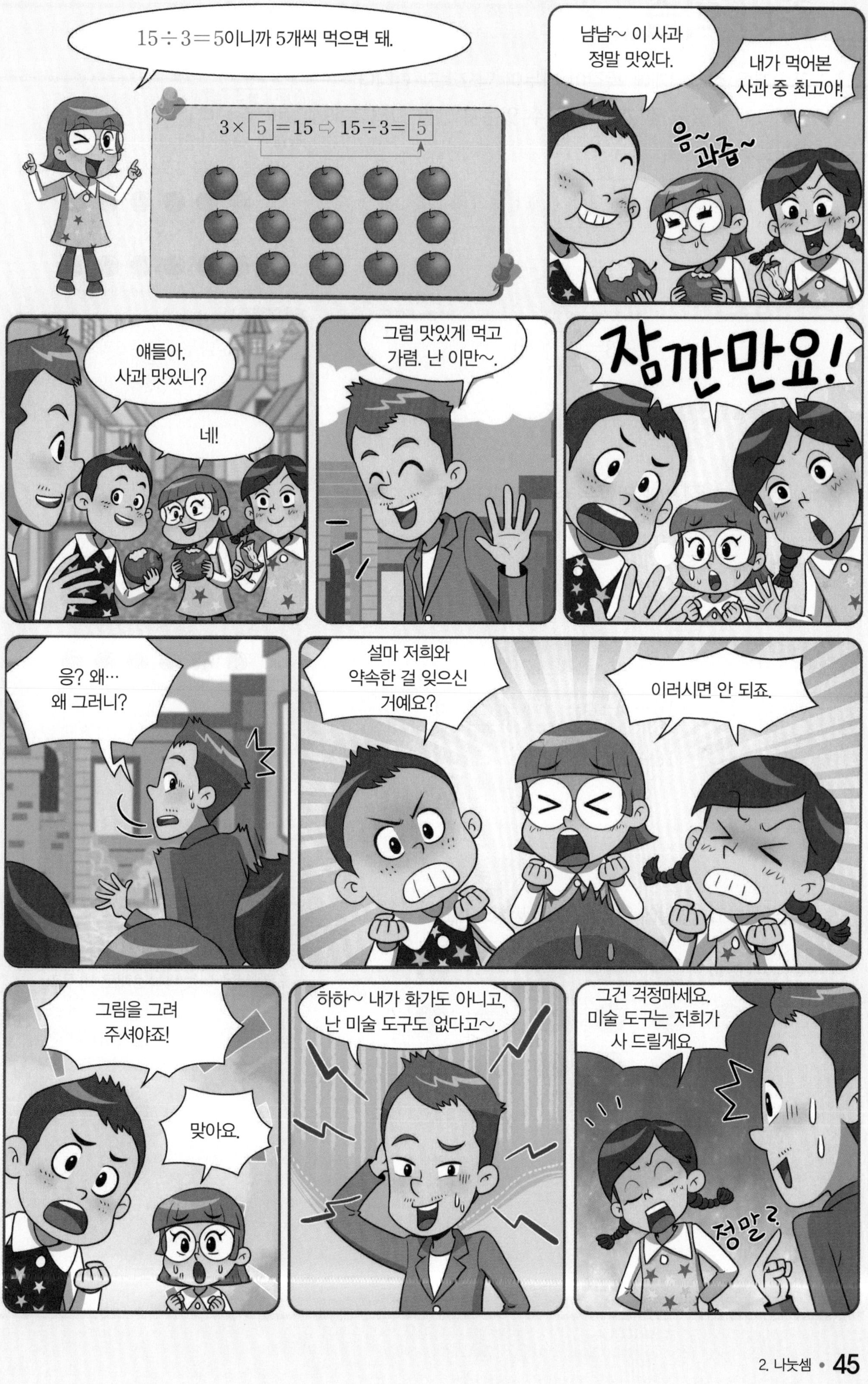

$15 \div 3 = 5$이니까 5개씩 먹으면 돼.
$3 \times \boxed{5} = 15 \Rightarrow 15 \div 3 = \boxed{5}$
냠냠~ 이 사과 정말 맛있다.
내가 먹어본 사과 중 최고야!
음~ 과즙~
얘들아, 사과 맛있니?
네!
그럼 맛있게 먹고 가렴. 난 이만~.
잠깐만요!
응? 왜… 왜 그러니?
설마 저희와 약속한 걸 잊으신 거예요?
이러시면 안 되죠.
그림을 그려 주셔야죠!
맞아요.
하하~ 내가 화가도 아니고, 난 미술 도구도 없다고~.
그건 걱정마세요. 미술 도구는 저희가 사 드릴게요.
정말?

2 나눗셈

준비 학습

1 귤 9개를 접시 3개에 똑같이 나누어 담으려고 합니다. 접시 1개에 귤을 몇 개씩 담을 수 있는지 ○를 그리고 알아보세요.

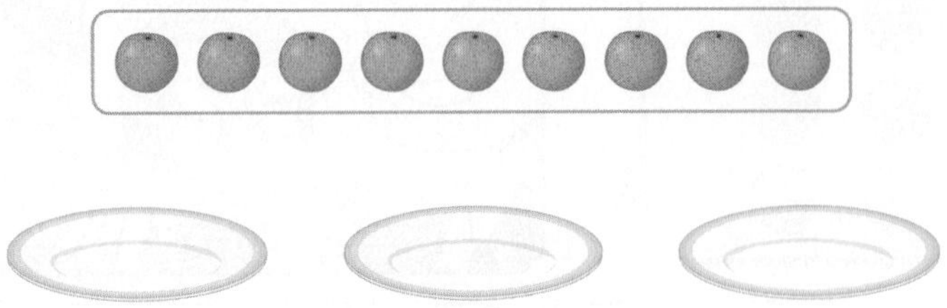

$$9 \div 3 = \boxed{} \,(\text{개})$$

2 그림을 보고 □ 안에 알맞은 수를 써넣으세요.

$$16 - 4 - 4 - \boxed{} - \boxed{} = 0$$

$$16 \div 4 = \boxed{}$$

3 그림을 보고 □ 안에 알맞은 수를 써넣으세요.

$$3 \times 6 = \boxed{} \begin{cases} 18 \div 3 = \boxed{} \\ \boxed{} \div 6 = \boxed{} \end{cases}$$

개념 체크 **1** ◀ 3학년 1학기 3단원

똑같이 나누기 (1)

• 바둑돌 6개를 2곳으로 똑같이 나누기

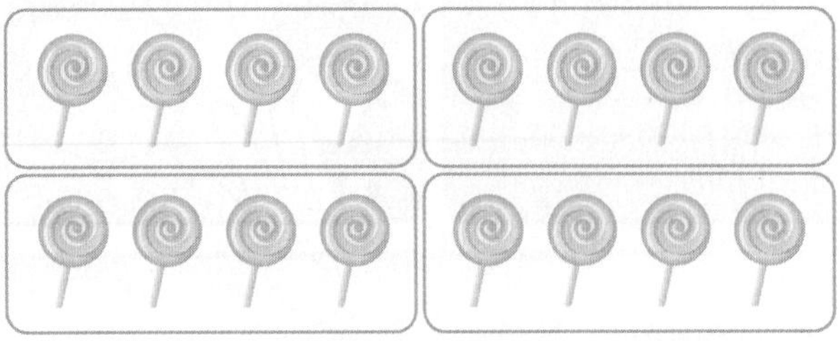

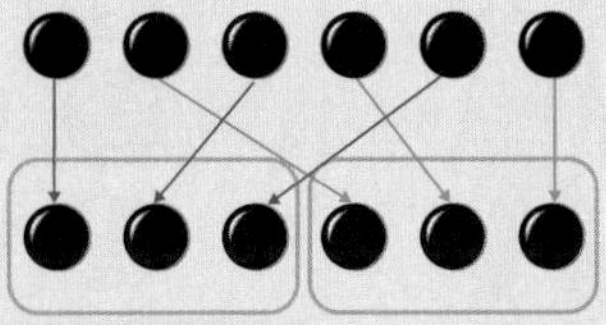

나눗셈식 $6 \div 2 = 3$

읽기 6 나누기 2는 3과 같습니다.

개념 체크 **2** ◀ 3학년 1학기 3단원

똑같이 나누기 (2)

• 바둑돌 6개를 3개씩 나누기

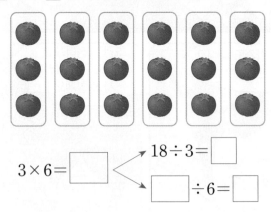

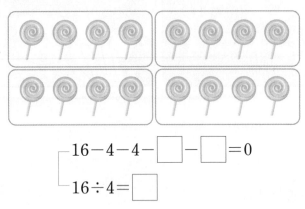

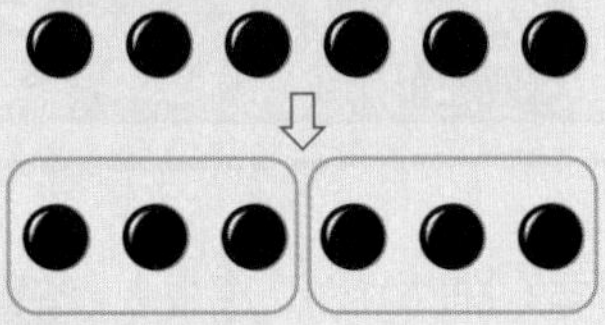

뺄셈식 $6 - 3 - 3 = 0$

나눗셈식 $6 \div 3 = 2$

개념 체크 **3** ◀ 3학년 1학기 3단원

곱셈과 나눗셈의 관계

• 곱셈식을 나눗셈식 2개로 바꾸기

$$4 \times 3 = 12 \begin{cases} 12 \div 4 = 3 \\ 12 \div 3 = 4 \end{cases}$$

4 관계있는 것끼리 선으로 이으세요.

나눗셈식	곱셈식	몫
$30 \div 5 = \square$	$2 \times 7 = 14$	5
$40 \div 8 = \square$	$5 \times 6 = 30$	7
$14 \div 2 = \square$	$5 \times 8 = 40$	6

개념 체크 4 ◀ 3학년 1학기 3단원

나눗셈의 몫을 곱셈식으로 구하기

• $6 \times 4 = 24$를 이용하여 나눗셈의 몫 구하기

$$24 \div 6 = \boxed{4} \qquad 6 \times \boxed{4} = 24$$

$$24 \div 4 = \boxed{6} \qquad \boxed{6} \times 4 = 24$$

5 딸기 15개를 접시 1개에 5개씩 담으려면 접시가 몇 개 필요한지 구하려고 합니다. 물음에 답하세요.

(1) 딸기의 수를 곱셈식으로 써 보세요.

$$5 \times \square = 15, \ 3 \times \square = 15$$

(2) 딸기 15개를 접시 1개에 5개씩 담으려면 접시는 몇 개 필요할까요?

$$5 \times \square = 15 \ \Rightarrow \ 15 \div 5 = \square (개)$$

개념 체크 5 ◀ 3학년 1학기 3단원

나눗셈의 몫을 곱셈구구로 구하기

• $20 \div 5$의 몫 구하기

×	1	2	3	4	5	6	7
4	4	8	12	16	20	24	28
5	5	10	15	20	25	30	35

① 5의 단 곱셈구구에서 곱이 20인 곱 셈식을 찾습니다. ➡ $5 \times \boxed{4} = 20$

② $5 \times 4 = 20$이므로 $20 \div 5$의 몫은 4 입니다.

2

뭐… 내가 그림은 잘 못 그리지만 노력해볼게.

야호!

그럼 바로 미술 도구를 사러 가볼까?

Go! Go! Go!

이건……

MENU

멈칫!

오 마이 갓!

무슨 일이에요?

오늘 이 레스토랑에서 할인을 한대.

할인이요?

오늘의 할인 가격으로 스테이크가 (60÷3) 프랑이래.

MENU

오늘의 할인

스테이크 (60÷3) 프 랑

그럼 얼마예요?

60÷3의 몫이 20이니까 스테이크는 20프랑이야.

10배

$$6 \div 3 = 2 \Rightarrow 60 \div 3 = 20$$

10배

어때? 너희도 먹고 싶지 않니?

아뇨. 저흰 괜찮아요.

아아아악

왜 그러세요?

배가 너무 고파서 그림을 못 그릴 것 같아.

헐~ 그럼 먹고 가요.

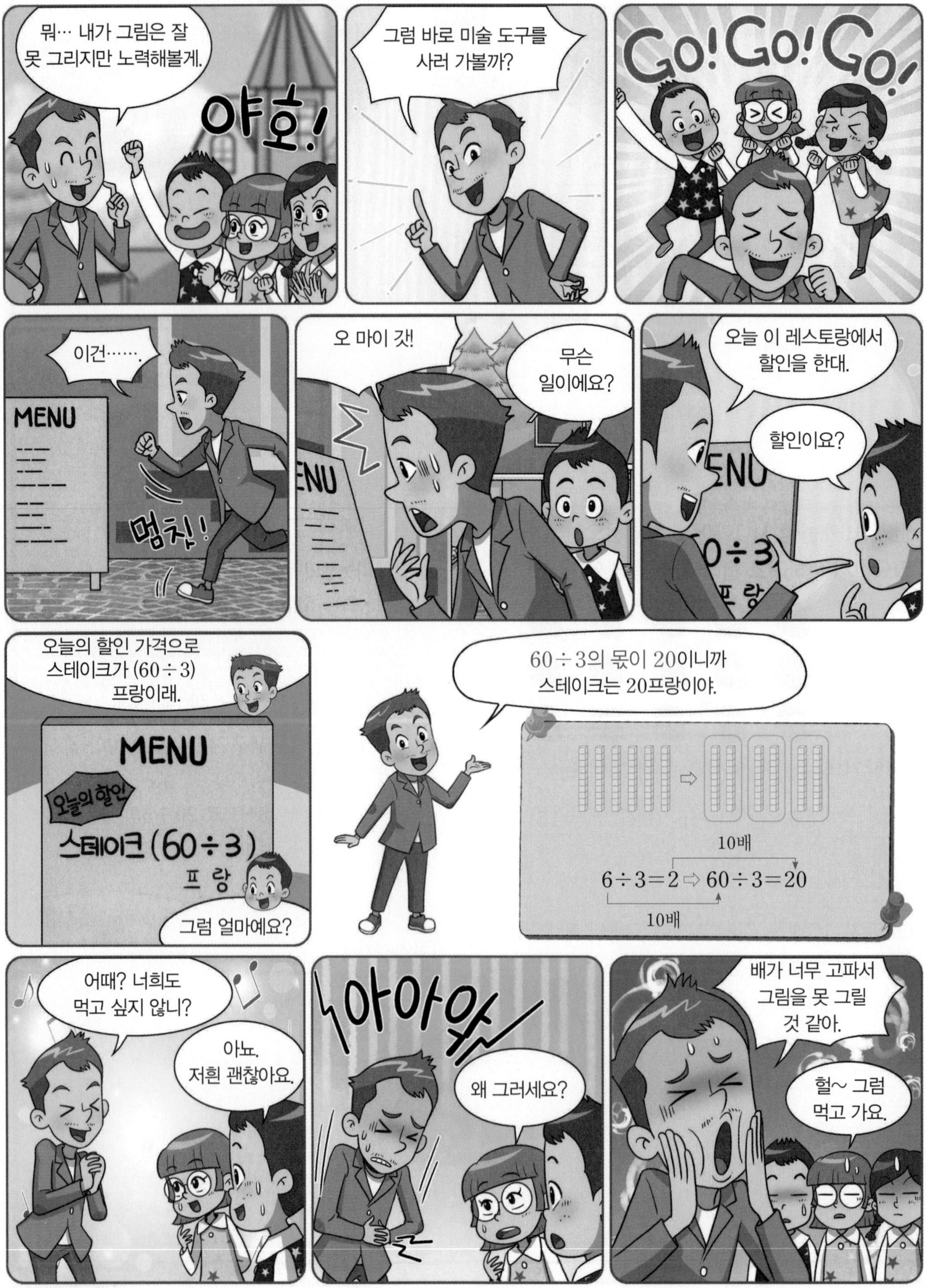

개념 클릭

- **(몇십)÷(몇) (1)**

  - 60÷3을 수 모형으로 알아보기

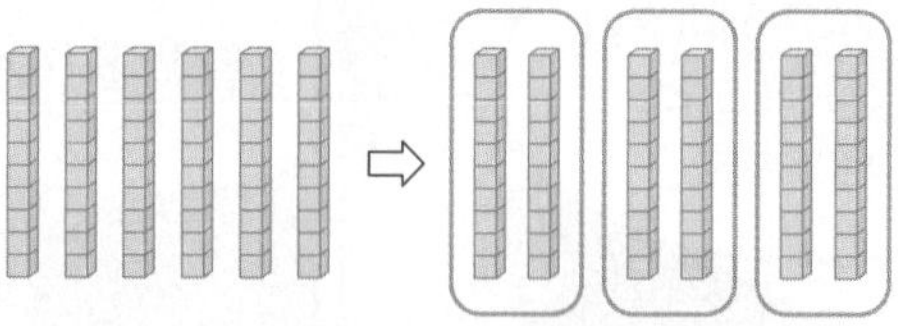

$$60 \div 3 = 20$$

십 모형 6개를 3묶음으로 똑같이 나누면 한 묶음에 십 모형이 ❶ ☐ 개씩이에요.

  - 60÷3의 계산

10배

$$6 \div 3 = 2 \Rightarrow 60 \div 3 = 20$$

10배

○ 정답 ❶ 2

1 40÷2의 계산 과정을 수 모형으로 나타낸 그림입니다. 물음에 답하세요.

40÷2를 수 모형으로 알아봐요.

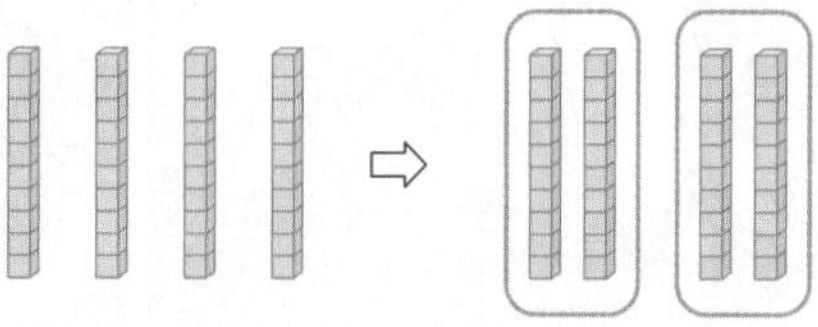

(1) 십 모형 4개를 2묶음으로 똑같이 나누면 십 모형이 한 묶음에 몇 개씩 있을까요?

(   )

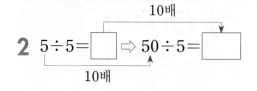

(2) ☐ 안에 알맞은 수를 써넣으세요.

$$40 \div 2 = \boxed{}$$

[2~3] ☐ 안에 알맞은 수를 써넣으세요.

2 10배

$$5 \div 5 = \boxed{} \Rightarrow 50 \div 5 = \boxed{}$$

10배

3 10배

$$8 \div 2 = \boxed{} \Rightarrow 80 \div 2 = \boxed{}$$

10배

[4~6] 계산해 보세요.

4 30÷3

5 70÷7

6 60÷2

2 나눗셈

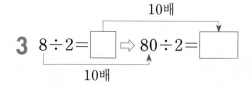

1 단계 교과서 개념

70÷5를 어떻게 구하나요?

개념 클릭

- **(몇십)÷(몇)** (2)
  - 70÷5의 계산

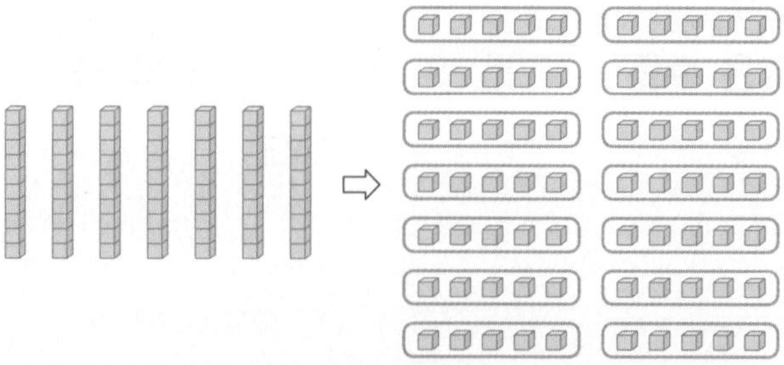

십 모형을 모두 일 모형으로 바꾸어 5개씩 묶어봐요.

십 모형 7개를 일 모형 70개로 바꾸어 5개씩 묶어 보면 14번을 묶을 수 있습니다.

$70 \div 5 =$ ❶ ☐

정답 ❶ 14

1 60÷5의 계산 과정을 수 모형으로 나타낸 그림입니다. 물음에 답하세요.

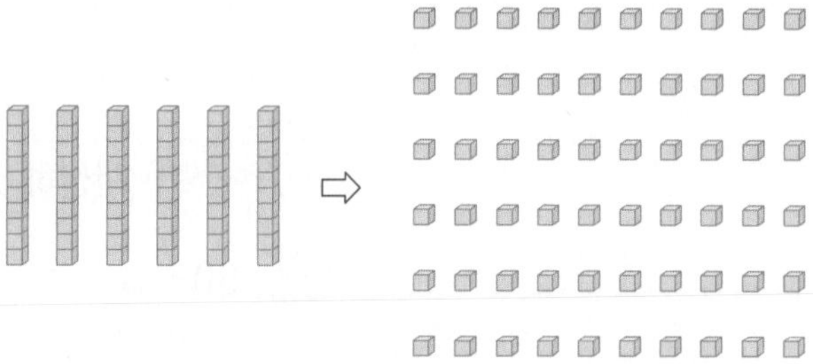

(1) 십 모형 6개를 일 모형 60개로 바꾸어 일 모형 60개를 5개씩 묶으면 몇 묶음이 될까요?

( )

(2) ☐ 안에 알맞은 수를 써넣으세요.

$60 \div 5 =$ ☐

[2~5] 계산해 보세요.

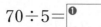

나눗셈을 계산해 보세요.

2 70÷2

3 60÷4

4 90÷6

5 30÷2

2단계 개념 집중 연습

(몇십)÷(몇) (1)

[01~02] 수 모형을 보고 □ 안에 알맞은 수를 써넣으세요.

01

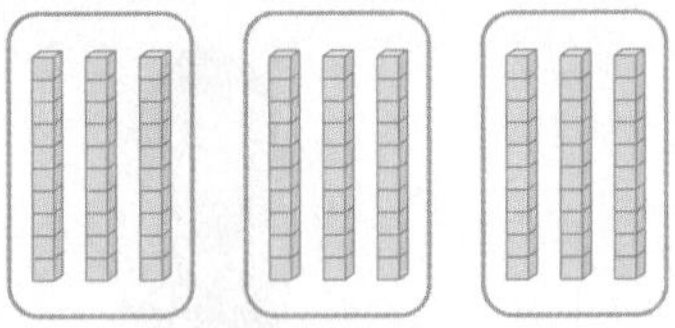

$90 \div 3 = \square$

02

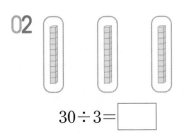

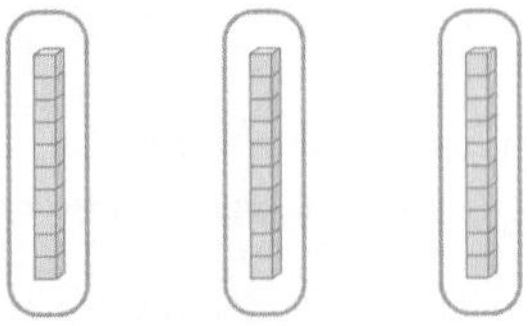

$30 \div 3 = \square$

[03~06] □ 안에 알맞은 수를 써넣으세요.

03 $8 \div 4 = \square \Rightarrow 80 \div 4 = \square$

(10배, 10배)

04 $4 \div 2 = \square \Rightarrow 40 \div 2 = \square$

(10배, 10배)

05 $9 \div 9 = \square \Rightarrow 90 \div 9 = \square$

(10배, 10배)

06 $2 \div 2 = \square \Rightarrow 20 \div 2 = \square$

(10배, 10배)

[07~09] 계산해 보세요.

07 $60 \div 3$

08 $40 \div 4$

09 $80 \div 8$

(몇십)÷(몇) (2)

[10~13] 수 모형을 보고 □ 안에 알맞은 수를 써넣으세요.

10

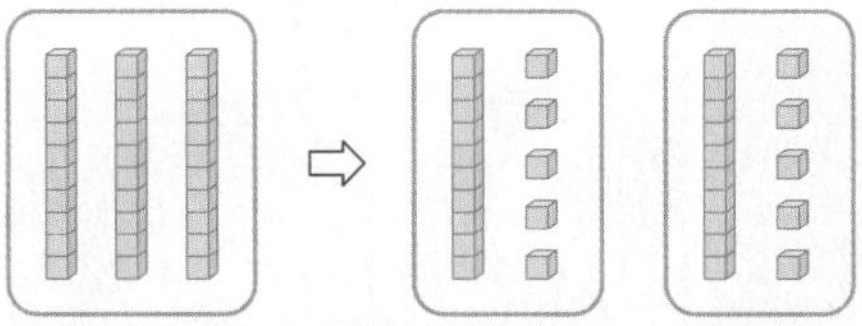

$30 \div 2 = \square$

11

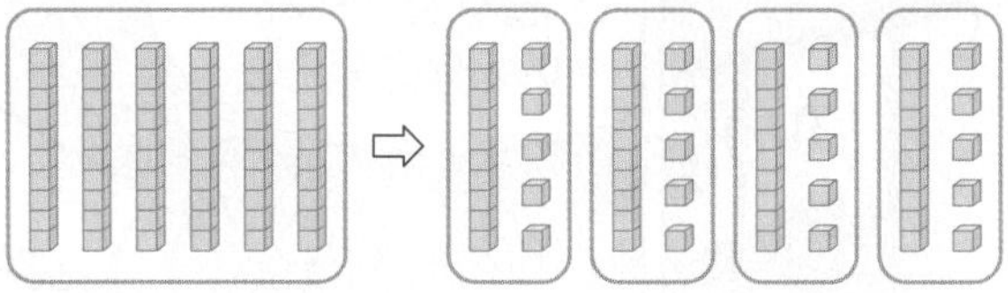

$60 \div 4 = \square$

12

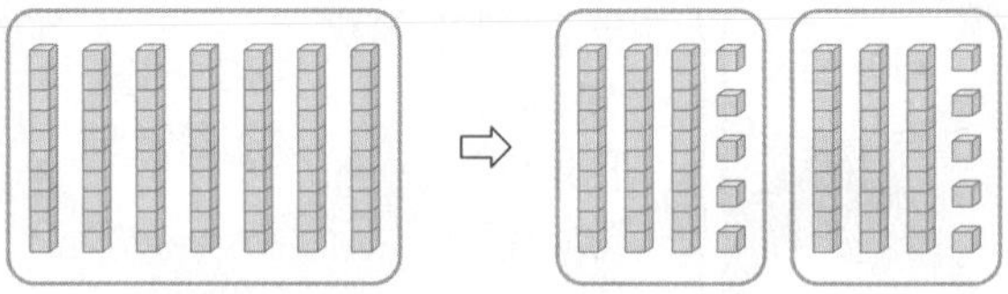

$70 \div 2 = \square$

13

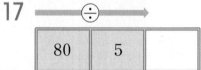

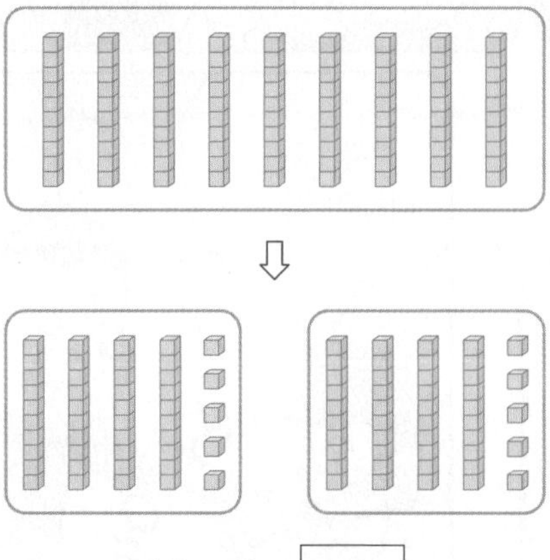

$90 \div 2 = \square$

[14~16] 계산해 보세요.

14 $50 \div 2$

15 $60 \div 5$

16 $90 \div 6$

[17~18] 빈칸에 알맞은 수를 써넣으세요.

17 ÷ →

80	5	

18 ÷ →

90	5	

36÷3을 어떻게 구하나요?

$$3\overline{)36} \Rightarrow \begin{array}{r} 1 \\ 3\overline{)36} \\ 30 \end{array} \leftarrow 3\times10 \Rightarrow \begin{array}{r} 12 \\ 3\overline{)36} \\ 3 \\ \hline 6 \\ 6 \\ \hline 0 \end{array} \begin{array}{l} \\ \\ \\ \\ \leftarrow 3\times2 \\ \\ \end{array}$$

개념 클릭

- **내림이 없는 (몇십몇)÷(몇)**

  - **36÷3의 계산**

    $3\overline{)36}$ ⇨ 십의 자리 $3\overline{)3\,6}$ $\begin{array}{r}1\\3\,0\end{array}$ ← 3×10 ⇨ 일의 자리 $\begin{array}{r}1\,2\\3\,\overline{)3\,6}\\3\\\overline{6}\\6\\\overline{0}\end{array}$ ← 3×2

  십의 자리 숫자 3에는 나누는 수 3이 1번 들어가므로 몫의 십의 자리는 ❶ 이에요.

  - **나눗셈식을 세로로 쓰는 방법**

    $36\div3=12$ ⇨ $3\overline{)3\,6}$ $\begin{array}{r}1\,2\end{array}$ ← 몫

    몫

    $3\overline{)3\,6}$ $\begin{array}{r}1\,2\end{array}$ ← 몫
    나누는 수 ─┘ └─ 나누어지는 수

  ⭕정답 ❶1

[1~2] □ 안에 알맞은 수를 써넣으세요.

1

$3\overline{)3\;9}$ $\begin{array}{r}1\;\square\end{array}$
$\square$
$\square$
9
$\square$

2

$2\overline{)6\;2}$ $\begin{array}{r}3\;\square\end{array}$
$\square$
$\square$
2
$\square$

[3~7] 계산해 보세요.

3 $3\overline{)6\,9}$

4 $5\overline{)5\,5}$

5 $4\overline{)4\,8}$

6 $42\div2$

7 $86\div2$

나눗셈식을 세로로 나타낼 때 기호 $\overline{)}$ 를 사용해요.

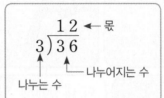

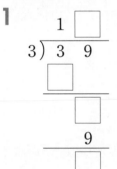

1 단계 교과서 개념

48÷3을 어떻게 구하나요?

48÷3을 십의 자리부터 계산하면
몫은 16이니까 16개씩 먹으면 돼.

$3\overline{)48}$ ⇨ $3\overline{)48}$ (몫 1, $30 \leftarrow 3\times10$) ⇨ $3\overline{)48}$ (몫 16)

$$\begin{array}{r} 16 \\ 3\overline{)48} \\ 3 \\ \hline 18 \\ 18 \leftarrow 3\times 6 \\ \hline 0 \end{array}$$

개념 클릭

- **내림이 있는 (몇십몇)÷(몇)**
  - **48÷3의 계산**

십의 자리
$$3\overline{)48} \Rightarrow 3\overline{)48} \atop \quad\quad 3\,0 \leftarrow 3\times10$$

일의 자리

❶　　6
3) 4　8
　　3
　　1　8
　　1　8 ← 3×6
　　　❷

18 빼기 18은
0이므로 가상 아래에
0을 써요.

↻ 정답 ❶ 1 ❷ 0

[1～2] □ 안에 알맞은 수를 써넣으세요.

1

2

[3～7] 계산해 보세요.

3
$$6\overline{)78}$$

4
$$4\overline{)92}$$

5
$$3\overline{)72}$$

6 56÷2

7 54÷3

나눗셈식을
세로로 쓰고
계산해 보세요.

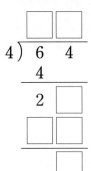

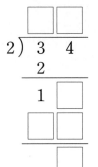

개념 집중 연습

(몇십몇)÷(몇) (1)

[01~02] □ 안에 알맞은 수를 써넣으세요.

01

$$\begin{array}{r} \square\,\square \\ 3\,\overline{)\,6\;\;3} \\ \square\;\;\; \\ \hline \square \\ \square \\ \hline 0 \end{array}$$

02

$$\begin{array}{r} \square\,\square \\ 2\,\overline{)\,6\;\;8} \\ \square\;\;\; \\ \hline \square \\ \square \\ \hline 0 \end{array}$$

[03~06] 계산해 보세요.

03 $4\,\overline{)\,44}$

04 $3\,\overline{)\,96}$

05 $2\,\overline{)\,28}$

06 $4\,\overline{)\,88}$

[07~08] 빈칸에 알맞은 수를 써넣으세요.

07

93 → (÷3) → □

08

84 → (÷4) → □

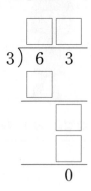

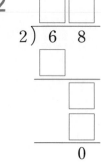

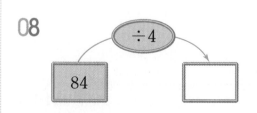

(몇십몇)÷(몇) ⑵

[09~10] □ 안에 알맞은 수를 써넣으세요.

09

$$3\overline{)\,8\,7}$$

$\begin{array}{r} 2 \\ 3\overline{)8\ 7} \\ 6 \\ \hline 2\ \square \end{array}$ ⇨ $\begin{array}{r} 2\ \square \\ 3\overline{)8\ 7} \\ 6 \\ \hline 2\ \square \\ \square\ \square \\ \hline \square \end{array}$

10

$\begin{array}{r} 4 \\ 2\overline{)9\ 4} \\ 8 \\ \hline 1\ \square \end{array}$ ⇨ $\begin{array}{r} 4\ \square \\ 2\overline{)9\ 4} \\ 8 \\ \hline 1\ \square \\ \square\ \square \\ \hline \square \end{array}$

[11~15] 계산해 보세요.

11

$$7\overline{)9\,1}$$

12

$$6\overline{)8\,4}$$

13

$$4\overline{)5\,6}$$

14

$$2\overline{)3\,8}$$

15

$$3\overline{)7\,2}$$

16 빈칸에 알맞은 수를 써넣으세요.

2

나
눗

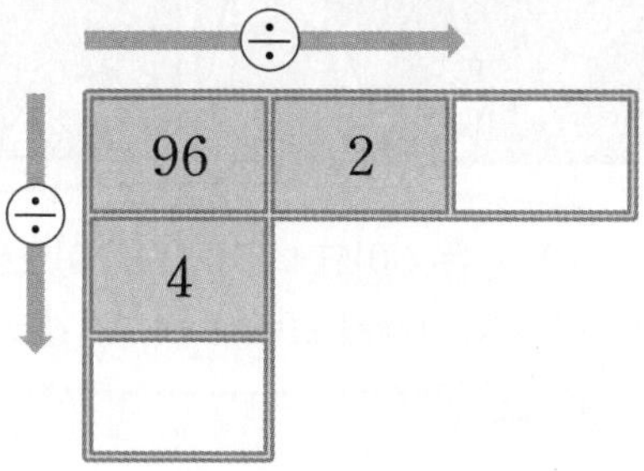

여긴 파리에서 가장 유명한 미술용품 가게야.

자, 그림을 그리려면 뭐가 필요할까요?

연필이요.

물감이요.

종이요.

크크~ 얘들이 사줄 때 많이 사둬야겠다.

미술 도구들이 정말 많다~.

일단 물감부터 골라야지.

샤 샤 샥

후두둑—

전부 담아 드릴까요?

네!

모두 19개군요. 봉투 한 개에 안 담기네요.

그럼 봉투 3개에 나누어 담아주세요.

19÷3의 몫은 6이고 나머지가 1이므로 봉투 1개에 6개씩 담고 1개가 남아요. 남은 1개는 빼주세요.

$$19 \div 3 = 6 \cdots 1$$

19를 3으로 나누면 몫은 6이고 1이 남습니다. 이때 1을 19÷3의 나머지라고 합니다.

4명인데 왜 3개에 나누어 담는 거죠?

제가 허리를 다쳐서 들기 힘들거든요.

얄미워~

개념 클릭

• 나머지가 있는 (몇십몇)÷(몇)

• 19÷3의 계산

19를 3으로 나누면 몫은 6이고 1이 남습니다.
이때 1을 19÷3의 나머지라고 합니다.

19÷3=6 ··· 1
(6: 몫, 1: 나머지)

$$\begin{array}{r} 6 \\ 3\overline{)\,19} \\ 18 \\ \hline 1 \end{array}$$

나누는 수: 3, 몫: 6, 나누어지는 수: 19, 나머지: 1

나머지가 없으면 나머지가 0이라고 말할 수 있습니다.
나머지가 0일 때, 나누어떨어진다고 합니다.

나머지가 ❶ ☐ 일 때
나누어떨어진다고 해요.

정답 ❶ 0

[1~2] ☐ 안에 알맞은 수를 써넣으세요.

1

$$\begin{array}{r} \square \\ 5\overline{)\,3\ 3} \\ \square\square \leftarrow 5\times\square \\ \hline \square \end{array}$$

2

$$\begin{array}{r} \square \\ 7\overline{)\,5\ 8} \\ \square\square \leftarrow 7\times\square \\ \hline \square \end{array}$$

[3~7] 계산해 보세요.

3 $6\overline{)\,49}$

4 $8\overline{)\,35}$

5 $9\overline{)\,87}$

6 57÷8

7 45÷6

나눗셈에서
나머지는 항상 나누는
수보다 작아야 해요.

$$\begin{array}{r} 3 \\ 6\overline{)\,25} \\ 18 \\ \hline 7 \end{array}$$

나누는 수: 6, 7 ← 나머지
(×)

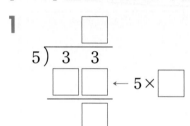

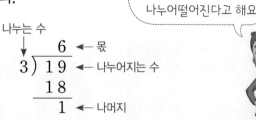

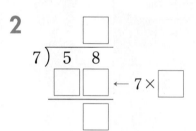

1 단계 교과서 개념

47÷3을 어떻게 구하나요?

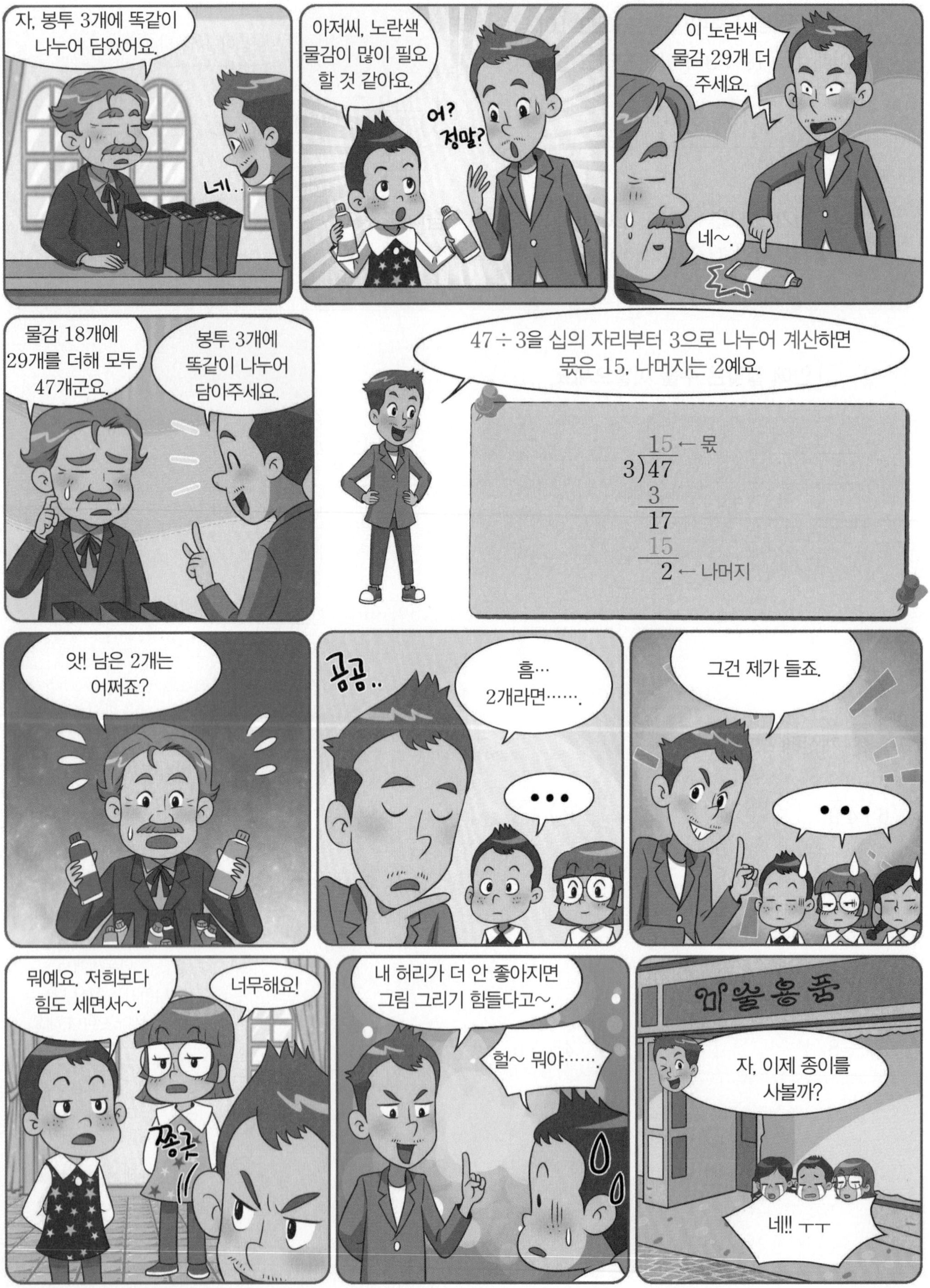

자, 봉투 3개에 똑같이 나누어 담았어요.
네…
아저씨, 노란색 물감이 많이 필요할 것 같아요.
어? 정말?
이 노란색 물감 29개 더 주세요.
네~.
물감 18개에 29개를 더해 모두 47개군요.
봉투 3개에 똑같이 나누어 담아주세요.
47÷3을 십의 자리부터 3으로 나누어 계산하면 몫은 15, 나머지는 2예요.
15 ← 몫
3)47
3
17
15
2 ← 나머지
앗! 남은 2개는 어쩌죠?
곰곰..
흠… 2개라면…….
…
그건 제가 들죠.
…
뭐예요. 저희보다 힘도 세면서~.
너무해요!
쫑긋
내 허리가 더 안 좋아지면 그림 그리기 힘들다고~.
헐~ 뭐야…….
미술용품
자, 이제 종이를 사볼까?
네!! ㅜㅜ

개념 클릭

- 내림이 있고 나머지가 있는 (몇십몇)÷(몇)

  - 47÷3의 계산

$$\begin{array}{r} 5 \\ 1\,0 \end{array} \!\!\!\!> 15$$

$$3\,)\overline{4\,7}$$
$$\underline{3\,0} \leftarrow 3\times 10$$
$$1\,7$$
$$\underline{1\,5} \leftarrow 3\times 5$$
$$2$$

$$\Rightarrow \quad 3\,)\overline{\begin{array}{c}1\,5\end{array}}$$
$$\underline{3}$$
$$1\,7$$
$$\underline{1\,5}$$
$$2$$

47÷3의 몫은 ❶ ☐ ,

나머지는 ❷ ☐ 예요.

↻ 정답 ❶ 15 ❷ 2

[1~2] ☐ 안에 알맞은 수를 써넣으세요.

1
$$4\,)\overline{\begin{array}{cc}1 \\ 5 & 4\end{array}}$$
$$\underline{4}$$
$$1\ \boxed{}$$

$$\Rightarrow \quad 4\,)\overline{\begin{array}{cc}1 & \boxed{} \\ 5 & 4\end{array}}$$
$$\underline{4}$$
$$1\ \boxed{}$$
$$\boxed{}\ \boxed{}$$
$$\boxed{}$$

2
$$5\,)\overline{\begin{array}{cc}1 \\ 9 & 3\end{array}}$$
$$\underline{5}$$
$$4\ \boxed{}$$

$$\Rightarrow \quad 5\,)\overline{\begin{array}{cc}1 & \boxed{} \\ 9 & 3\end{array}}$$
$$\underline{5}$$
$$4\ \boxed{}$$
$$\boxed{}\ \boxed{}$$
$$\boxed{}$$

[3~7] 계산해 보세요.

3　$$3\,)\overline{7\,4}$$

4　$$2\,)\overline{5\,7}$$

나머지는 항상
나누는 수보다
작아야 해요.

5　63÷4

6　82÷7

7　75÷6

2 단계 개념 집중 연습

(몇십몇)÷(몇) (3)

[01~02] □ 안에 알맞은 수를 써넣으세요.

01

$$\begin{array}{r} \square \\ 9\overline{)\,6\;\;8} \\ \square\square \\ \hline \square \end{array}$$

02

$$\begin{array}{r} \square \\ 8\overline{)\,7\;\;5} \\ \square\square \\ \hline \square \end{array}$$

[03~06] 계산해 보세요.

03 $4\overline{)37}$

04 $7\overline{)67}$

05 $8\overline{)45}$

06 $5\overline{)47}$

[07~08] 나눗셈을 하여 몫은 □에, 나머지는 ○에 써넣으세요.

07

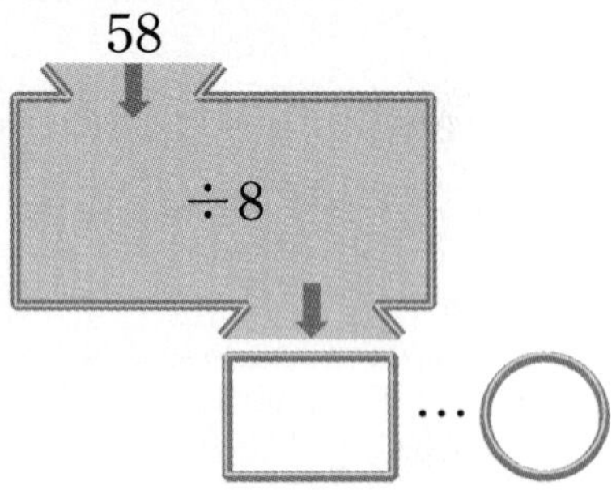

08

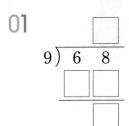

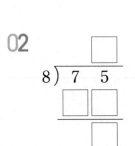

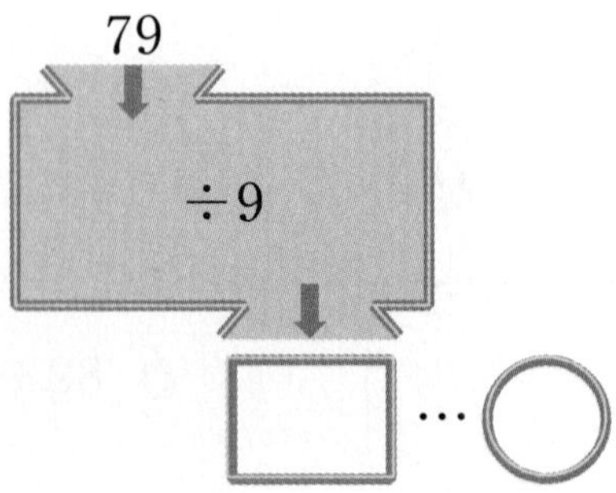

(몇십몇)÷(몇) (4)

[09~10] □ 안에 알맞은 수를 써넣으세요.

09

```
    2              2 □
3 ) 8  5   ⇨   3 ) 8  5
    6              6
    2 □            2 □
                   □ □
                     □
```

10

```
    1              1 □
7 ) 8  8   ⇨   7 ) 8  8
    7              7
    1 □            1 □
                   □ □
                     □
```

[11~14] 계산해 보세요.

11 $4\overline{)67}$

12 $6\overline{)79}$

13 $75 \div 4$

14 $83 \div 6$

[15~16] 나눗셈을 하여 몫은 □에, 나머지는 ○에 써넣으세요.

15 73 → ÷2 → □ … ○

16 69 → ÷5 → □ … ○

2 나눗셈

560÷4를 어떻게 구하나요?

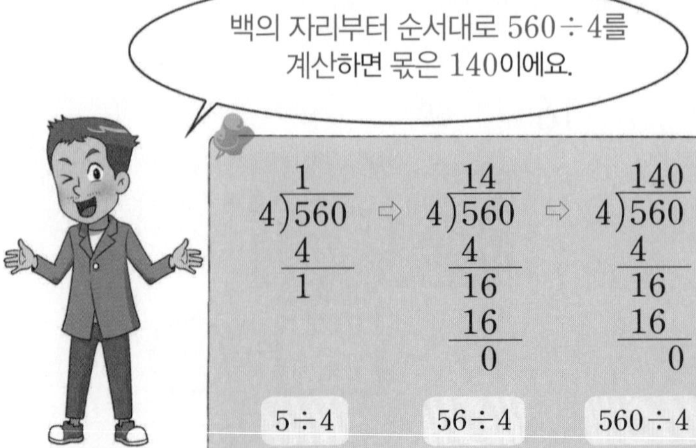

5÷4	56÷4	560÷4
몫 1 / 4)560 / 4 / 1	몫 14 / 4)560 / 4 / 16 / 16 / 0	몫 140 / 4)560 / 4 / 16 / 16 / 0

개념 클릭

- **나머지가 없는 (세 자리 수)÷(한 자리 수)**
  - 560÷4의 계산

5÷4	⇨	56÷4	⇨	560÷4
$\begin{array}{r} 1 \\ 4\overline{)560} \\ 4 \\ \hline ❶ \end{array}$		$\begin{array}{r} 14 \\ 4\overline{)560} \\ 4 \\ \hline 16 \\ 16 \\ \hline 0 \end{array}$		$\begin{array}{r} 140 \\ 4\overline{)560} \\ 4 \\ \hline 16 \\ 16 \\ \hline 0 \end{array}$

560÷4는 56÷4의 나눗셈 뒤에 0을 하나 더 붙여서 계산하는 것과 같아요.

정답 ❶ 1

1 275÷5를 계산하는 방법을 알아보려고 합니다. □ 안에 알맞은 수를 써넣으세요.

2÷5	⇨	27÷5	⇨	275÷5
$5\overline{)275}$		$\begin{array}{r} 5 \\ 5\overline{)275} \\ 25 \\ \hline \square \end{array}$		$\begin{array}{r} 5\square \\ 5\overline{)275} \\ 25 \\ \hline \square 5 \\ \square\square \\ \hline 0 \end{array}$

백의 자리에서는 나누지 못해요.

백의 자리에서 2를 5로 나눌 수 없으므로 십의 자리에서 27을 5로 나눠요.

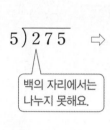

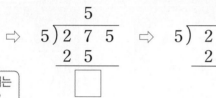

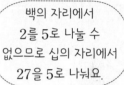

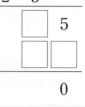

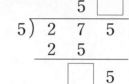

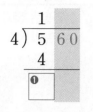

[2~7] 계산해 보세요.

2 $5\overline{)500}$

3 $4\overline{)284}$

4 $3\overline{)591}$

5 $4\overline{)640}$

6 $5\overline{)395}$

7 $4\overline{)308}$

연필 289자루를 봉투 3개에 똑같이 나누어 담으면 289÷3의 몫은 96, 나머지는 1이므로 96개씩 담고 남은 1개는 제가 들죠.

$$\begin{array}{r} 3)\overline{289} \end{array} \Rightarrow \begin{array}{r} 9 \\ 3)\overline{289} \\ 27 \\ \hline 1 \end{array} \Rightarrow \begin{array}{r} 96 \\ 3)\overline{289} \\ 27 \\ \hline 19 \\ 18 \\ \hline 1 \end{array}$$

2÷3　　　　28÷3　　　　289÷3

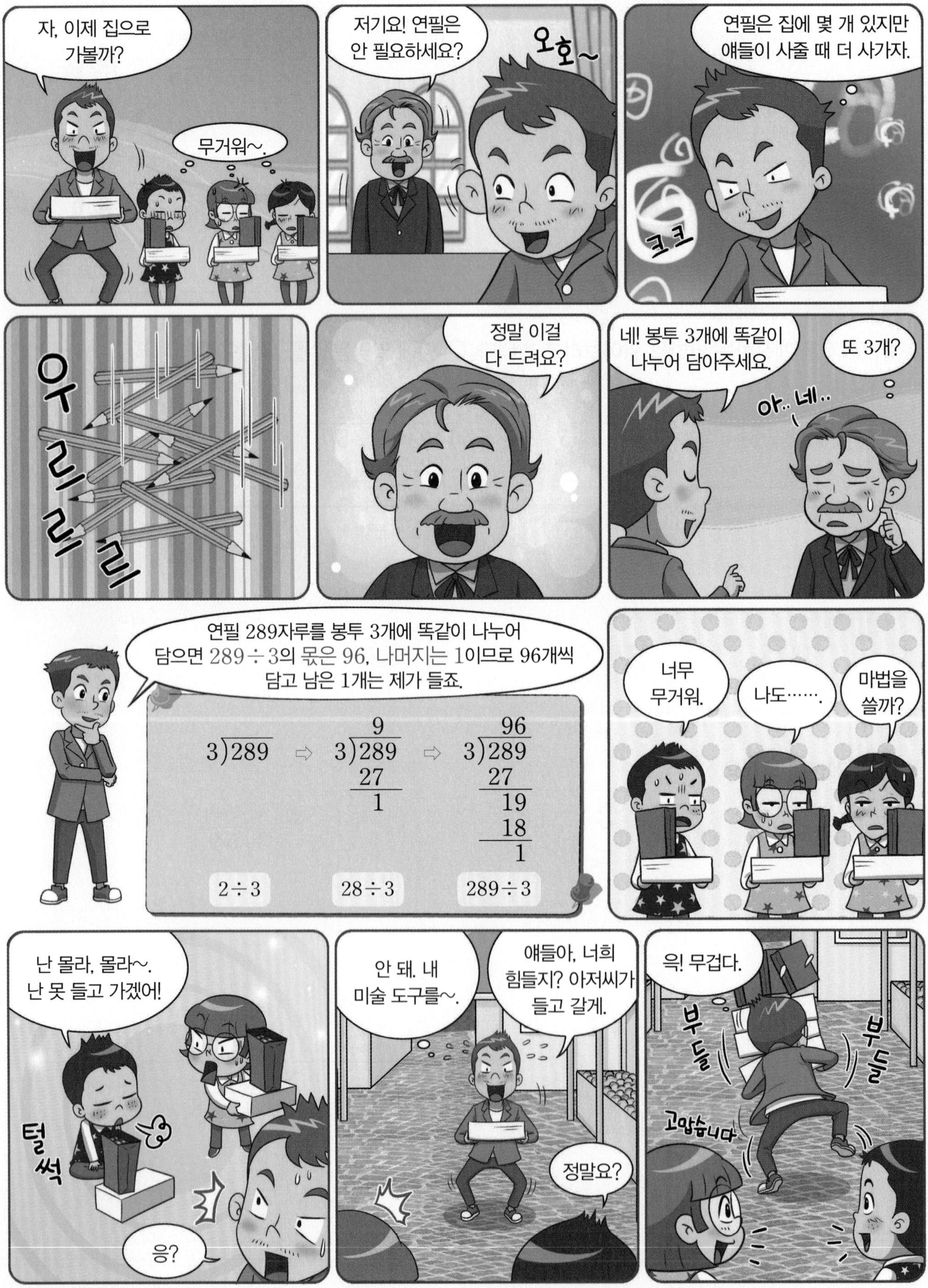

개념 클릭

• **나머지가 있는 (세 자리 수)÷(한 자리 수)**

  • 289÷3의 계산

  ⇨   ⇨

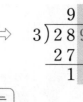

백의 자리에서는 나눌 수 없으므로 십의 자리에서 28을 3으로 나눠요.

백의 자리에서는 나누지 못해요.

| 2÷3 | 28÷3 | 289÷3 |

❶ 정답 ❶ 1

---

1 405÷4를 계산하는 방법을 알아보려고 합니다. □ 안에 알맞은 수를 써넣으세요.

  ⇨   ⇨

십의 자리에서는 나눌 수 없으므로 몫의 십의 자리에 0을 쓰고 계산해요.

| 4÷4 | 40÷4 | 405÷4 |

2
나
눗
셈

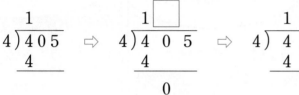

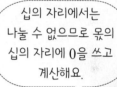

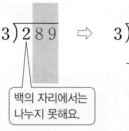

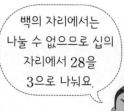

[2~7] 계산해 보세요.

2 3)154

3 2)403

4 5)368

5 6)437

6 6)747

7 3)193

맞게 계산했는지 어떻게 확인하나요?

아~ 힘들어. 욕심을 너무 부렸나?

아저씨, 괜찮으세요?

무…물론이지!

자, 그럼 그림 연습부터 해볼까?

내가 연습할 동안 너희도 그림을 그리렴.

네~~.

자, 여기 25장이니 6장씩 나누면 1장이 남겠네.

계산을 맞게 하셨네요~.

응? 맞는지 어떻게 알았니?

나눗셈을 맞게 계산했는지 알아보려면 나누는 수와 몫의 곱에 나머지를 더해 나누어지는 수가 되는지 확인하면 돼요.

$$25 \div 6 = 4 \cdots 1$$

$$6 \times 4 = 24 \Rightarrow 24 + 1 = 25$$

제 말이 맞죠?

우아~ 그러네.

흥! 자존심 상해. 일단 수학 공부를 먼저 해야겠다.

열공

아저씨! 지금 그게 중요한 게 아니잖아요.

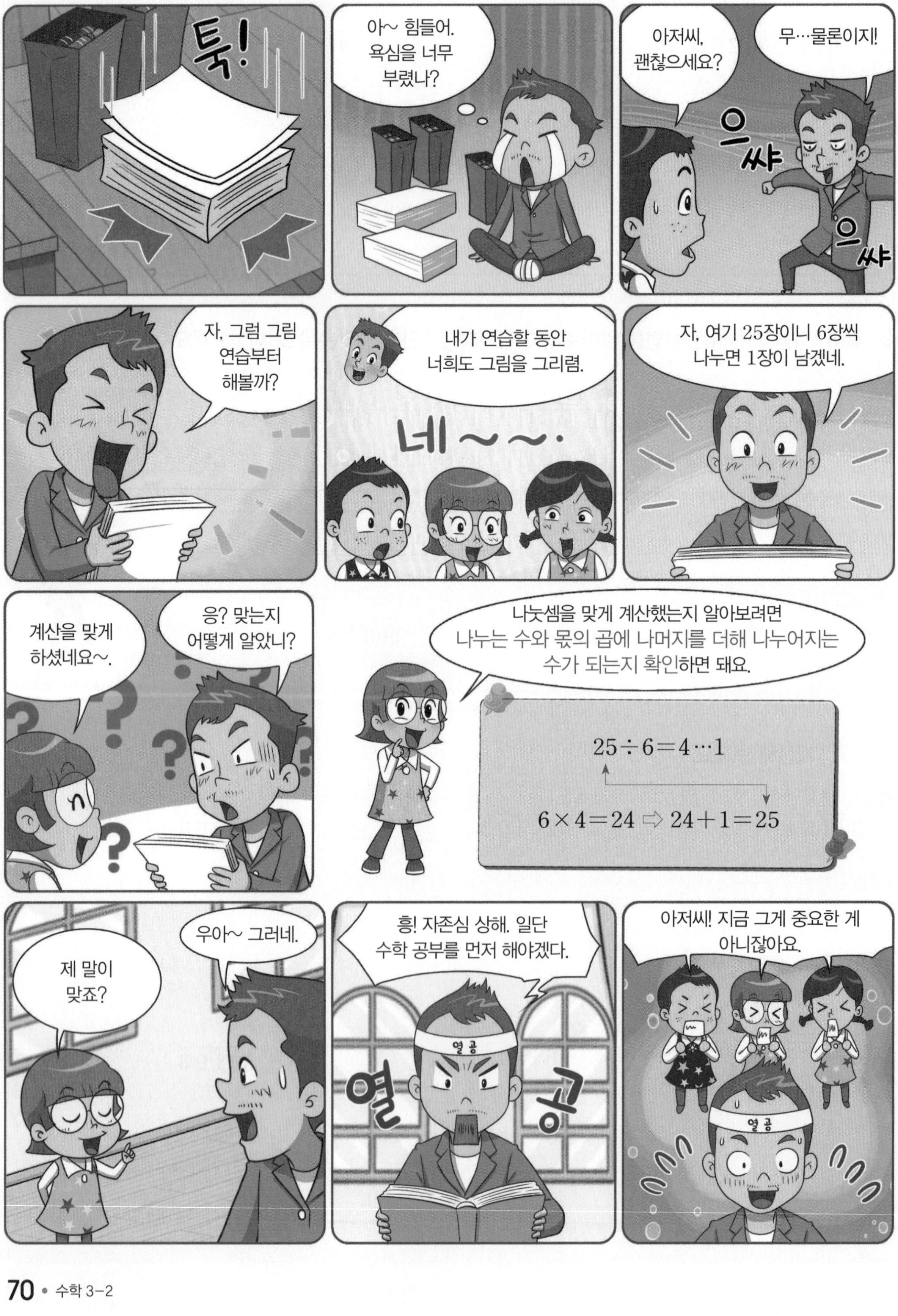

개념 클릭

- **맞게 계산했는지 확인하기**
  - 25÷6을 계산하고, 맞게 계산했는지 확인하기
    나누는 수와 몫의 곱에 나머지를 더하면
    나누어지는 수가 되어야 합니다.

$$25 \div 6 = 4 \cdots 1$$

$$6 \times 4 = 24 \Rightarrow 24 + 1 = \boxed{} \textbf{❶}$$

나누는 수와 몫의 곱에
나미지를 더해 나누어지는 수가
되면 맞게 계산한 거예요.

○ 정답 ❶ 25

[1～2] □ 안에 알맞은 수를 써넣으세요.

1
$$17 \div 5 = 3 \cdots 2$$

$$5 \times 3 = 15 \Rightarrow 15 + \boxed{} = \boxed{}$$

2
$$29 \div 7 = 4 \cdots 1$$

$$7 \times 4 = 28 \Rightarrow 28 + \boxed{} = \boxed{}$$

2

나눗셈

[3～5] 나눗셈을 하고 맞게 계산했는지 확인해 보세요.

3 $55 \div 4 = \boxed{} \cdots \boxed{}$

　확인　$4 \times \boxed{} = 52 \Rightarrow 52 + \boxed{} = 55$

먼저 나눗셈을
계산해요.

그리고 나누는 수와 몫의
곱에 나머지를 더해서 맞게
계산했는지 알아봐요.

4 $43 \div 3 = \boxed{} \cdots \boxed{}$

　확인　$3 \times \boxed{} = 42 \Rightarrow 42 + \boxed{} = 43$

5 $77 \div 5 = \boxed{} \cdots \boxed{}$

　확인　$5 \times \boxed{} = 75 \Rightarrow 75 + \boxed{} = 77$

2단계 개념 집중 연습

(세 자리 수)÷(한 자리 수) (1)

[01~02] □ 안에 알맞은 수를 써넣으세요.

01

```
     3 □ □
3 ) 9  0  0
    □
  ─────────
          □
```

02

```
     1 □ □
2 ) 3  0  6
    2
  ─────────
    1  0
    □  □
  ─────────
          6
          □
  ─────────
          0
```

[03~06] 계산해 보세요.

03 $5\overline{)490}$

04 $8\overline{)728}$

05 $9\overline{)738}$

06 $6\overline{)522}$

(세 자리 수)÷(한 자리 수) (2)

[07~08] □ 안에 알맞은 수를 써넣으세요.

07

```
     1 □ □
4 ) 5  4  3
    4
  ─────────
    1  4
    □  □
  ─────────
       □  3
       □  □
  ─────────
          □
```

08

```
     □ □ □
3 ) 3  0  2
    □
  ─────────
          □
```

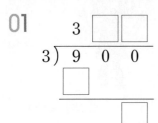

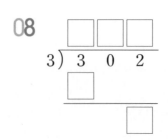

[09~13] 계산해 보세요.

09 $3\overline{)608}$

10 $8\overline{)557}$

11 $8\overline{)420}$

12 $7\overline{)534}$

13 $9\overline{)939}$

맞게 계산했는지 확인하기

[14~15] 나눗셈을 하고 맞게 계산했는지 확인해 보세요.

14 $56\div3=\square\cdots\square$

확인 $3\times\square=54 \Rightarrow 54+\square=\square$

15 $83\div7=\square\cdots\square$

확인 $7\times\square=77 \Rightarrow 77+\square=\square$

[16~17] 나눗셈을 하고 맞게 계산했는지 확인해 보세요.

16 $6\overline{)93}$

확인 ______________________

17 $5\overline{)74}$

확인 ______________________

3단계 익힘책 익히기

01 60÷2의 계산 과정을 수 모형으로 나타낸 그림입니다. 물음에 답하세요.

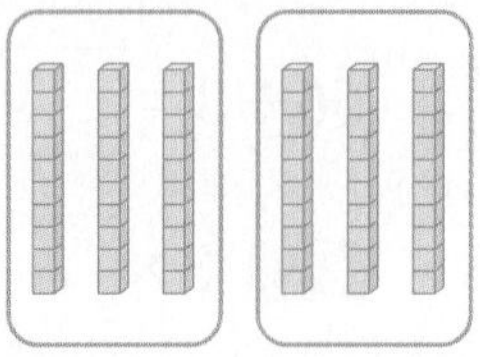

(1) 십 모형이 한 묶음에 몇 개씩 있나요?

(　　　　　　　　)

(2) □ 안에 알맞은 수를 써넣으세요.

60÷2=□

Tip

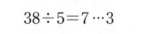

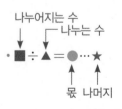

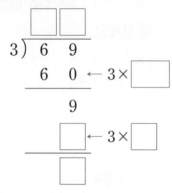

십 모형 6개를 똑같이 2묶음으로 나눠요.

02 □ 안에 알맞은 수를 써넣으세요.

```
      □ □
   3) 6 9
      6 0  ← 3×□
        9
        □  ← 3×□
        □
```

03 나눗셈식을 보고 □ 안에 알맞은 말을 써넣으세요.

38÷5=7···3

38을 5로 나누면 □은 7이고 3이 남습니다.

이때 3을 38÷5의 □(이)라고 합니다.

나누어지는 수, 나누는 수

• ■÷▲=●···★

몫, 나머지

04 계산해 보세요.

(1)
$$2\overline{)64}$$

(2)
$$4\overline{)47}$$

• (1), (2) 먼저 십의 자리 숫자에 나누는 수가 몇 번 들어가는지 알아봅니다.

(3) $70 \div 2$

(4) $80 \div 5$

05 몫이 같은 것끼리 선으로 이으세요.

$56 \div 4$	$52 \div 4$

$78 \div 6$	$57 \div 3$	$42 \div 3$

56÷4의 나머지는 0이야.

아! 그럼 56÷4는 나누어 떨어지는구나.

06 몫의 크기를 비교하여 ○ 안에 >, <를 알맞게 써넣으세요.

$70 \div 5$	○	$90 \div 6$

07 계산이 잘못된 곳을 찾아 바르게 계산해 보세요.

$$\begin{array}{r} 15 \\ 4\overline{)67} \\ 4 \\ \hline 27 \\ 20 \\ \hline 7 \end{array} \Rightarrow \begin{array}{r} 4\overline{)67} \end{array}$$

Tip

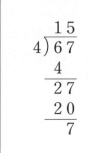

나머지는 항상
나누는 수보다
작아야 해요.

08 계산해 보세요.

(1) $6\overline{)780}$

(2) $2\overline{)398}$

(3) $3\overline{)600}$

(4) $3\overline{)467}$

09 나머지가 가장 큰 것을 찾아 ○표 하세요.

$491 \div 3$	$489 \div 4$	$499 \div 5$

• 나눗셈을 하여 나머지의 크기를 비교합니다.

10 나눗셈을 하고 맞게 계산했는지 확인해 보세요.

(1) $35 \div 2 =$ ☐ … ☐

확인 $2 \times$ ☐ $= 34 \Rightarrow 34 +$ ☐ $=$ ☐

(2) $52 \div 5 =$ ☐ … ☐

확인 $5 \times$ ☐ $= 50 \Rightarrow 50 +$ ☐ $=$ ☐

나누는 수와 몫의 곱에 나머지를 더해 나누어지는 수가 되는지 확인해요.

2
나눗셈

• ▲ ÷ ■ = 몫 … 나머지
→ ■ × 몫 = ●
⇨ ● + 나머지 = ▲

11 관계있는 것끼리 선으로 이으세요.

$49 \div 4$ •

$68 \div 6$ •

$93 \div 6$ •

• $6 \times 11 = 66 \Rightarrow 66 + 2 = 68$

• $4 \times 12 = 48 \Rightarrow 48 + 1 = 49$

• $6 \times 15 = 90 \Rightarrow 90 + 3 = 93$

12 색종이 340장을 9명에게 똑같이 나누어 주려고 합니다. 한 명에게 색종이를 몇 장씩 줄 수 있고 몇 장이 남을까요?

식 _____

답 한 명에게 ☐ 장씩 줄 수 있고 ☐ 장이 남습니다.

남는 색종이 수
• $340 \div 9 = ●$ … ★
한 명에게 줄 수 있는 색종이 수

4단계 단원 평가

01 □ 안에 알맞은 수를 써넣으세요.

$24 \div 2 = 12$ ⇨ $\square\overline{)\square}$ (몫: □)

02 $50 \div 2$의 계산 과정을 수 모형으로 나타낸 그림입니다. □ 안에 알맞은 수를 써넣으세요.

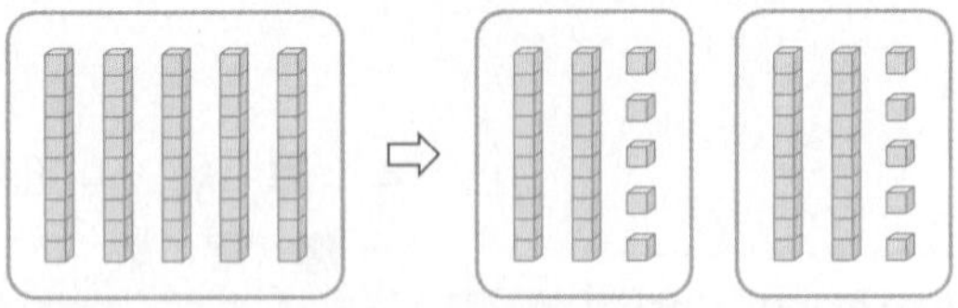

$50 \div 2 = \square$

03 □ 안에 알맞은 수를 써넣으세요.

```
       1  □  □
 6 ) 9  8  3
     6
     3  □
     □  □
        □  3
        □  □
           □
```

[04~05] 계산해 보세요.

04 $7\overline{)48}$

05 $5\overline{)75}$

06 빈칸에 알맞은 수를 써넣으세요.

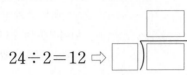

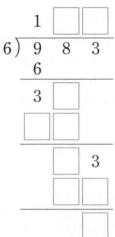

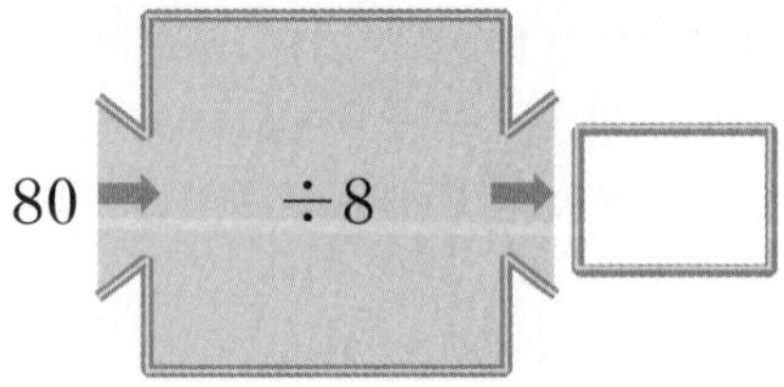

07 계산을 하여 나눗셈의 몫과 나머지를 구하세요.

$3\overline{)83}$

몫 (　　　　　　)
나머지 (　　　　　　)

08 다음 나눗셈에서 나머지가 될 수 없는 수는 어느 것일까요? ··················· (　　　)

$\square \div 8$

① 1　　② 3　　③ 5
④ 7　　⑤ 8

09 빈칸에 알맞은 수를 써넣으세요.

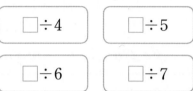

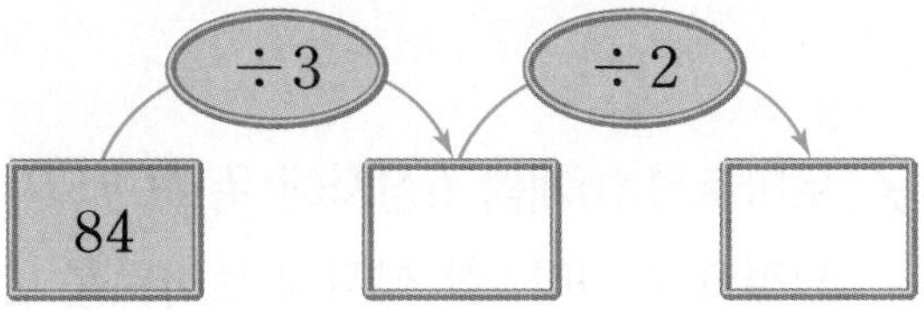

10 몫의 크기를 비교하여 ○ 안에 >, =, <를 알맞게 써넣으세요.

$148 \div 2$ ○ $168 \div 3$

11 다음 나눗셈 중에서 나누어떨어지는 것은 어느 것일까요? ··················· (　　　)

① $84 \div 5$　　② $56 \div 4$
③ $47 \div 3$　　④ $75 \div 7$
⑤ $33 \div 2$

12 나머지가 5가 될 수 있는 식을 모두 찾아 ○표 하세요.

$\square \div 4$　　$\square \div 5$
$\square \div 6$　　$\square \div 7$

13 나눗셈을 하고 맞게 계산했는지 확인해 보세요.

$6\overline{)73}$

확인 ______________________

14 계산이 잘못된 곳을 찾아 바르게 계산해 보세요.

$$\begin{array}{r} 14 \\ 6\overline{)92} \\ \underline{6} \\ 32 \\ \underline{24} \\ 8 \end{array} \Rightarrow \quad 6\overline{)92}$$

2 나눗셈

15 나머지가 가장 큰 나눗셈식을 찾아 기호를 쓰세요.

> ㉠ 149÷3 ㉡ 254÷5
> ㉢ 274÷7 ㉣ 177÷6

(   )

16 가장 큰 수를 가장 작은 수로 나눈 몫을 구하세요.

> 73 98 25 9 7

(   )

17 문제를 바르게 설명한 사람이 누구인지 찾아 이름을 쓰세요.

> 55÷3=□ ⋯ □

몫은 10보다 작구나.
나머지는 0으로 나누어떨어지네.
나머지는 3보다 작아.

파이 리온 사라

(   )

18 남학생 34명과 여학생 26명이 있습니다. 학생들이 한 줄에 4명씩 서면 모두 몇 줄이 될까요?

식 _____

답 _____

19 토마토 140개를 6상자에 똑같이 나누어 담으려고 합니다. 한 상자에 토마토를 몇 개씩 담을 수 있고 몇 개가 남을까요?

(   ), (   )

20 정현이는 감자 57개를 캤습니다. 한 바구니에 5개씩 똑같이 나누어 담았더니 2개가 남았습니다. 감자를 담은 바구니는 몇 개일까요?

(   )

스스로 학습장

🐾 사라와 친구들이 나눗셈을 계산한 것입니다. 맞으면 ○표, 틀리면 ✕표 하고 바르게 계산해 보세요.

1

```
     1 8
  3 ) 5 4
      3
      2 4
      2 4
        0
```

```
     1 1
  7 ) 7 7
      7
      7
      7
      0
```

2

```
     1 4
  4 ) 6 2
      4
      2 2
      1 6
        6
```

```
     2 0
  4 ) 8 3
      8
        3
```

3

```
     5 1
  3 ) 1 5 3
      1 5
        3
        3
        0
```

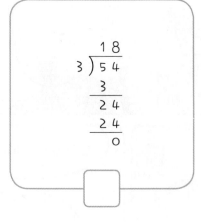

```
     1 2 0
  4 ) 5 0 4
      4
      1 0
        8
        2 4
```

3

원

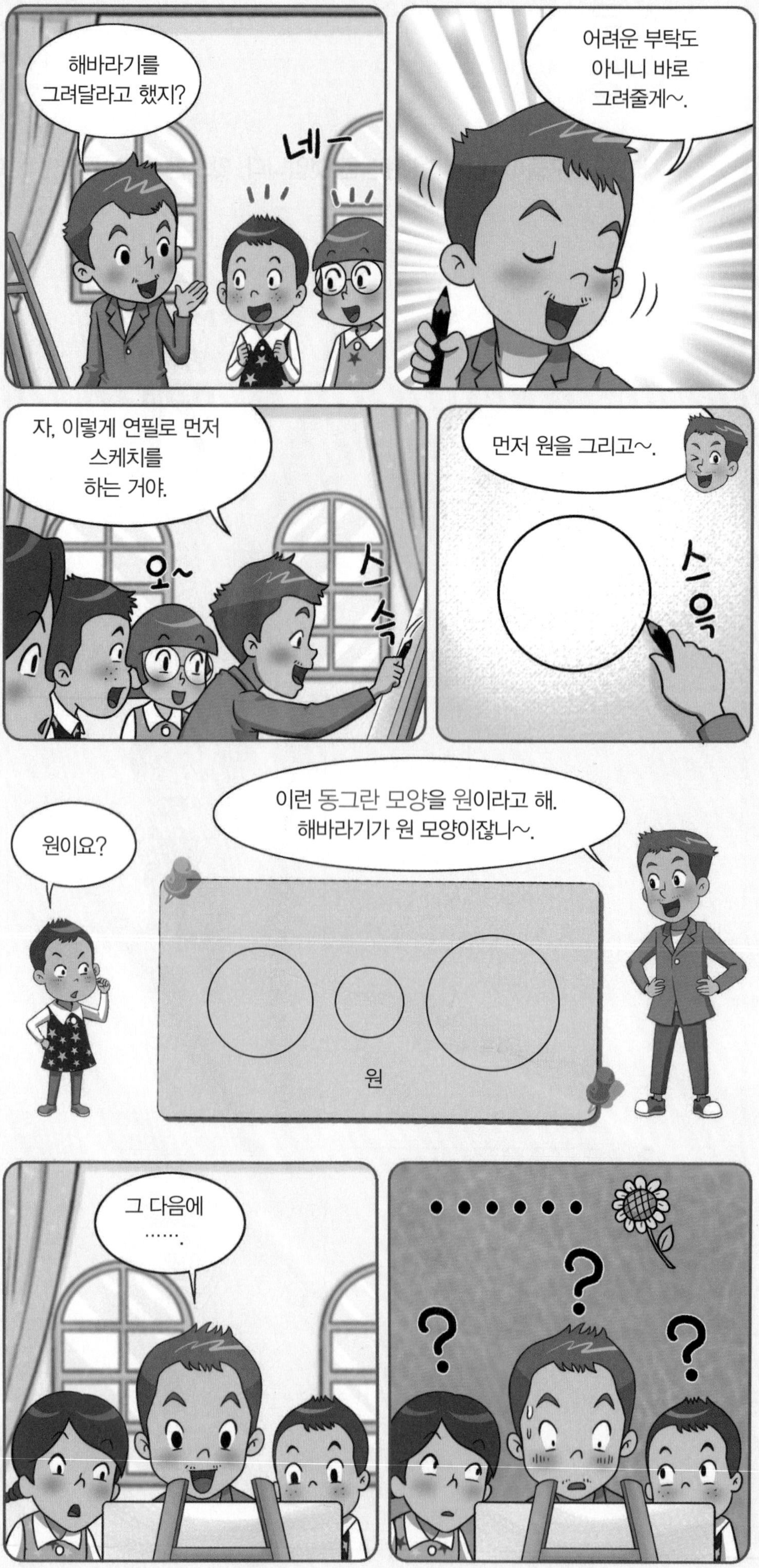

QR 코드를 찍으면 3단원 개념 동영상 강의를 볼 수 있어요.

이번에 배울 내용

- 원의 중심, 반지름, 지름 알아보기
- 원의 성질 알아보기
- 컴퍼스를 이용하여 원 그리기
- 원을 이용하여 여러 가지 모양 그리기

왜 다음은 안 그리세요?
아! 그게~.
해바라기가 어떻게 생겼는지 기억이 안 나!
허억!
해바라기를 보러 다녀와야겠다.
같이 가요~.
휙~ 저리 가~.
휙
휙
휙
음...
저 녀석이 자꾸 꿀을 따는데 방해를 해!
우릴 무시 하다니!
저 녀석을 혼내주자!
그래, 그래!
번쩍
번쩍
저 목 뒤를 조준하고~.
간다!!
앵
애
애
슝
푸
푸헙

준비 학습

1 원이면 ○표, 원이 아니면 ×표 하세요.

(   )   (   )   (   )

(   )   (   )   (   )

개념 체크 ❶ ◀ 2학년 1학기 2단원

원 알아보기

• 원: 그림과 같이 동그란 모양의 도형

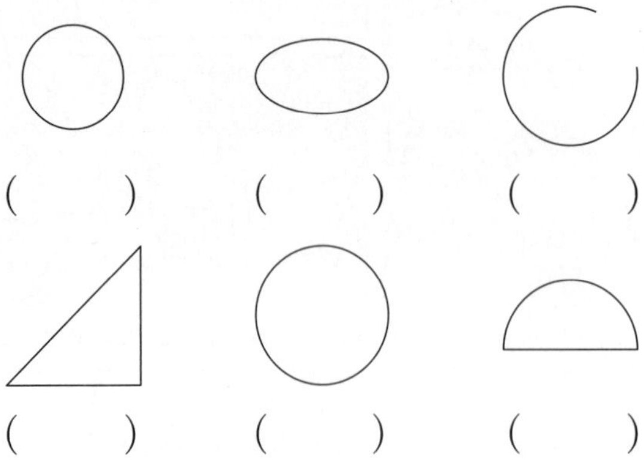

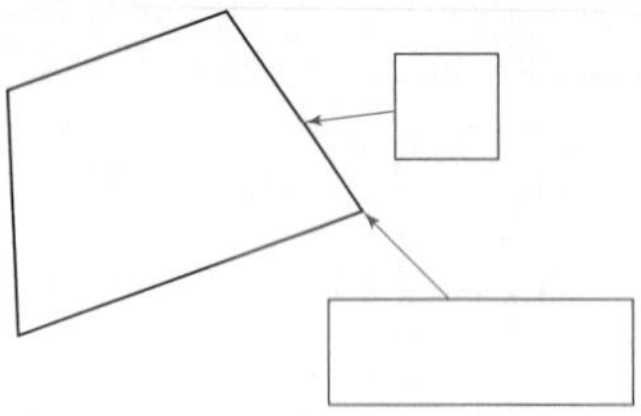

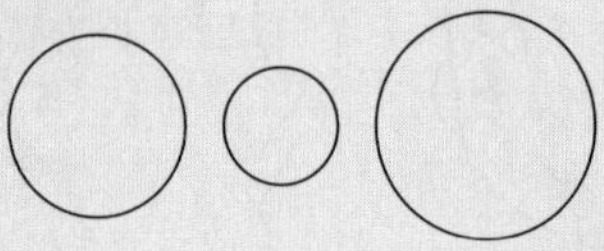

2 다음 도형은 사각형입니다. □ 안에 알맞은 말을 써넣으세요.

개념 체크 ❷ ◀ 2학년 1학기 2단원

꼭짓점, 변 알아보기

• 변: 곧은 선
• 꼭짓점: 두 곧은 선이 만나는 점

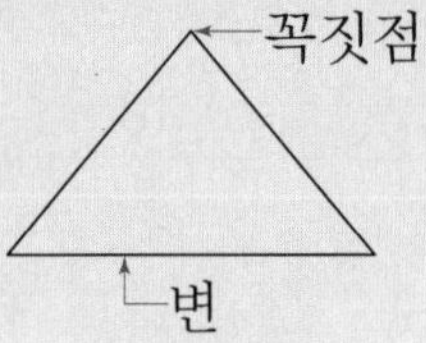

3 원에 대한 설명이 맞으면 ○표, 틀리면 ×표 하세요.

(1) | 원은 곧은 선으로 되어 있습니다.

(   )

(2) | 원은 크기는 다르지만 모양은 모두 같습니다.

(   )

개념 체크 ❸ ◀ 2학년 1학기 2단원

원의 특징 알아보기

• 변과 꼭짓점이 없습니다.
• 굽은 선으로만 둘러싸여 있습니다.
• 크기는 다르지만 모양은 모두 같습니다.

4 도형의 이름을 쓰세요.

(1)

(   )

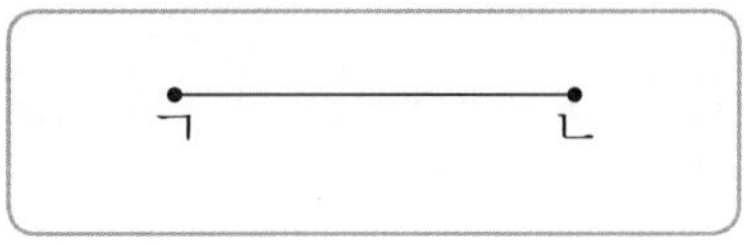

(2)

(   )

5 그림을 보고 리본끈의 길이를 쓰고 읽어 보세요.

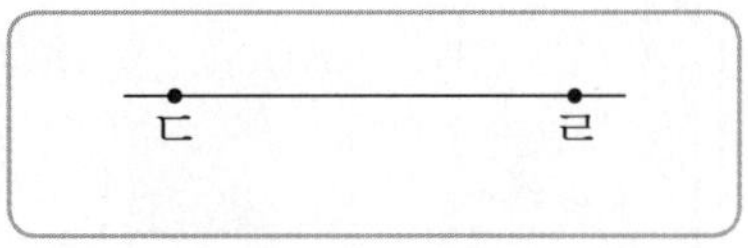

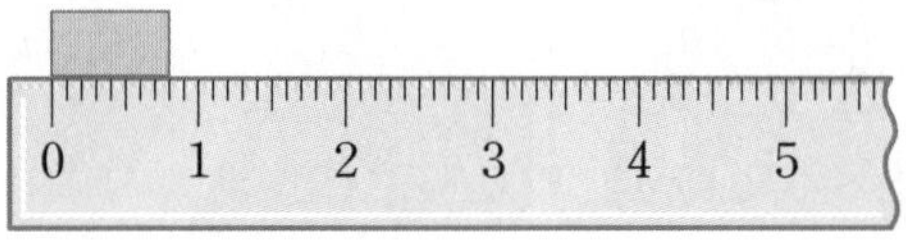

쓰기 _____

읽기 _____

6 ☐ 안에 알맞은 수를 써넣으세요.

(1) 8 cm 4 mm = ☐ mm

(2) 42 mm = ☐ cm ☐ mm

개념 체크 4 ◀ 3학년 1학기 2단원

선분, 반직선, 직선 알아보기

• 선분: 두 점을 곧게 이은 선
• 반직선: 한 점에서 시작하여 한쪽으로 끝없이 늘인 곧은 선
• 직선: 선분을 양쪽으로 끝없이 늘인 곧은 선

개념 체크 5 ◀ 3학년 1학기 5단원

1 mm 알아보기

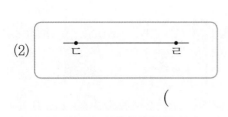

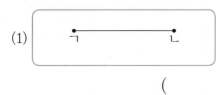

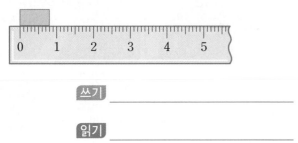

1 cm를 10칸으로 똑같이 나누었을 때 작은 눈금 한 칸의 길이(▪)를 1 mm라 쓰고 1 밀리미터라고 읽습니다.

$$1 \text{ cm} = 10 \text{ mm}$$

개념 체크 6 ◀ 3학년 1학기 5단원

5 cm 6 mm 알아보기

5 cm보다 6 mm 더 긴 것을 5 cm 6 mm라 쓰고 5 센티미터 6 밀리미터라고 읽습니다.

$$5 \text{ cm } 6 \text{ mm} = 56 \text{ mm}$$

3

1 단계 교과서 개념

원의 중심, 반지름, 지름은 무엇인가요?

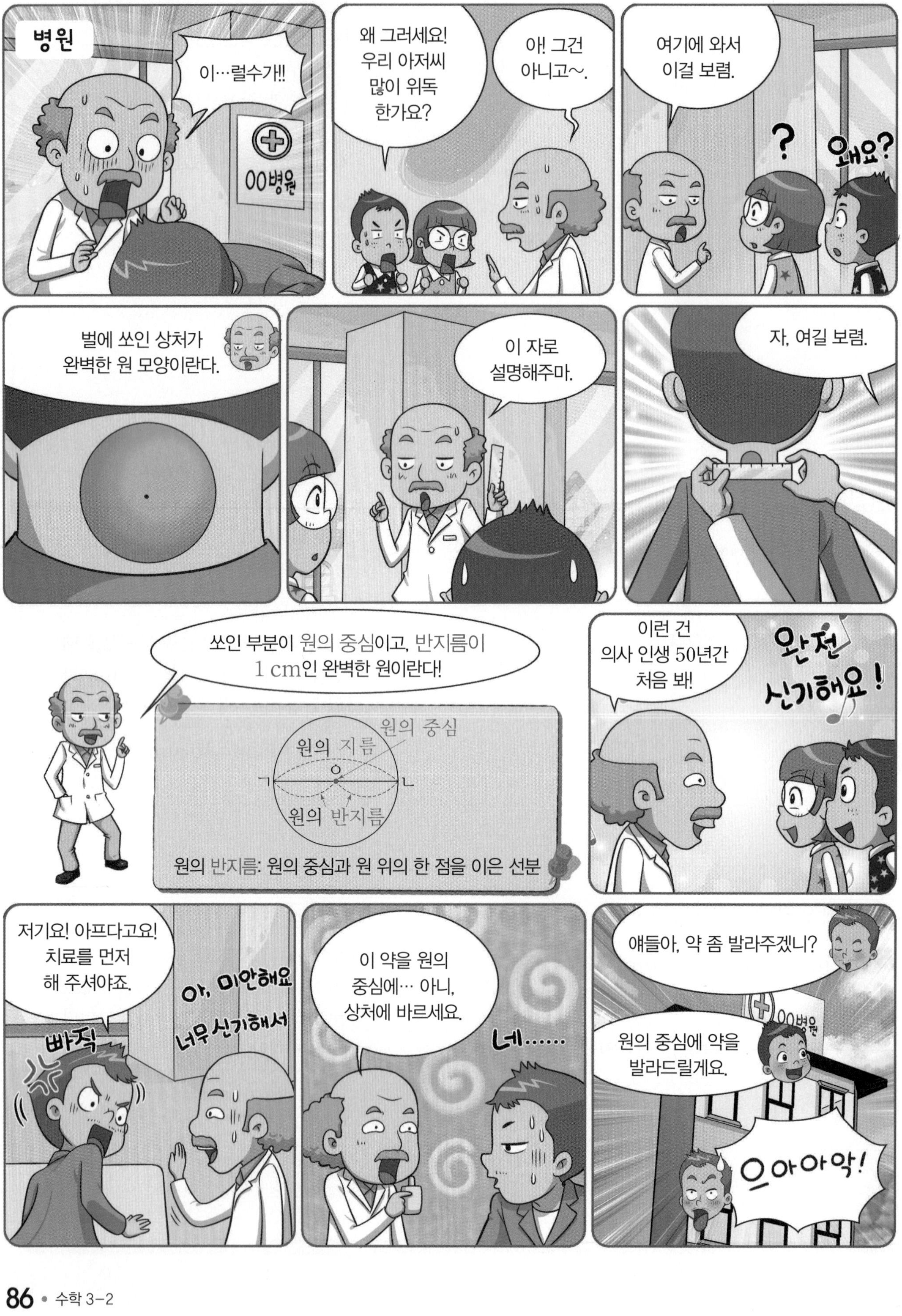
병원
이…럴수가!!
00병원
왜 그러세요! 우리 아저씨 많이 위독 한가요?
아! 그건 아니고~.
여기에 와서 이걸 보렴.
?
왜요?
벌에 쏘인 상처가 완벽한 원 모양이란다.
이 자로 설명해주마.
자, 여길 보렴.
쏘인 부분이 원의 중심이고, 반지름이 1 cm인 완벽한 원이란다!
원의 중심
원의 지름
ㅇ
ㄱ
ㄴ
원의 반지름
원의 반지름: 원의 중심과 원 위의 한 점을 이은 선분
이런 건 의사 인생 50년간 처음 봐!
완전 신기해요!
저기요! 아프다고요! 치료를 먼저 해 주셔야죠.
빠직
아, 미안해요 너무 신기해서
이 약을 원의 중심에… 아니, 상처에 바르세요.
네……
얘들아, 약 좀 발라주겠니?
00병원
원의 중심에 약을 발라드릴게요.
으아아악!

개념 클릭

- **원의 중심, 반지름, 지름 알아보기**

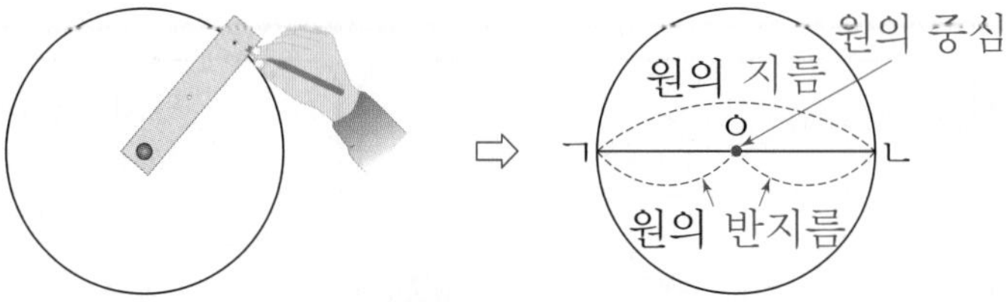

선분 ㄱㄴ은 원의 지름이고 선분 ㅇㄱ, 선분 ㅇㄴ은 원의 ❶ [ ] 이에요.

- 원의 중심: 원을 그릴 때에 누름 못이 꽂혔던 점 ㅇ
- 원의 반지름: 원의 중심 ㅇ과 원 위의 한 점을 이은 선분
- 원의 지름: 원 위의 두 점을 이은 선분이 원의 중심 ㅇ을 지날 때의 선분

정답 ❶ 반지름

1 □ 안에 알맞은 말을 써넣으세요.

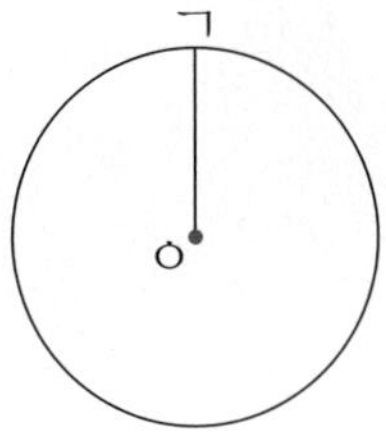

원을 그릴 때에 누름 못이 꽂혔던 점 ㅇ을 원의 [ ]이라 하고, 원의 중심 ㅇ과 원 위의 한 점 ㄱ을 이은 선분 ㅇㄱ을 원의 [ ]이라고 합니다.

[2~3] 원의 중심을 찾아 쓰세요.

2

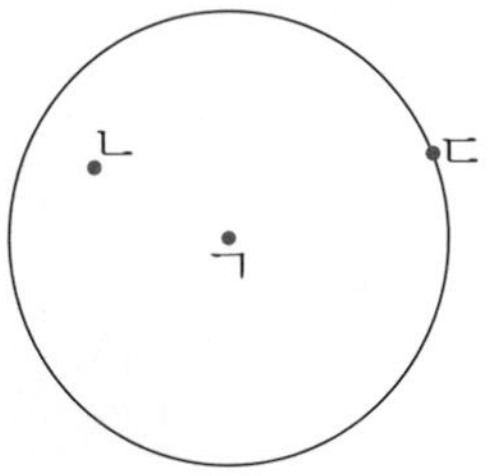

( )

3

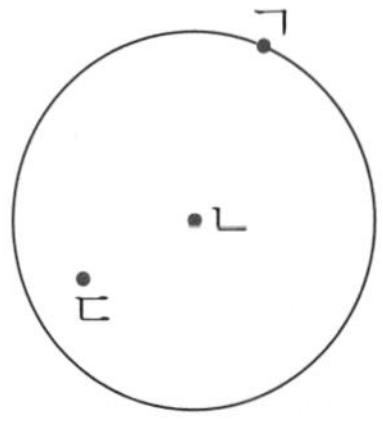

( )

[4~5] 원에 반지름을 1개 그어 보세요.

4

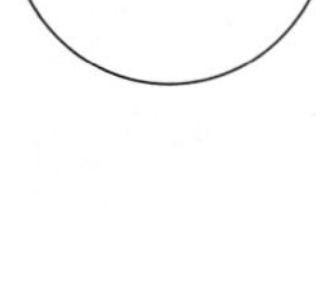

5

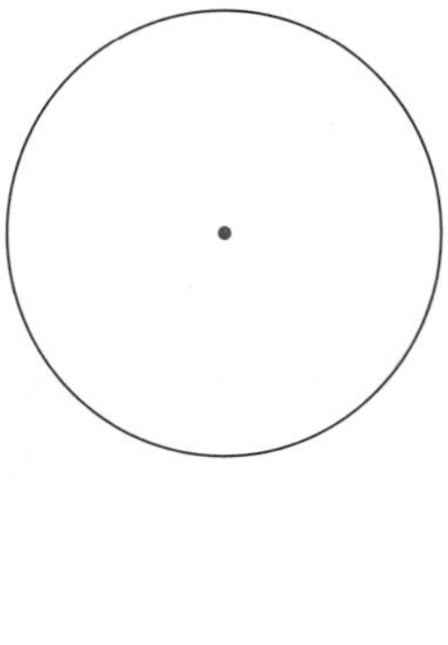

원의 중심과 원 위의 한 점을 이어 반지름을 그려요.

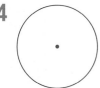

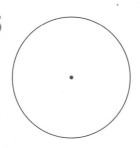

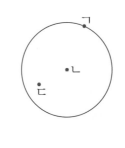

3

원

1단계 교과서 개념

원의 성질을 알 수 있나요?

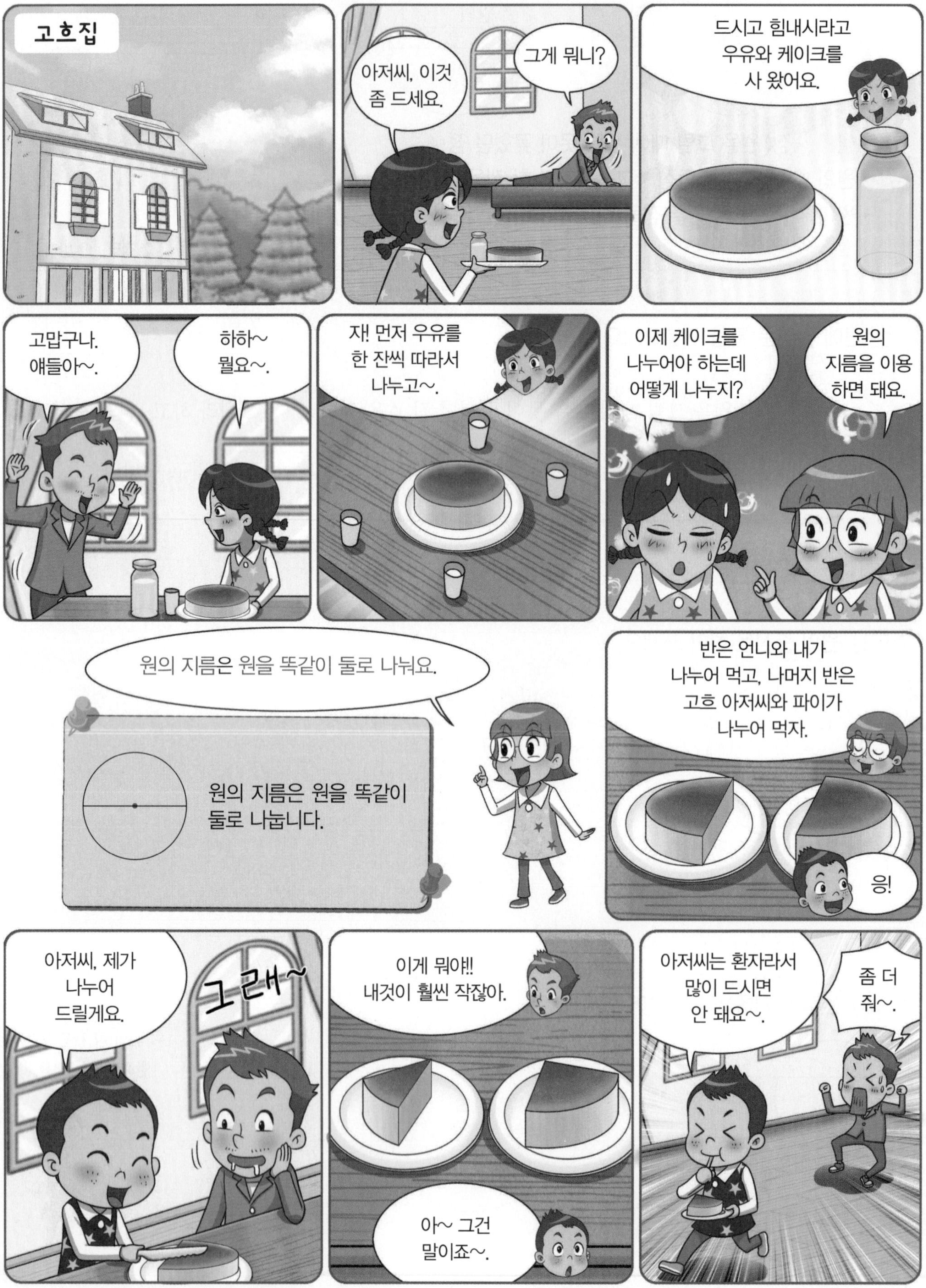
고흐집
아저씨, 이것 좀 드세요.
그게 뭐니?
드시고 힘내시라고 우유와 케이크를 사 왔어요.
고맙구나. 얘들아~.
하하~ 뭘요~.
자! 먼저 우유를 한 잔씩 따라서 나누고~.
이제 케이크를 나누어야 하는데 어떻게 나누지?
원의 지름을 이용하면 돼요.
원의 지름은 원을 똑같이 둘로 나눠요.
원의 지름은 원을 똑같이 둘로 나눕니다.
반은 언니와 내가 나누어 먹고, 나머지 반은 고흐 아저씨와 파이가 나누어 먹자.
응!
아저씨, 제가 나누어 드릴게요.
그래~
이게 뭐야!! 내것이 훨씬 작잖아.
아~ 그건 말이죠~.
아저씨는 환자라서 많이 드시면 안 돼요~.
좀 더 줘~.

개념 클릭

- **원의 성질 알아보기**
  - 지름은 원을 똑같이 둘로 나눕니다.
  - 지름은 원 안에 그을 수 있는 가장 긴 선분입니다.
  - 지름은 무수히 많이 그을 수 있습니다.
  - 한 원에서 지름은 반지름의 2배입니다.

한 원에서 반지름은 모두 같아요.

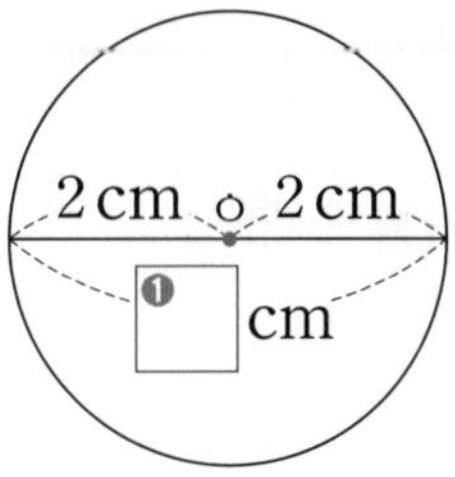

◆ 정답 ❶ 4

1 그림을 보고 □ 안에 알맞은 기호를 써넣으세요.

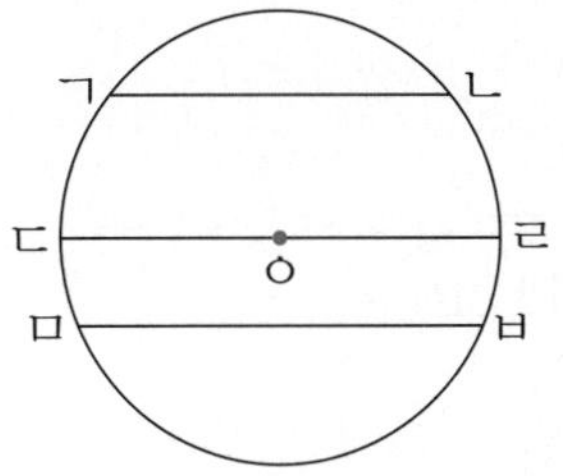

(1) 길이가 가장 긴 선분은 선분 □ 입니다.

(2) 원의 지름은 선분 □ 입니다.

[2~4] 그림을 보고 물음에 답하세요.

모눈 한 칸은 1 cm를 나타내요.

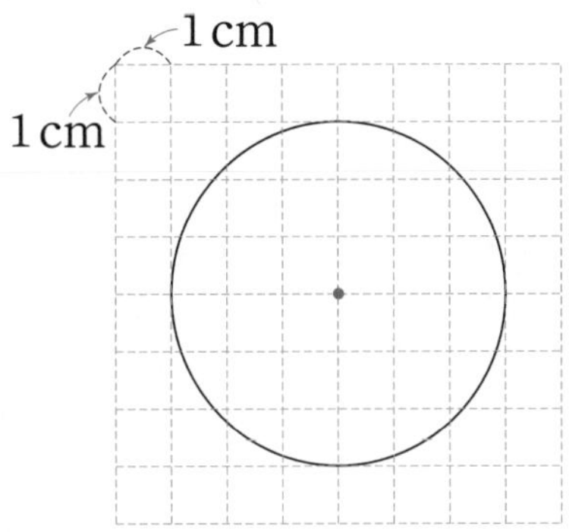

2 원의 반지름은 몇 cm일까요?

(   )

3 원의 지름은 몇 cm일까요?

(   )

4 □ 안에 알맞은 수를 써넣으세요.

한 원에서 지름은 반지름의 □ 배입니다.

한 원에서 반지름은 지름의 반이에요.

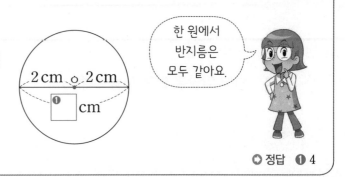

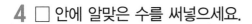

2단계 개념 집중 연습

원의 중심, 반지름, 지름

[01~02] □ 안에 알맞은 말을 써넣으세요.

01

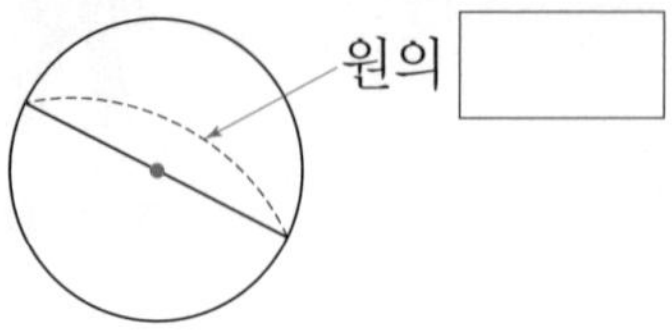

02

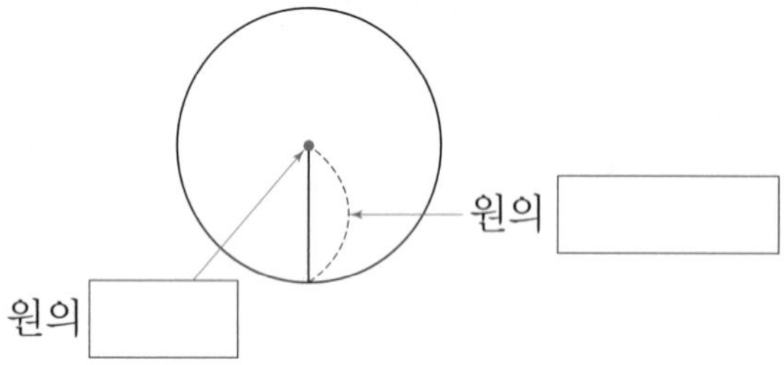

[03~04] 그림을 보고 원의 반지름은 몇 cm인지 구하세요.

03

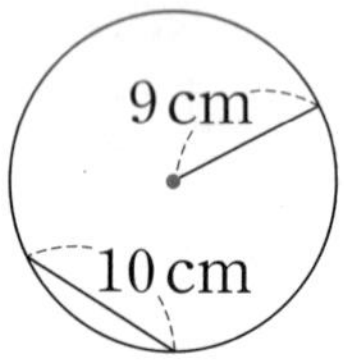

( )

04

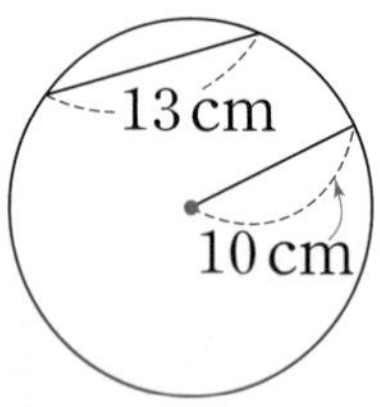

( )

[05~08] □ 안에 알맞은 수를 써넣으세요.

05

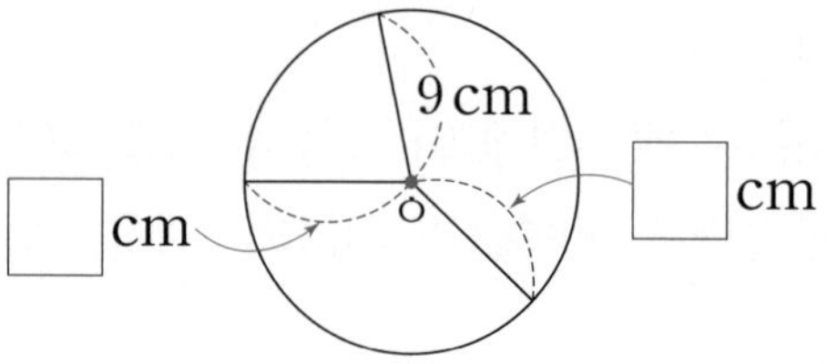

06

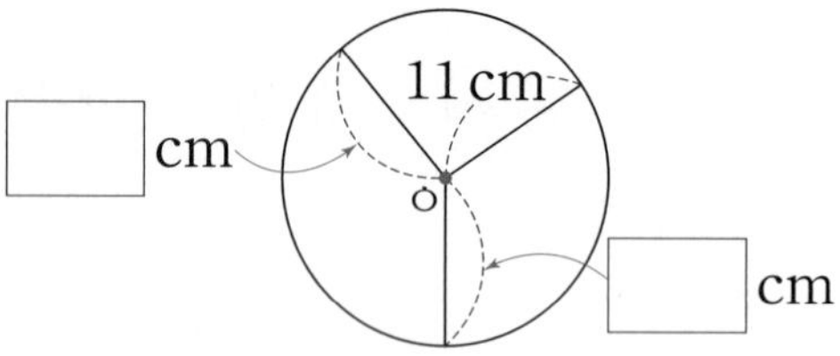

07

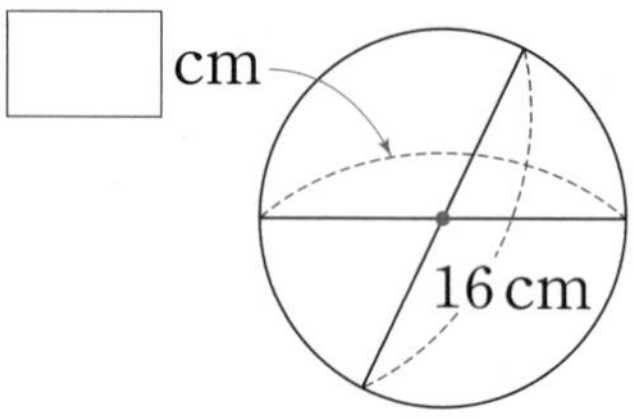

08

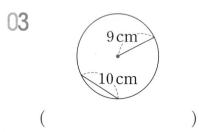

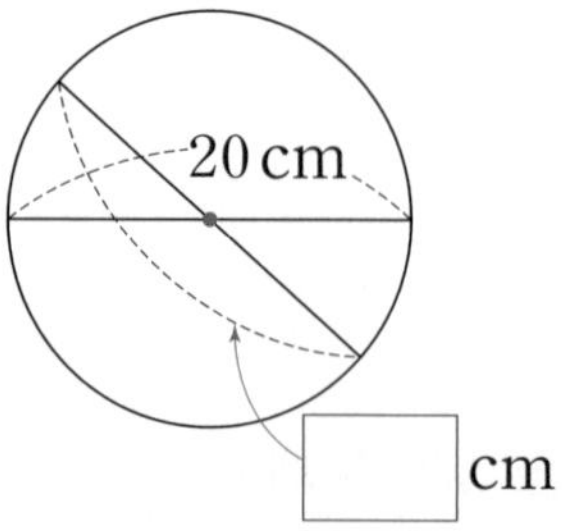

(원의 성질)

[09~10] 원에 지름을 3개씩 그어 보세요.

09

10

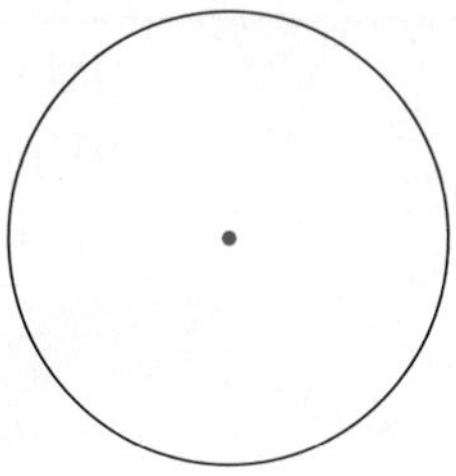

[11~12] 원의 지름은 어느 선분인지 찾아 쓰세요.

11

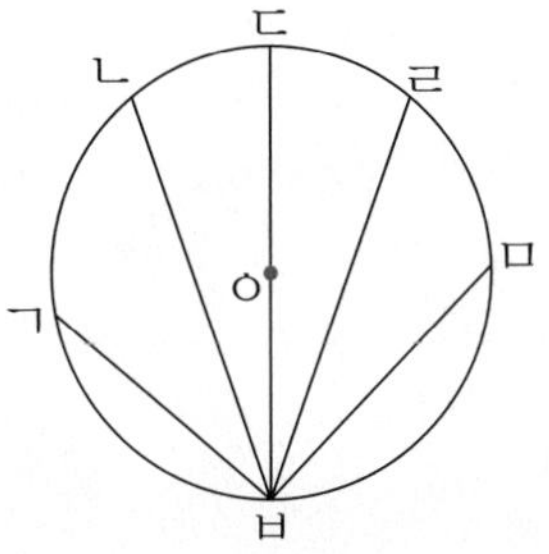

( )

12

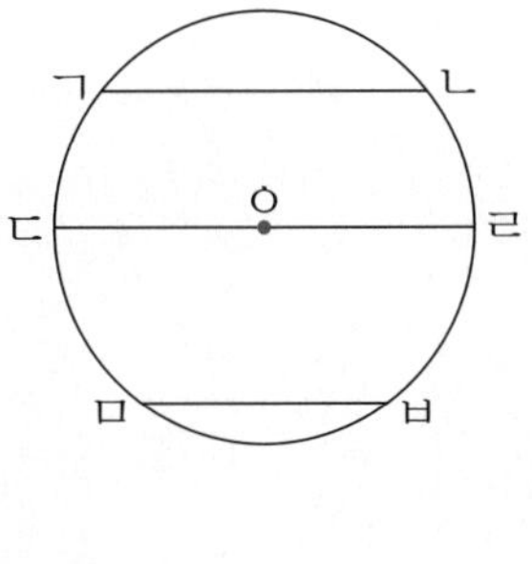

( )

[13~14] 원의 지름은 몇 cm인지 구하세요.

13

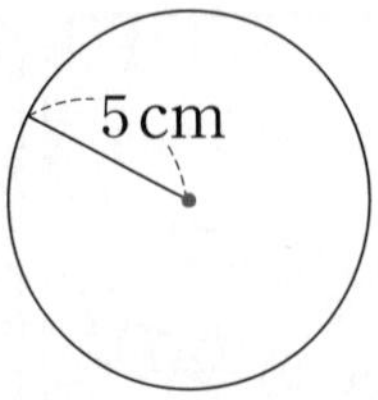

( )

14

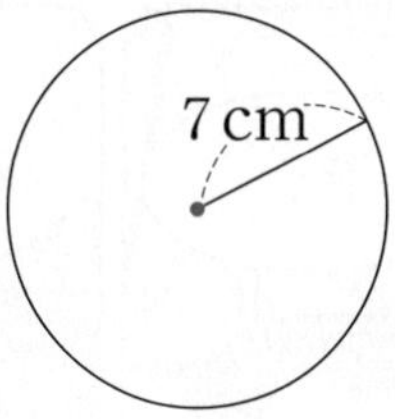

( )

[15~16] 원의 반지름은 몇 cm인지 구하세요.

15

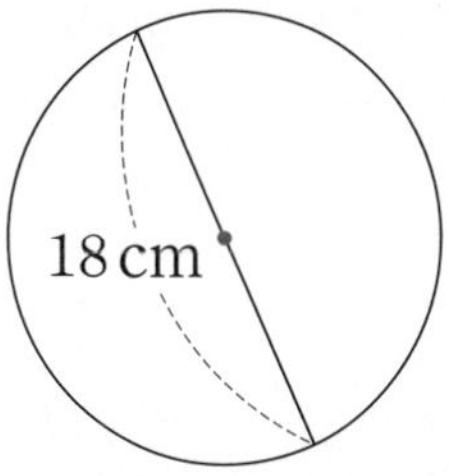

( )

16

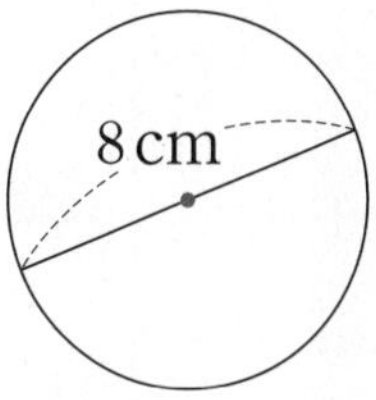

( )

3
원

1 단계 교과서 개념

컴퍼스를 이용하여 원을 어떻게 그리나요?

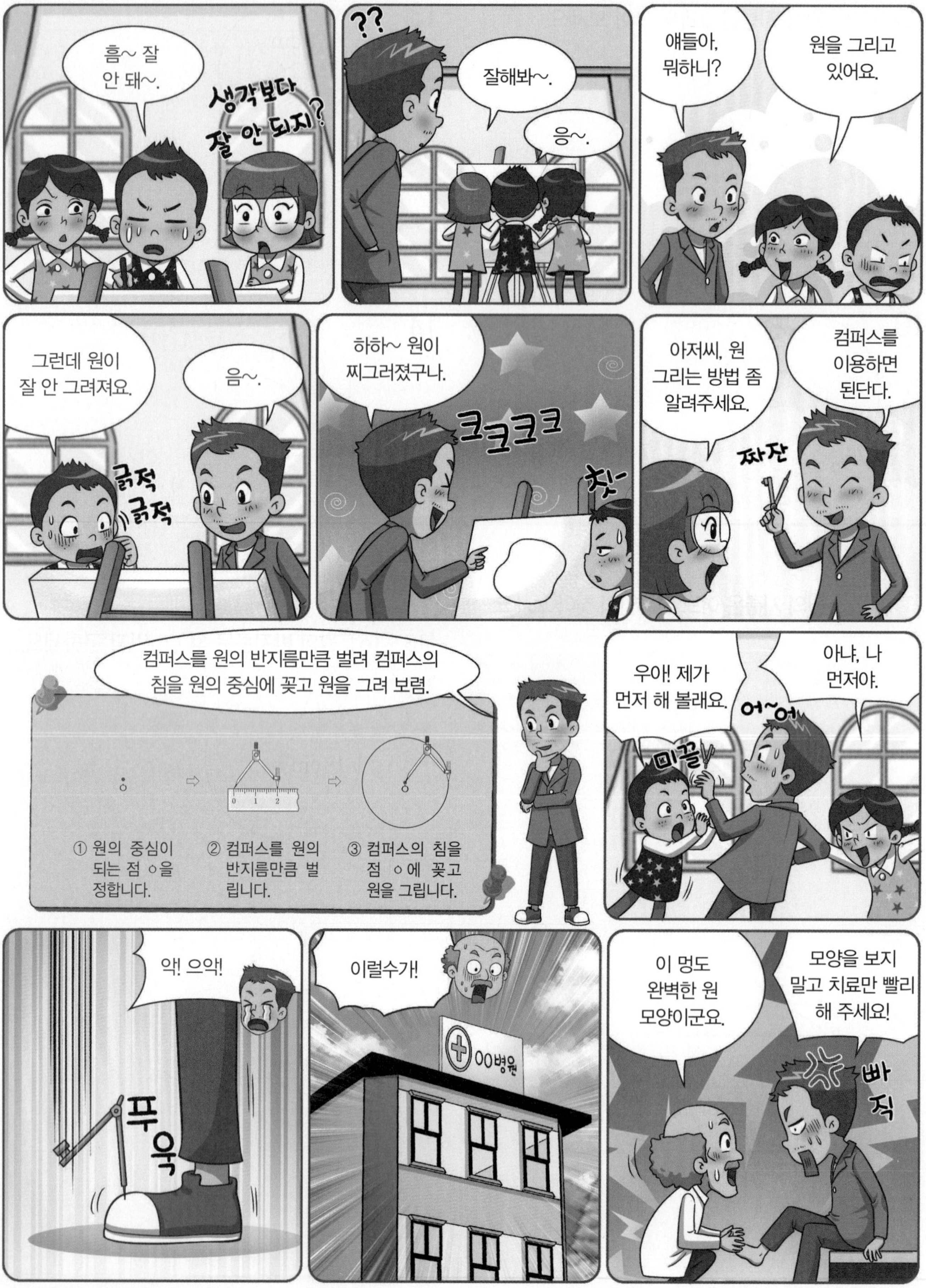

흠~ 잘 안 돼~.
생각보다 잘 안 되지?
??
잘해봐~.
응~.
얘들아, 뭐하니?
원을 그리고 있어요.
그런데 원이 잘 안 그려져요.
음~.
긁적 긁적
하하~ 원이 찌그러졌구나.
크크크크
칫-
아저씨, 원 그리는 방법 좀 알려주세요.
컴퍼스를 이용하면 된단다.
짜잔
컴퍼스를 원의 반지름만큼 벌려 컴퍼스의 침을 원의 중심에 꽂고 원을 그려 보렴.
① 원의 중심이 되는 점 ㅇ을 정합니다.
② 컴퍼스를 원의 반지름만큼 벌립니다.
③ 컴퍼스의 침을 점 ㅇ에 꽂고 원을 그립니다.
우아! 제가 먼저 해 볼래요.
아냐, 나 먼저야.
어~어
미끌
악! 으악!
푸욱
이럴수가!
OO병원
이 멍도 완벽한 원 모양이군요.
모양을 보지 말고 치료만 빨리 해 주세요!
빠직

개념 클릭

• 컴퍼스를 이용하여 원 그리기

　• 컴퍼스를 이용하여 반지름이 2 cm인 원 그리기

 ⇨ ⇨

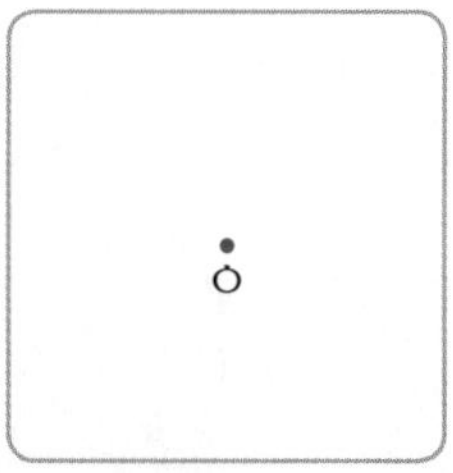

① 원의 중심이 되는 점 ㅇ을 정합니다.

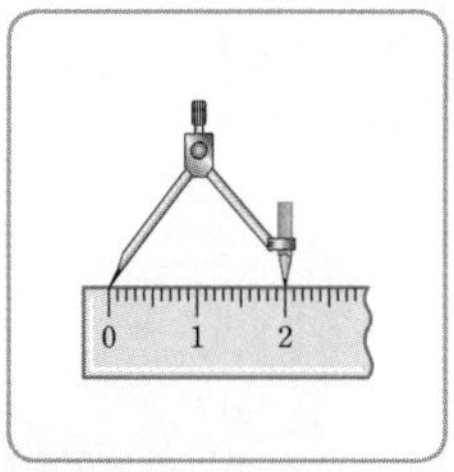

② 컴퍼스를 원의 반지름만큼 벌립니다.

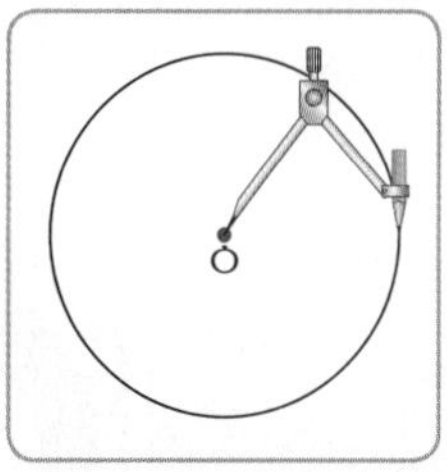

③ 컴퍼스의 침을 점 ㅇ에 꽂고 원을 그립니다.

컴퍼스의 침과 연필심 사이를 반지름인 **①** cm만큼 벌려 원을 그려요.

◑ 정답 ❶ 2

---

1 컴퍼스를 이용하여 반지름이 1 cm인 원을 그리는 순서입니다. ☐ 안에 알맞게 써넣으세요.

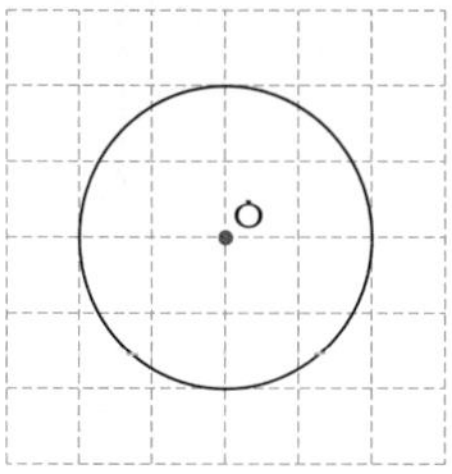

① 원의 ☐ 이 되는 점 ㅇ을 정합니다.

② 컴퍼스의 침과 연필심 사이를 ☐ cm만큼 벌립니다.

③ 컴퍼스의 침을 점 ☐ 에 꽂고 원을 그립니다.

[2~3] 점 ㅇ이 원의 중심이고 반지름이 다음과 같은 원을 그려 보세요.

2

반지름: 1 cm 6 mm

컴퍼스의 침과 연필심 사이를 반지름만큼 벌려서 원을 그려요.

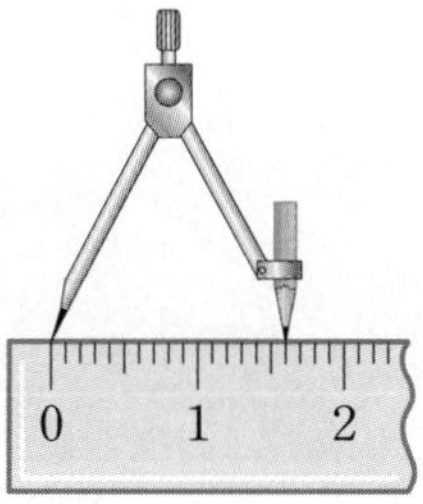

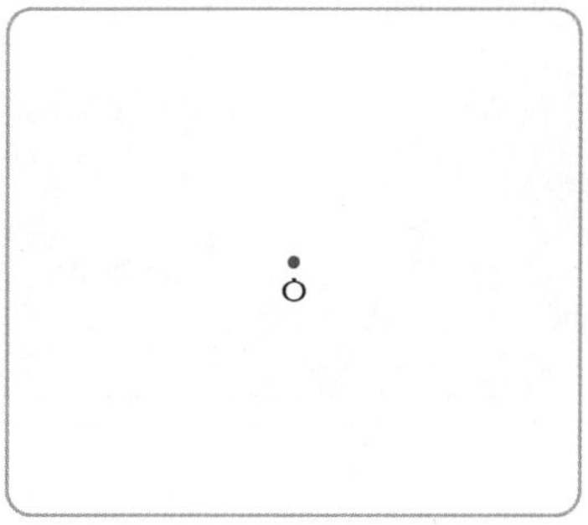

3

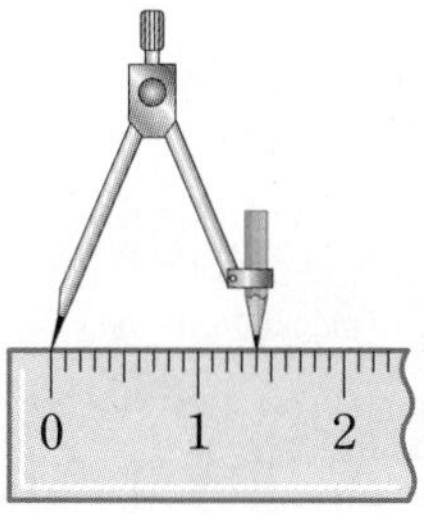

반지름: 1 cm 4 mm

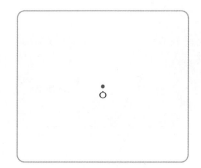

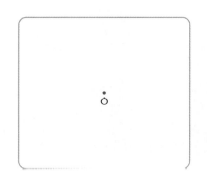

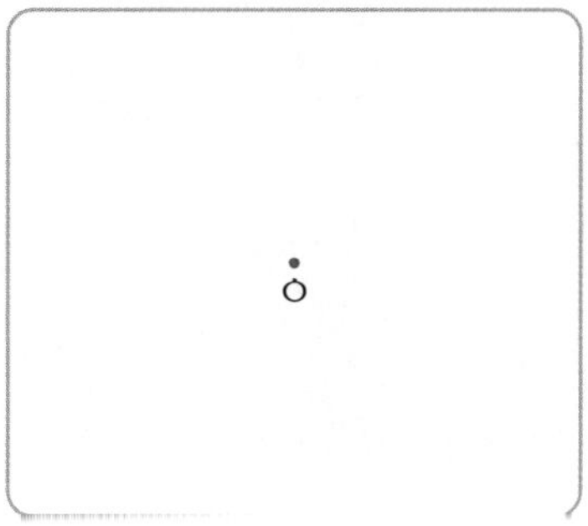

1단계 교과서 개념

원을 이용하여 여러 가지 모양을 어떻게 그리나요?

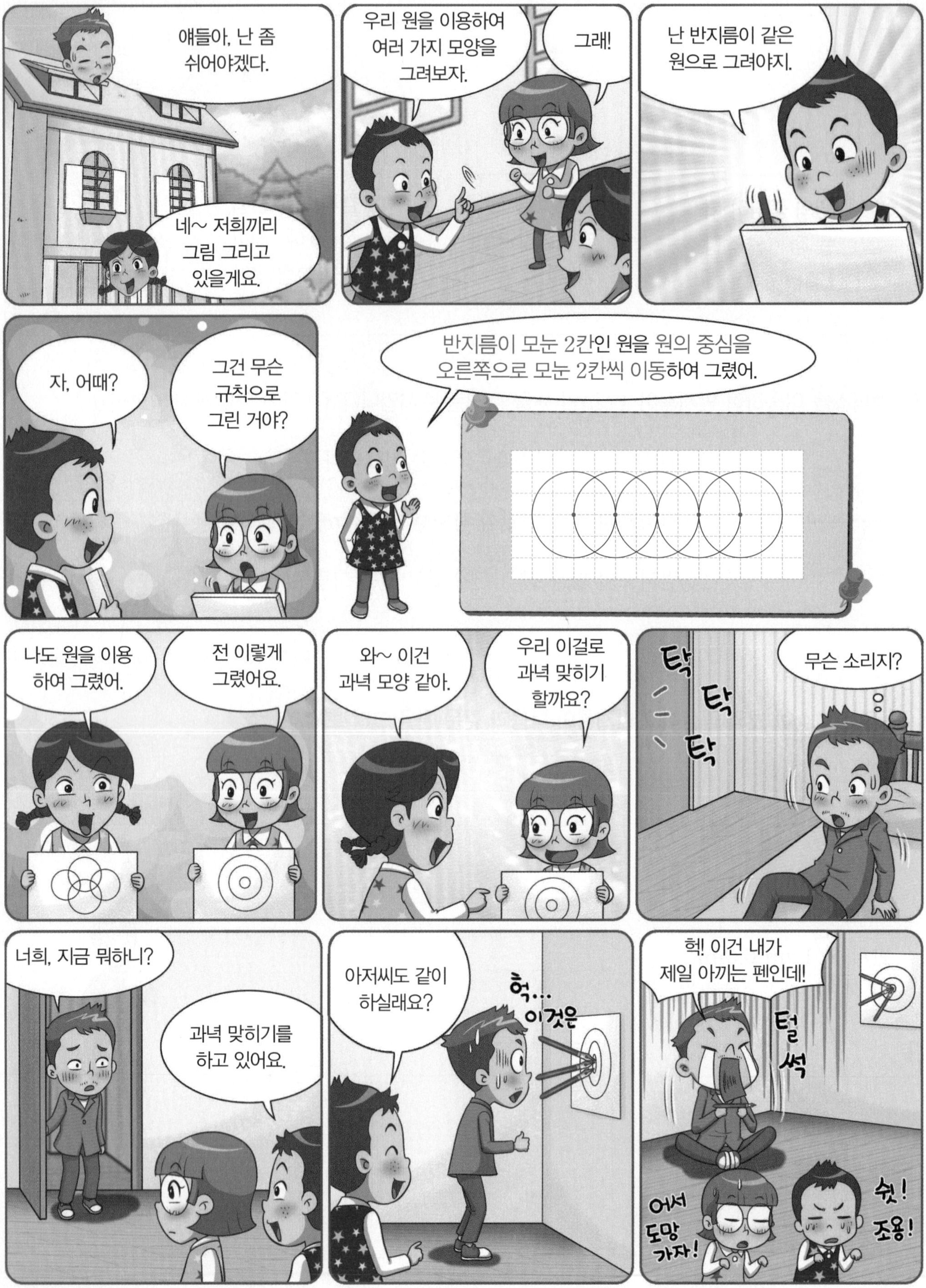

얘들아, 난 좀 쉬어야겠다.
네~ 저희끼리 그림 그리고 있을게요.
우리 원을 이용하여 여러 가지 모양을 그려보자.
그래!
난 반지름이 같은 원으로 그려야지.
자, 어때?
그건 무슨 규칙으로 그린 거야?
반지름이 모눈 2칸인 원을 원의 중심을 오른쪽으로 모눈 2칸씩 이동하여 그렸어.
나도 원을 이용하여 그렸어.
전 이렇게 그렸어요.
와~ 이건 과녁 모양 같아.
우리 이걸로 과녁 맞히기 할까요?
탁
탁
탁
무슨 소리지?
너희, 지금 뭐하니?
과녁 맞히기를 하고 있어요.
아저씨도 같이 하실래요?
헉… 이것은
헉! 이건 내가 제일 아끼는 펜인데!
털썩
어서 도망 가자!
쉿! 조용!

개념 클릭

• **원을 이용하여 여러 가지 모양 그리기**

> 왼쪽과 같은 모양을 그릴 때 컴퍼스의 침을 꽂아야 할 곳은 모두 **❶** 곳이에요.

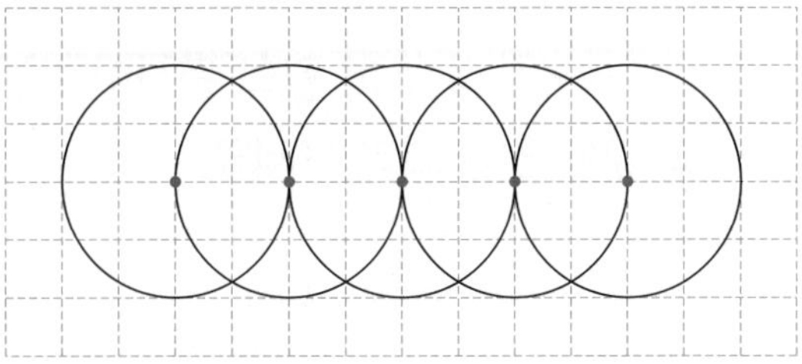

• 원의 반지름이 같은 원 5개를 그린 모양입니다.
• 원의 중심은 반지름만큼 오른쪽으로 모눈 2칸씩 이동하였습니다.

◑ 정답 ❶ 5

[1~2] 규칙을 찾아 원을 그리려고 합니다. 물음에 답하세요.

> 원의 중심은 2칸, 3칸……씩 오른쪽으로 옮겨져요.

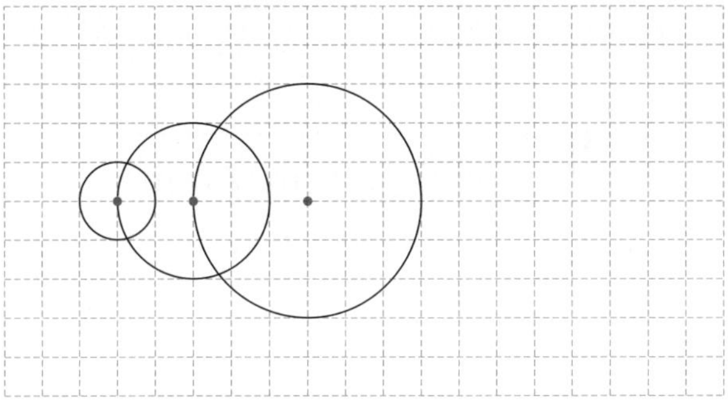

1 원의 반지름은 어떻게 변했나요?

반지름이 모눈 1칸, 2칸, 3칸으로 [ ]칸씩 늘어났습니다.

2 규칙에 따라 위 모눈종이에 원을 1개 더 그려 보세요.

[3~4] 주어진 모양과 똑같은 모양을 그리려고 합니다. 물음에 답하세요.

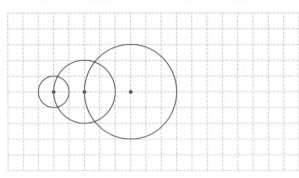

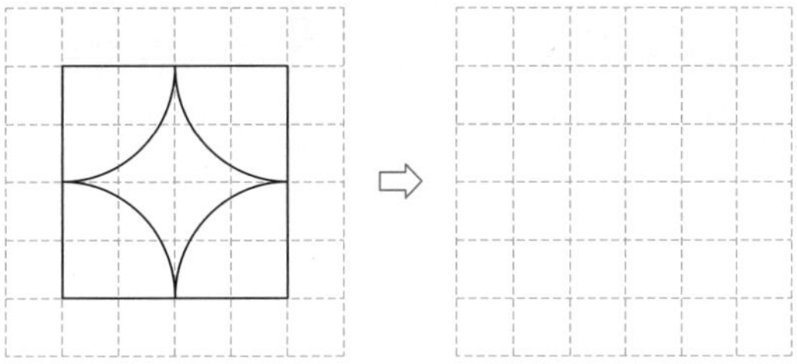

3 정사각형 안에 원의 일부분을 그릴 때 컴퍼스의 침을 꽂아야 할 곳은 모두 몇 곳일까요?

(   )

4 주어진 모양과 똑같은 모양을 오른쪽에 그려 보세요.

2단계 개념 집중 연습

컴퍼스를 이용하여 원 그리기

01 컴퍼스를 2 cm가 되도록 벌린 것을 찾아 ○표 하세요.

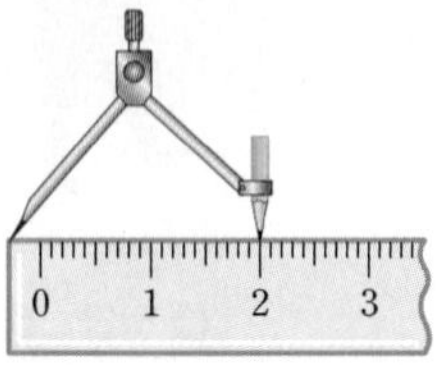

(　　　　　)

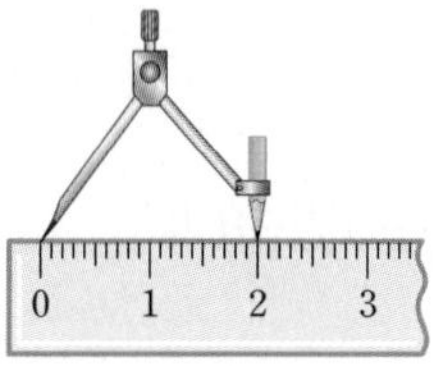

(　　　　　)

02 컴퍼스를 2 cm 5 mm가 되도록 벌린 것을 찾아 ○표 하세요.

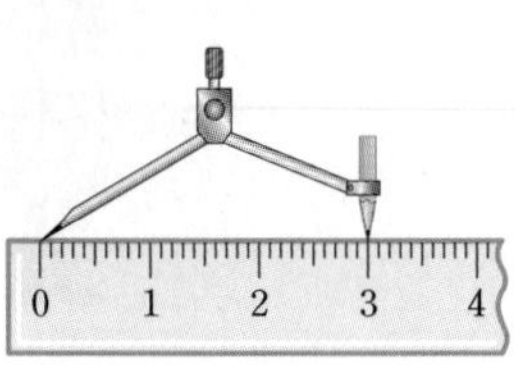

(　　　　　)

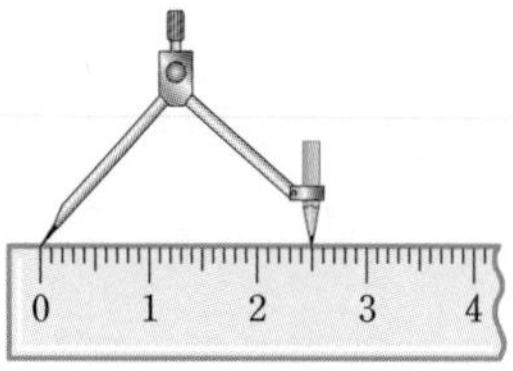

(　　　　　)

03 순서에 따라 반지름이 1 cm 8 mm인 원을 그려 보세요.

① 컴퍼스의 침과 연필심 사이를 1 cm 8 mm가 되도록 벌립니다.
② 컴퍼스의 침을 점 ㅇ에 꽂고 한쪽 방향으로 돌려 원을 그립니다.

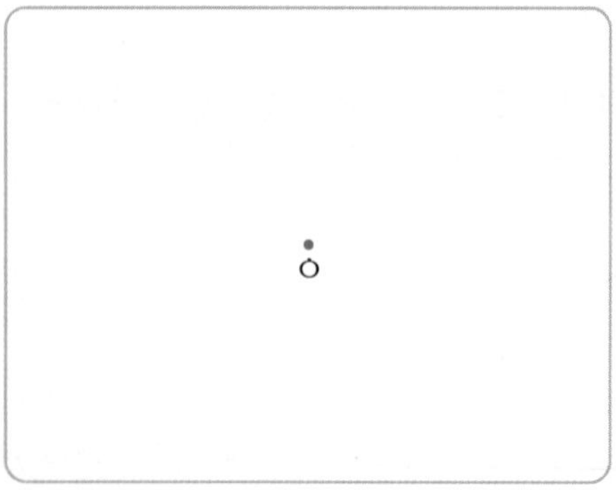

[04~06] 점 ㅇ이 원의 중심이고 반지름이 다음과 같은 원을 그려 보세요.

04 반지름: 1 cm

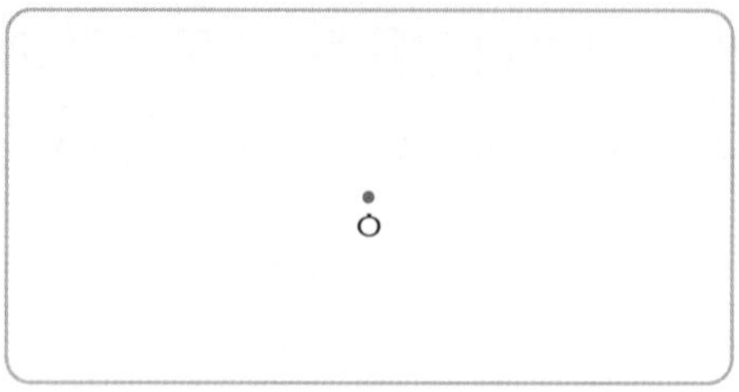

05 반지름: 2 cm 2 mm

06 반지름: 2 cm 6 mm

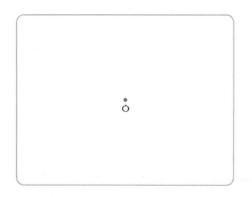

원을 이용하여 여러 가지 모양 그리기

[07~10] 주어진 모양을 그리기 위하여 컴퍼스의 침을 꽂아야 할 곳을 모눈종이에 모두 표시해 보세요.

07

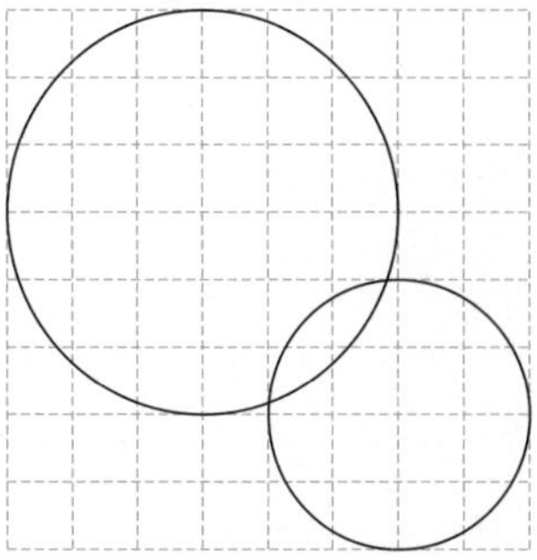

08

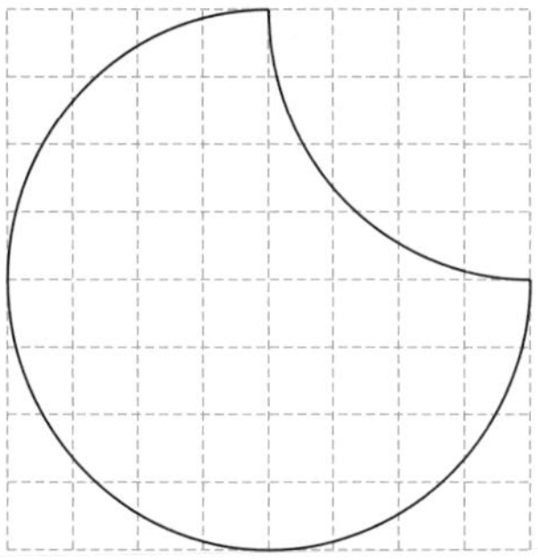

09

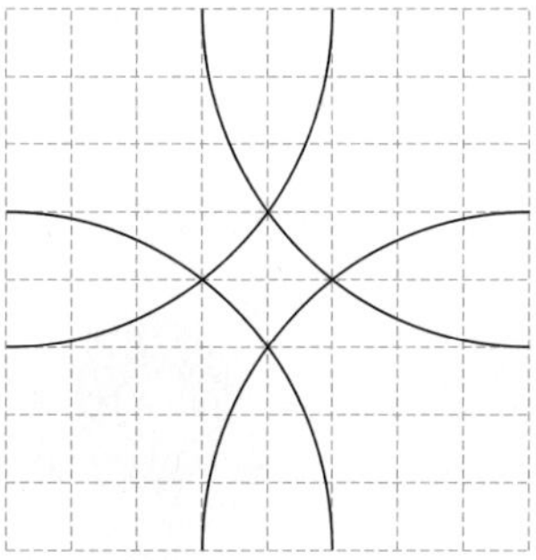

10

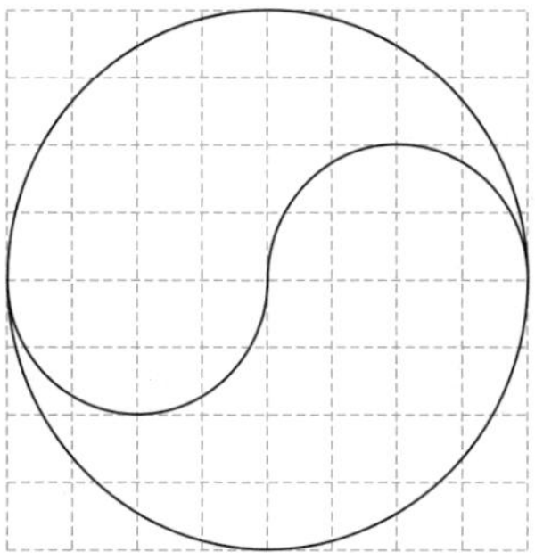

[11~13] 주어진 모양과 똑같이 그려 보세요.

11

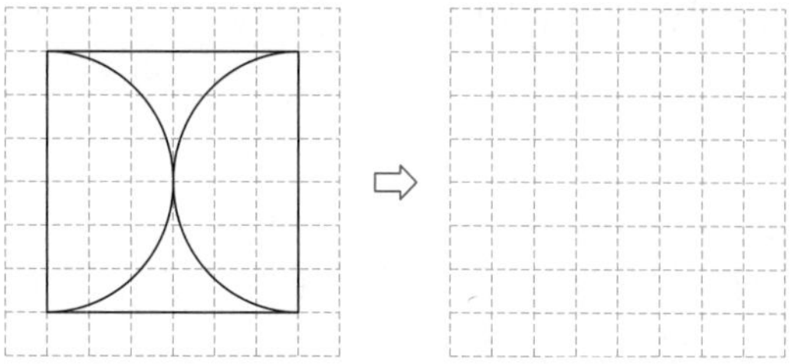

12

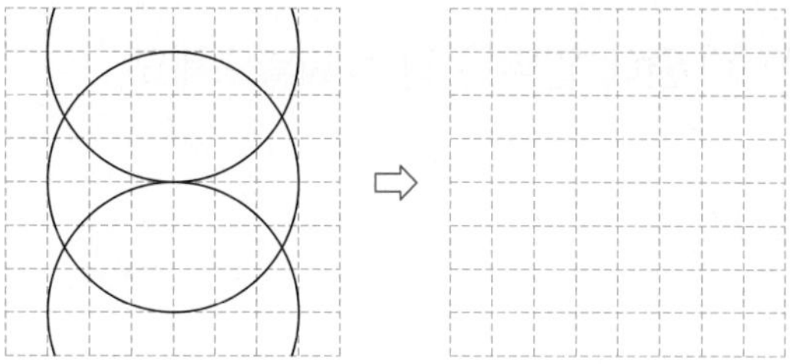

13

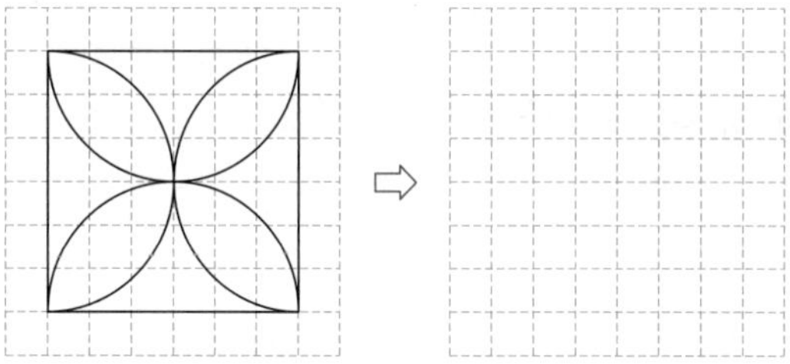

14 규칙을 찾아 원을 1개 더 그려 보세요.

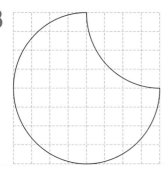

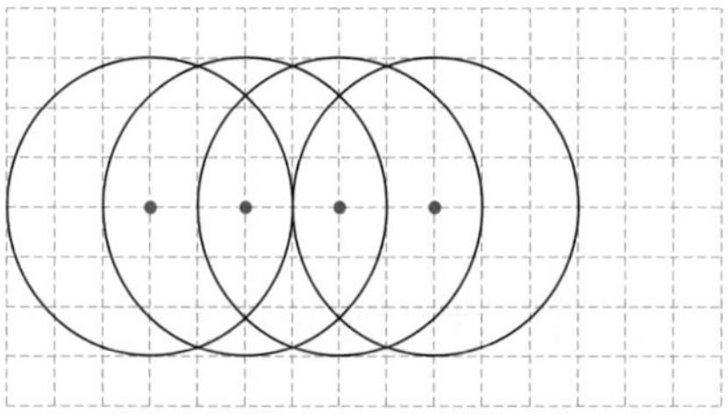

01 자를 이용하여 여러 개의 점을 찍어 원을 완성해 보세요.

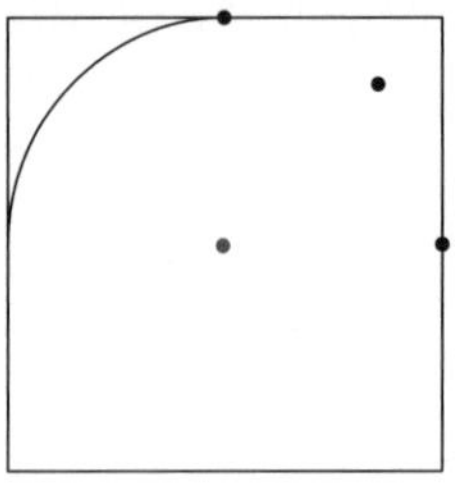

・중심점부터 같은 거리만큼 떨어진 곳에 여러 개의 점을 찍어 원을 완성합니다.

02 □ 안에 알맞은 말을 써넣으세요.

03 원의 중심을 찾아 쓰세요.

(   )

띠 종이와 누름 못으로 원을 그릴 때 누름 못이 어디에 꽂혔었는지 생각해 봐요.

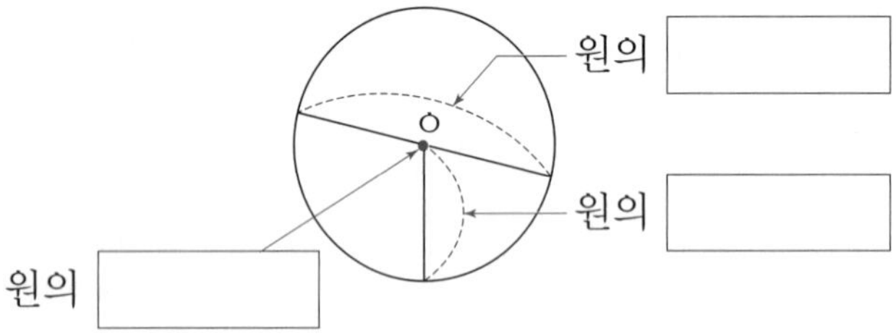

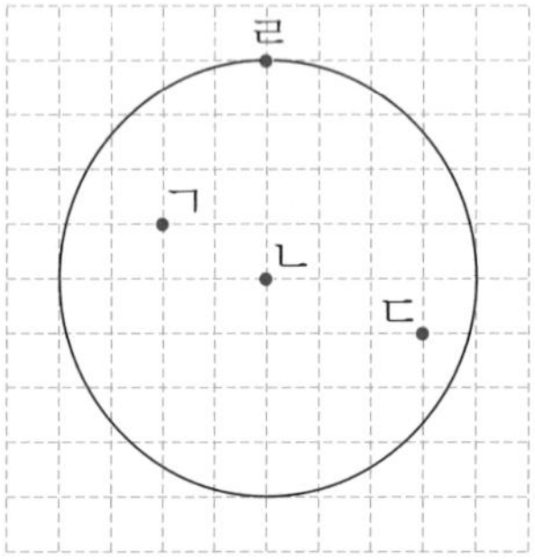

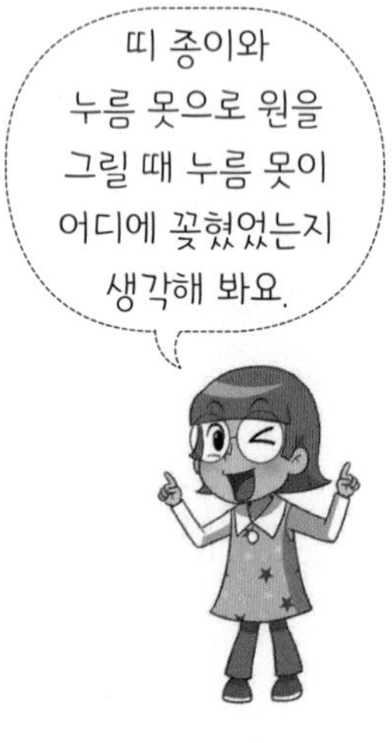

04 한 원에는 원의 중심이 몇 개 있나요?

(   )

05 원의 중심과 원 위의 한 점을 잇는 선분을 3개 그어 보세요.

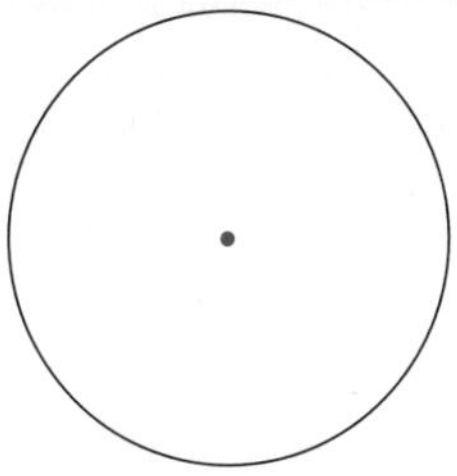

Tip

• 위치나 방향에 관계없이 원의 중심과 원 위의 한 점을 잇는 선분을 3개 긋습니다.

06 원에 지름을 5개 그어 보세요.

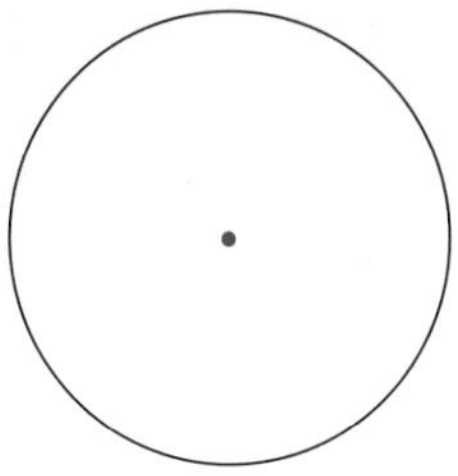

한 원에 지름은 무수히 많이 그을 수 있어요.

07 그림을 보고 물음에 답하세요.

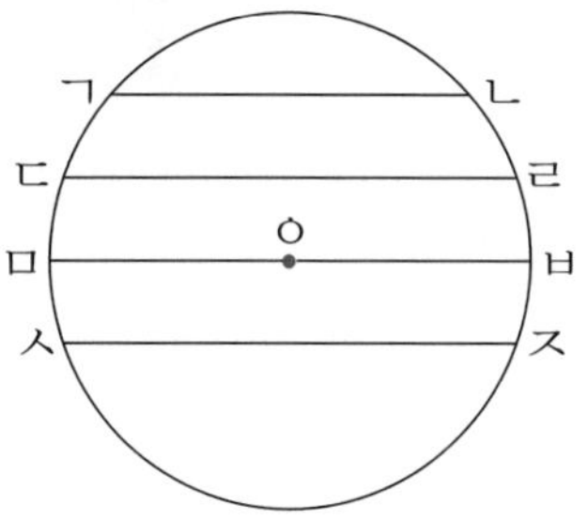

(1) 길이가 가장 긴 선분은 어느 것일까요?

( )

(2) 원의 지름은 어느 선분일까요?

( )

08 컴퍼스를 3 cm가 되도록 벌린 것을 찾아 ○표 하세요.

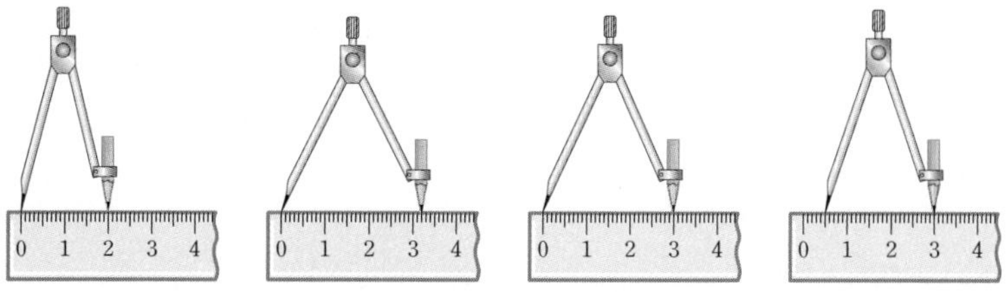

( ) ( ) ( ) ( )

3 원

09 순서에 따라 반지름이 2 cm인 원을 그려 보세요.

① 컴퍼스의 침과 연필심 사이를 2 cm가 되도록 벌립니다.

⇩

② 컴퍼스의 침을 점 o에 꽂고 한쪽 방향으로 돌려 원을 그립니다.

10 주어진 선분을 반지름으로 하는 원을 그려 보세요.

컴퍼스의 침과 연필심 사이를 주어진 선분만큼 벌려서 원을 그려요.

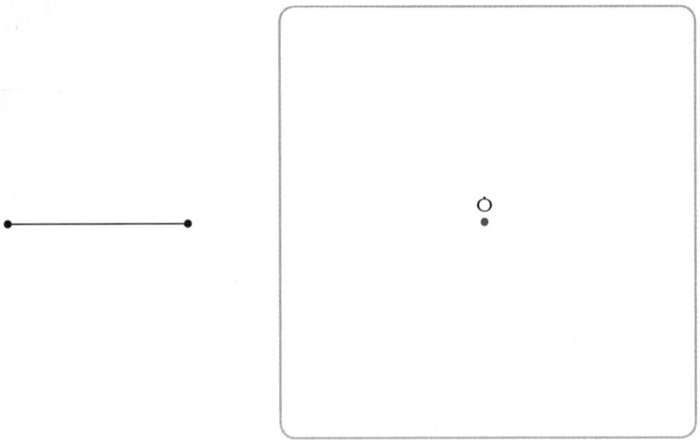

11 선분의 길이를 재어 □ 안에 알맞은 수를 써넣으세요.

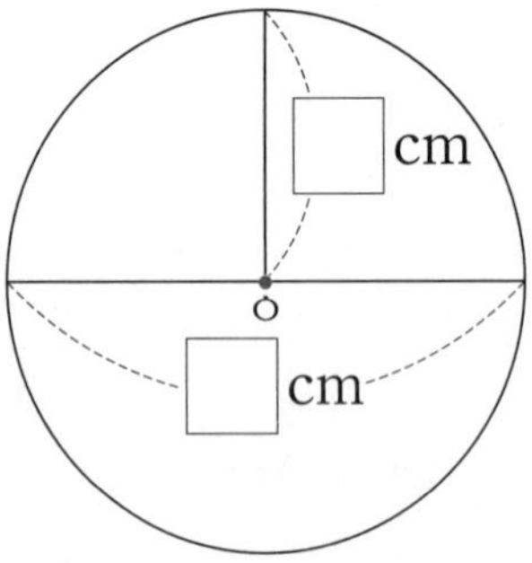

• 원의 지름과 반지름을 각각 재어 봅니다.
(원의 지름)
＝(원의 반지름)×2

12 주어진 모양을 그리기 위하여 컴퍼스의 침을 꽂아야 할 곳을 모눈 종이에 모두 표시해 보세요.

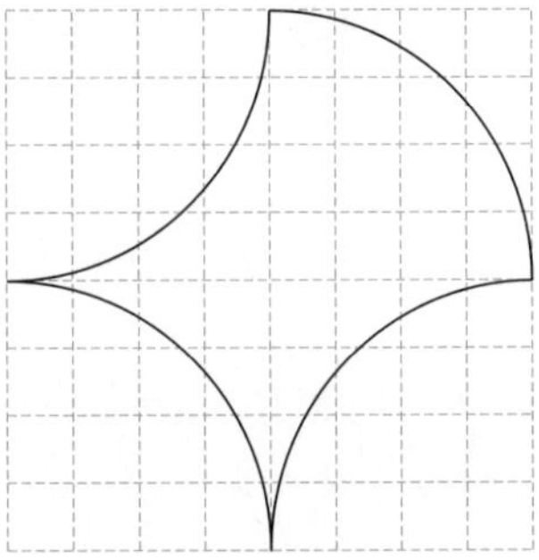

Tip

· 원의 일부분이 몇 개인지 알아보고 컴퍼스의 침을 꽂아야 할 곳을 · (점)으로 표시해 봅니다.

13 주어진 모양과 똑같이 그려 보세요.

⇨

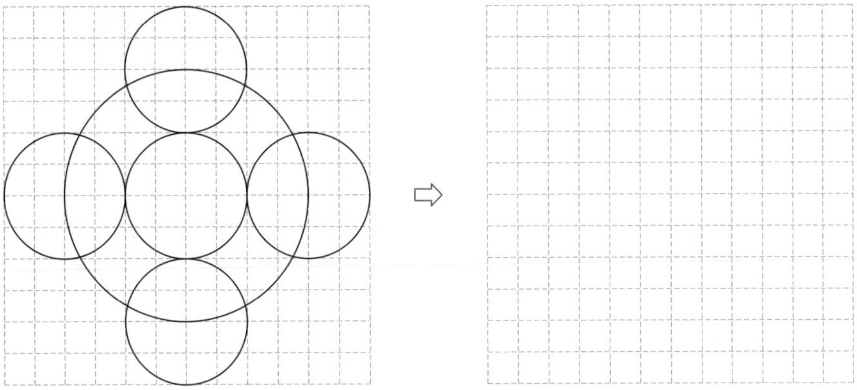

14 그림과 같이 원들이 맞닿도록 모눈종이에 반지름을 1칸씩 줄여 가며 차례로 원을 2개 더 그려 보세요.

반지름이 모눈 2칸, 1칸인 원을 각각 1개씩 그려봐요.

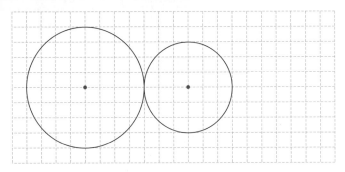

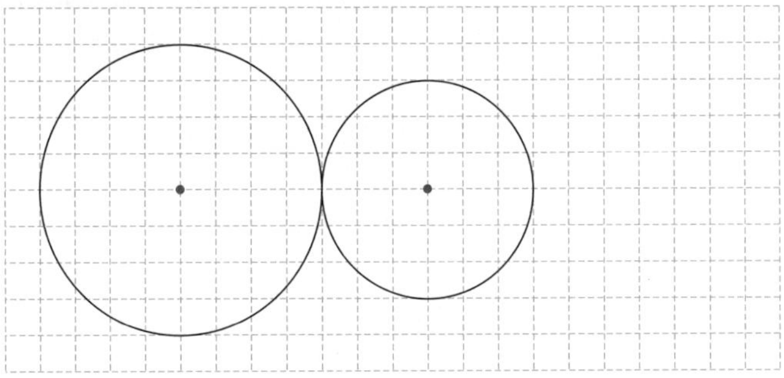

단원 평가

01 원의 중심을 찾아 기호를 쓰세요.

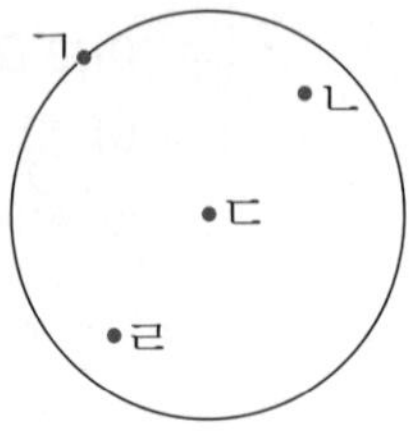

( )

02 원의 지름을 찾아 기호를 쓰세요.

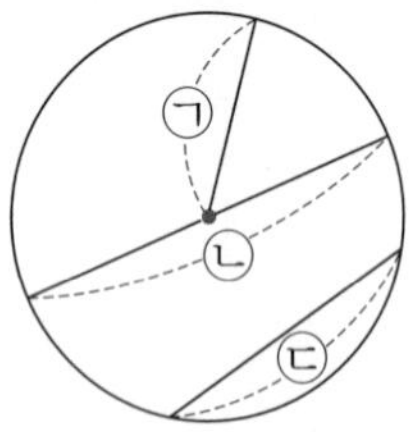

( )

03 원에서 반지름은 몇 cm일까요?

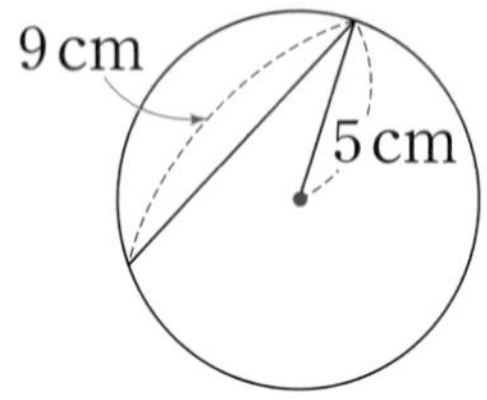

( )

04 원의 지름은 몇 cm일까요?

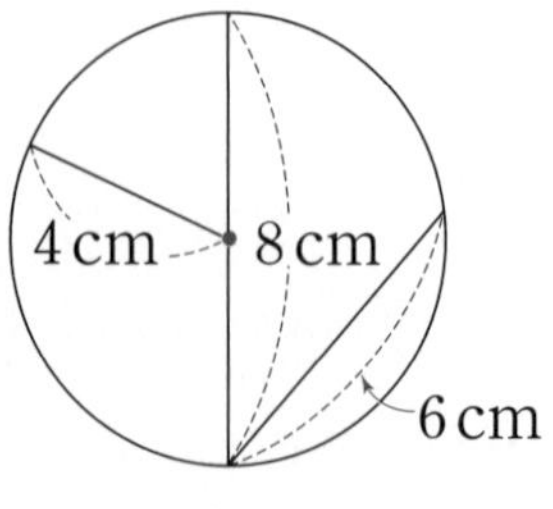

( )

05 컴퍼스를 이용하여 원를 그리려고 합니다. 원을 그리는 순서대로 1, 2, 3을 쓰세요.

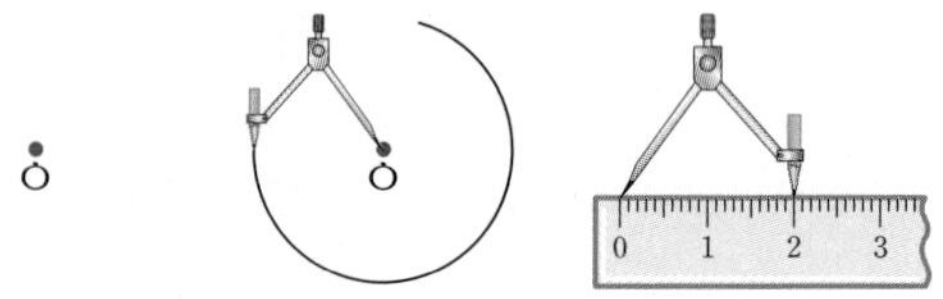

( ) ( ) ( )

06 □ 안에 알맞은 수를 써넣으세요.

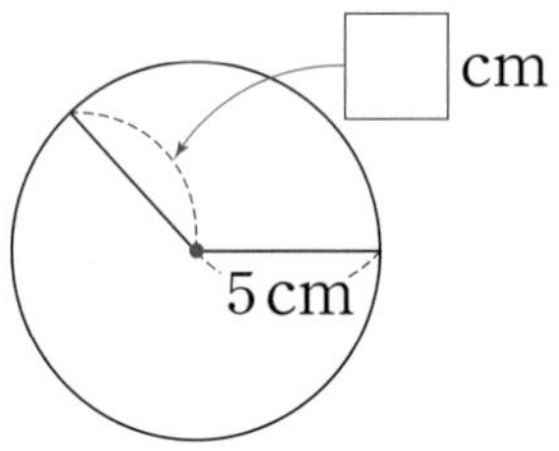

07 다음 중 반지름이 1 cm인 원은 어느 것일까요? ( )

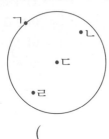

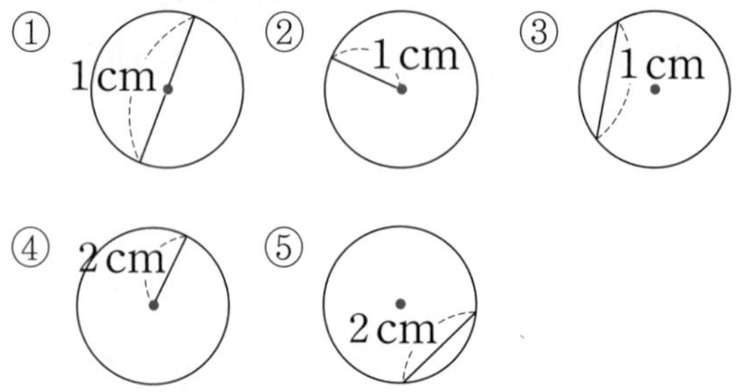

08 원의 반지름이 <u>아닌</u> 것은 어느 것일까요?
....( )

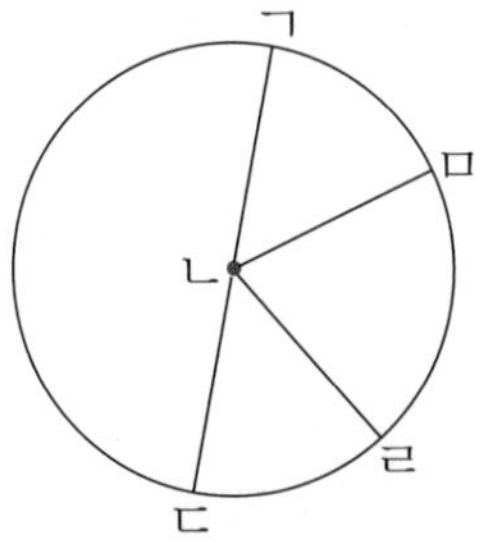

① 선분 ㄱㄴ   ② 선분 ㄴㄷ
③ 선분 ㄴㄹ   ④ 선분 ㄴㅁ
⑤ 선분 ㄱㄷ

09 원의 반지름과 지름을 각각 1개씩 그려 보세요.

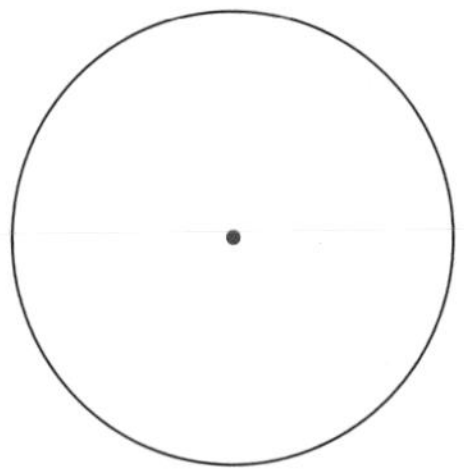

10 컴퍼스를 이용하여 반지름이 1 cm 5 mm 인 원을 그려 보세요.

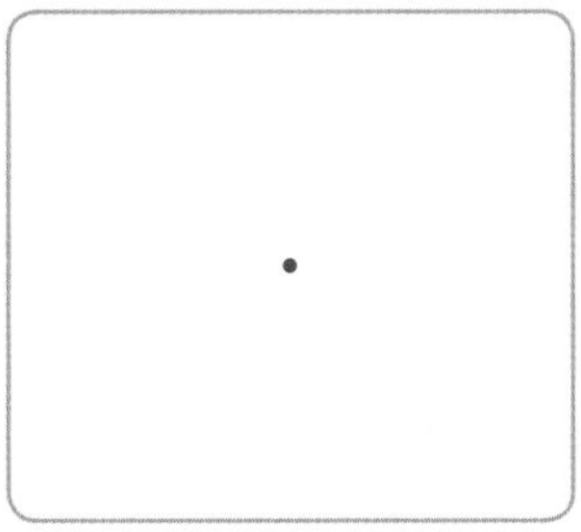

11 윤주가 컴퍼스를 이용하여 반지름이 6 cm인 원을 그리려고 합니다. 컴퍼스를 바르게 벌린 것을 찾아 기호를 쓰세요.

( )

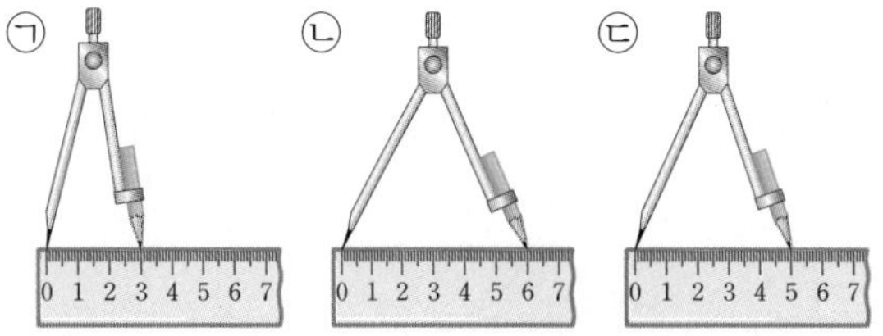

12 원에 대해 <u>잘못</u> 설명한 사람의 이름을 쓰세요.

영진: 한 원에 지름은 무수히 많이 그을 수 있어.

혜민: 원의 지름은 반지름의 반이야.

민석: 한 원에서 원의 중심은 1개야.

( )

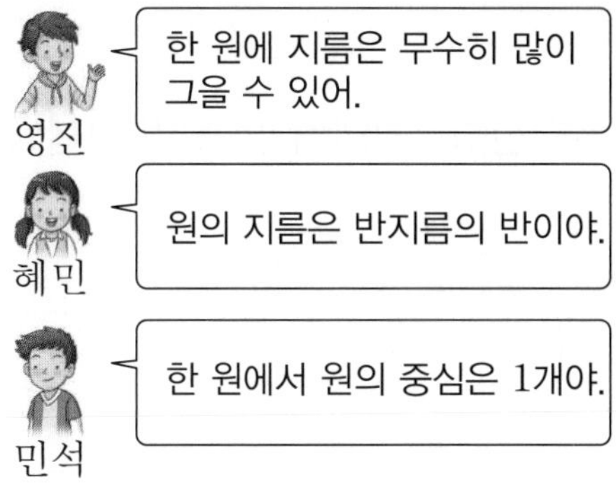

13 두 원 가와 나의 지름의 합은 몇 cm일까요?

( )

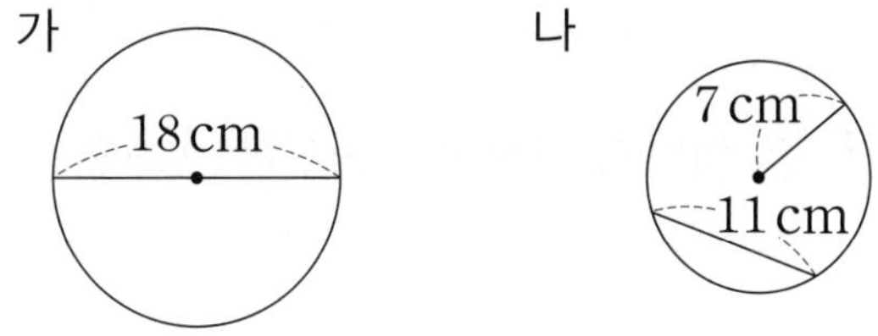

14 지름이 24 cm인 원을 그리려면 컴퍼스를 몇 cm만큼 벌려야 할까요?

( )

15 주어진 모양을 그리기 위하여 컴퍼스의 침을 꽂아야 할 곳은 모두 몇 곳일까요?

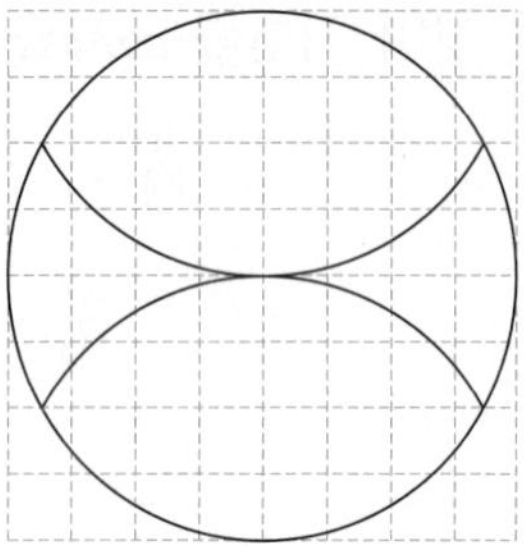

(　　　　　　　　)

16 주어진 모양과 똑같이 그려 보세요.

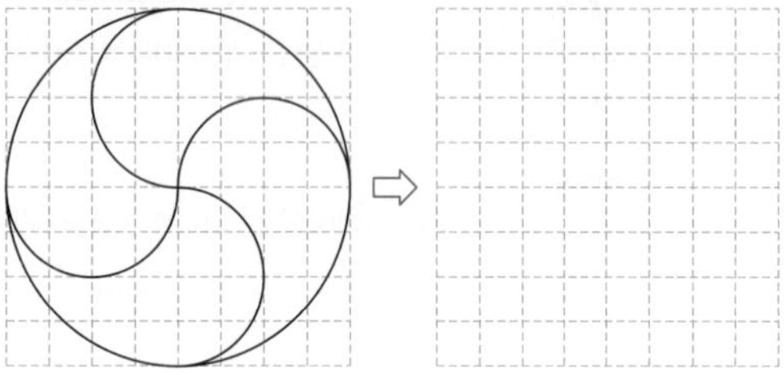

17 큰 원부터 차례대로 기호를 쓰세요.

㉠ 반지름이 7 cm인 원
㉡ 지름이 9 cm인 원
㉢ 반지름이 8 cm인 원

(　　　　　　　　)

18 규칙을 찾아 원을 2개 더 그려 보세요.

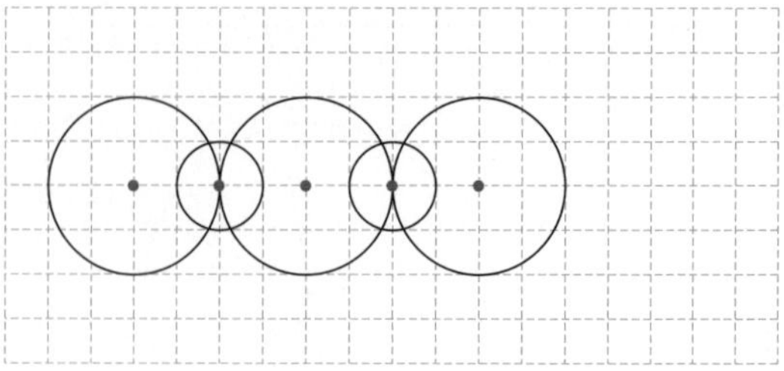

19 점 ㄱ, 점 ㄴ은 원의 중심입니다. 선분 ㄱㄴ의 길이를 구하세요.

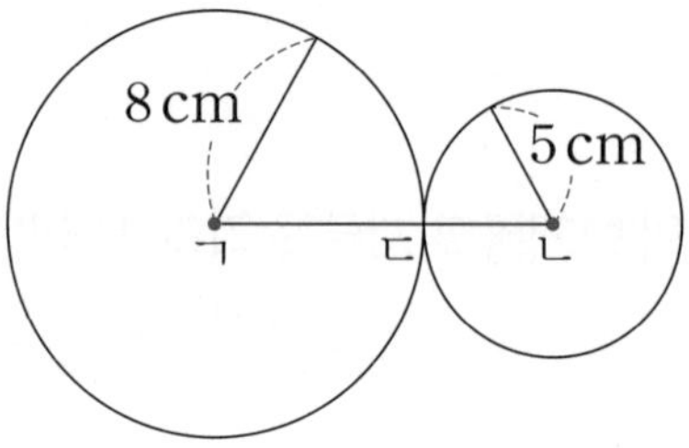

(　　　　　　　　)

20 점 ㄱ, 점 ㄴ은 원의 중심입니다. 선분 ㄱㄴ의 길이를 구하세요.

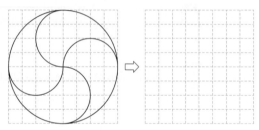

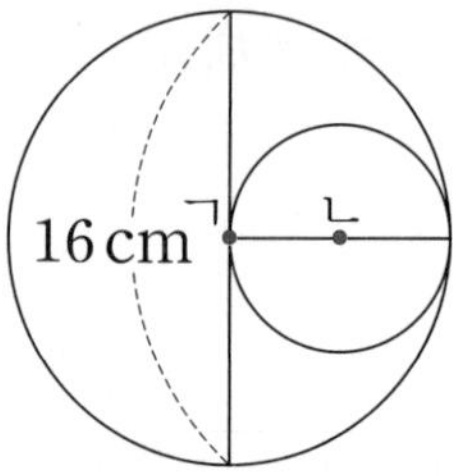

(　　　　　　　　)

스스로 학습장

🐾 **파이와 친구들이 목재 공장에 견학을 갔습니다. 파이의 설명을 보고 물음에 답하세요.**

나이테

> 나이테는 나무를 가로로 자르면 보이는 원 모양의 띠예요. 우리나라에서는 보통 나이테가 1년에 한 개씩 만들어져요.

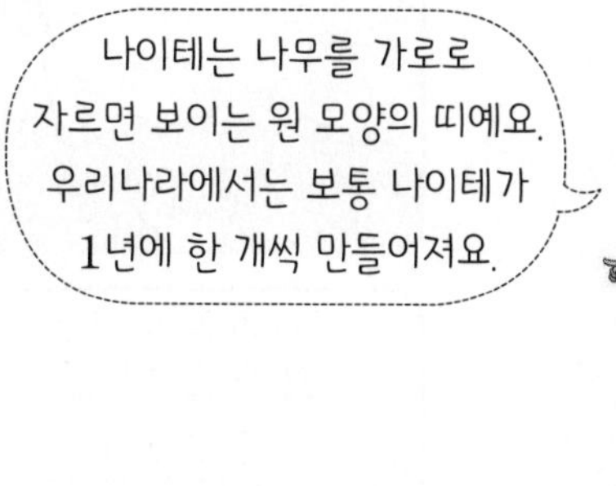

1 파이가 원 모양의 나이테의 지름을 재어 보니 16 cm였습니다. 이 나이테의 반지름은 몇 cm일까요?

(   )

2 리온이는 반지름이 1 cm 7 mm인 원 모양의 나이테를 그리려고 합니다. 리온이가 그려야 할 원을 그려 보세요.

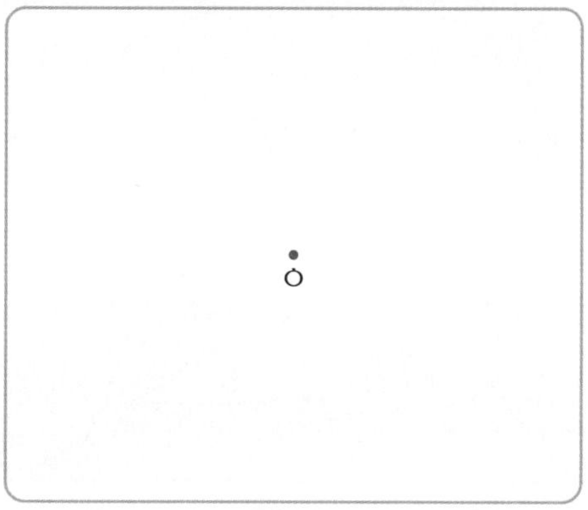

3 사라는 원의 중심이 같고 반지름이 모눈 1칸씩 늘어나는 규칙으로 원을 그려 나무의 나이테를 그리려고 합니다. 규칙에 맞게 원을 2개 더 그려 나무의 나이테 모양을 완성해 보세요.

3

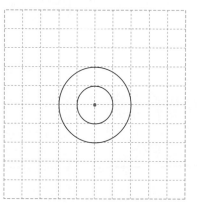

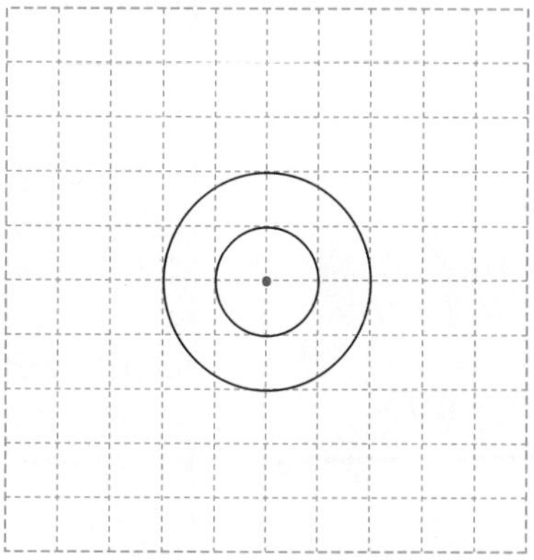

4 분수

QR 코드를 찍으면 4단원 개념 동영상 강의를 볼 수 있어요.

이번에 배울 내용

- 분수로 나타내기
- 분수만큼은 얼마인지 알아보기
- 여러 가지 분수 알아보기
- 분모가 같은 분수의 크기 비교

무엇을 도와드릴까요?
잠시 후
두
둥
얘들아,
움직이면 안 돼~.
헥헥!
너무 힘들다.
아… 목 말라.
물 마시고
싶어요.
저도요.
앗! 이제 막
시작인데…….
목
마르다고요.
그… 그래,
얼른 물 마시고
오렴.
흥!
컵에 물을 가득 따라
마시고 $\frac{3}{4}$만큼
남았어요.
$\frac{3}{4}$만큼?
내가 물을 전체의 $\frac{1}{4}$만큼 마시고
전체의 $\frac{3}{4}$만큼 물이 남았어요.
남은 부분은 전체의 $\frac{3}{4}$
마신 부분은 전체의 $\frac{1}{4}$
자, 이제 다시
시작해 볼까?

준비 학습

1 똑같이 나누어진 도형에 ○표, 아닌 것에 ×표 하세요.

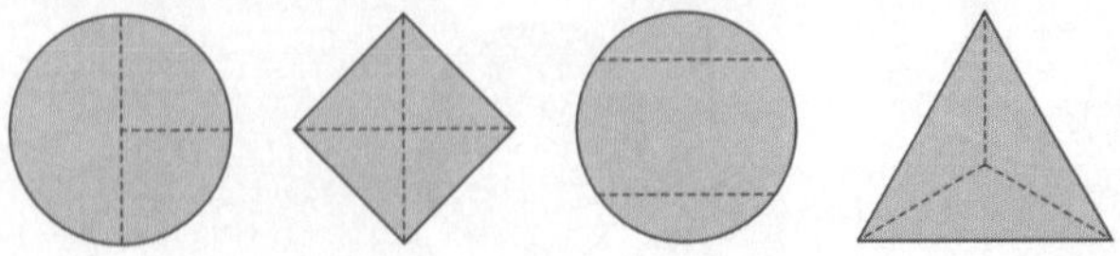

(　　　) (　　　) (　　　) (　　　)

개념 체크 1 ◀ 3학년 1학기 6단원

똑같이 넷으로 나누기

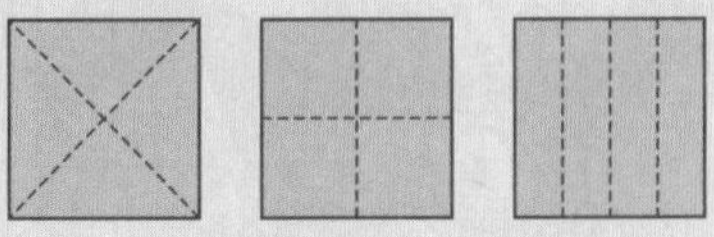

나누어진 조각들의 크기와 모양이 같게 나눕니다.

2 색칠한 부분을 분수로 쓰고 읽어 보세요.

(1)

쓰기 (　　　　　　　　)

읽기 (　　　　　　　　)

(2)

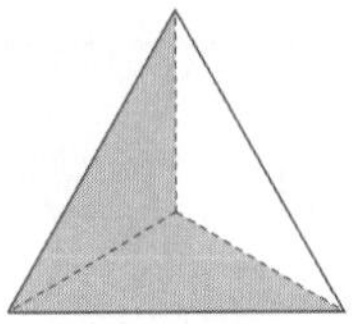

쓰기 (　　　　　　　　)

읽기 (　　　　　　　　)

개념 체크 2 ◀ 3학년1학기 6단원

색칠한 부분을 분수로 나타내기

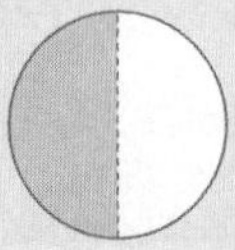

색칠한 부분은 전체를 똑같이 2로 나눈 것 중의 1입니다.

쓰기 $\frac{1}{2}$　　읽기 2분의 1

3 남은 부분과 먹은 부분을 분수로 나타내어 보세요.

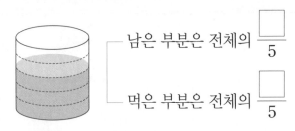

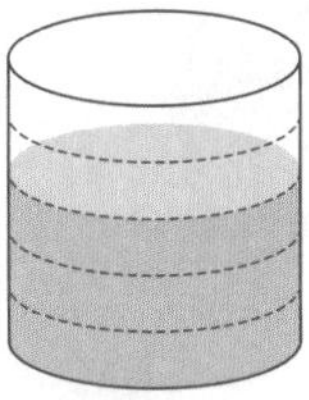

남은 부분은 전체의 $\frac{\square}{5}$

먹은 부분은 전체의 $\frac{\square}{5}$

개념 체크 3 ◀ 3학년 1학기 6단원

남은 부분과 먹은 부분을 분수로 나타내기

남은 부분은 전체의 $\frac{2}{3}$

먹은 부분은 전체의 $\frac{1}{3}$

4 그림을 보고 두 분수의 크기를 비교하여 ○ 안에 >,
=, <를 알맞게 써넣으세요.

(1)
 $\dfrac{4}{5}$ ◯ $\dfrac{2}{5}$

(2)
 $\dfrac{3}{6}$ ◯ $\dfrac{4}{6}$

5 □ 안에 알맞은 말을 써넣으세요.

> 분수 중에서 분자가 1인 분수를 [   ]
> 라고 합니다.

6 가장 큰 분수에 ◯표, 가장 작은 분수에 △표 하세요.

$$\dfrac{1}{3} \quad \dfrac{1}{6} \quad \dfrac{1}{4} \quad \dfrac{1}{9}$$

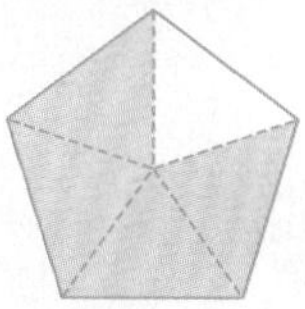

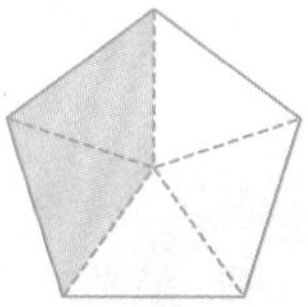

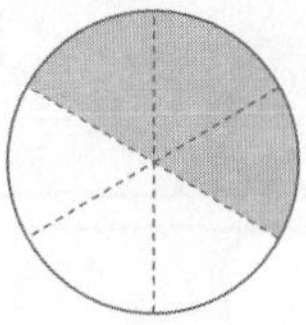

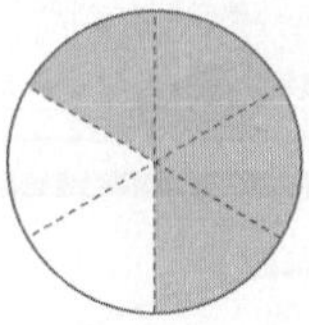

개념 체크 4 ◀ 3학년 1학기 6단원

분모가 같은 분수의 크기 비교

• 분모가 같은 분수는 분자가 클수록 더 큰 수입니다.

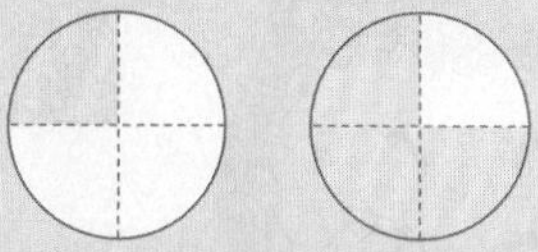

$\dfrac{1}{4}$ ◯< $\dfrac{3}{4}$

개념 체크 5 ◀ 3학년 1학기 6단원

단위분수 알아보기

• 단위분수: $\dfrac{1}{2}$, $\dfrac{1}{3}$, $\dfrac{1}{4}$, $\dfrac{1}{5}$······과 같이 분자가 1인 분수

개념 체크 6 ◀ 3학년 1학기 6단원

단위분수의 크기 비교

• 단위분수는 분모가 작을수록 더 큰 수입니다.

$\dfrac{1}{4}$ ◯< $\dfrac{1}{2}$

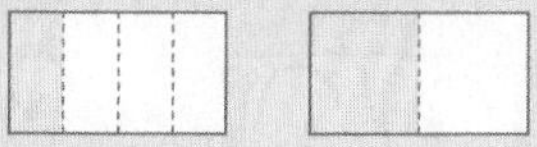

1 단계 교과서 개념

분수로 어떻게 나타내나요? (1)

윽! 팔 아파~. 아저씨, 얼마나 더 걸려요?
부들
부들
아직 멀었어. 이제 겨우 2송이를 그렸는걸.
2송이요? 전체의 얼마죠?
아오오
2송이는 전체 10송이를 똑같이 5부분으로 나눈 것 중의 1이지.
부분 은 전체 를 똑같이 5부분으로 나눈 것 중의 1입니다.
앗! 저희는 2송이만 필요해요.
아~ 그래? 난 많이 필요한 줄 알고~.
너무해…….
아저씨, 그림을 봐도 돼요?
후들
후들
그래, 이리 와서 구경하렴.
네~
두둥
앗! 이거 해바라기가 좀 이상한데…….
엥? 진짜? 좀 찌그러진 것 같기도 하고…….

개념 클릭

● 부분은 전체의 얼마인지 알아보기

해바라기 10송이를 똑같이 5부분으로 나누면 한 부분에는 2송이예요.

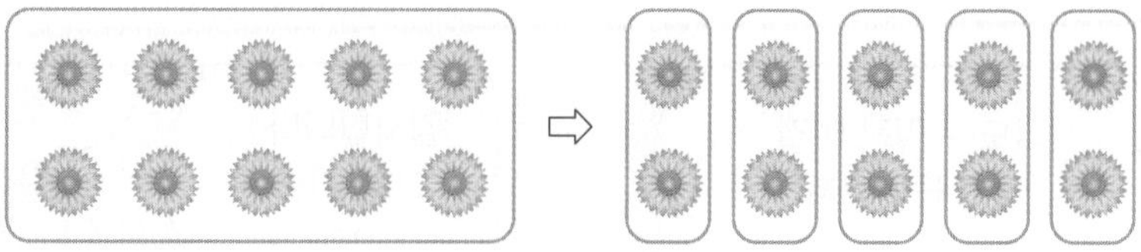

부분 은 전체 를 똑같이

5부분으로 나눈 것 중의 [❶] 입니다.

○ 정답 ❶ 1

[1～2] 도토리 12개를 똑같이 나누고, 부분은 전체의 얼마인지 알아보려고 합니다. 물음에 답하세요.

도토리를 똑같이 4부분으로 나눠봐요.

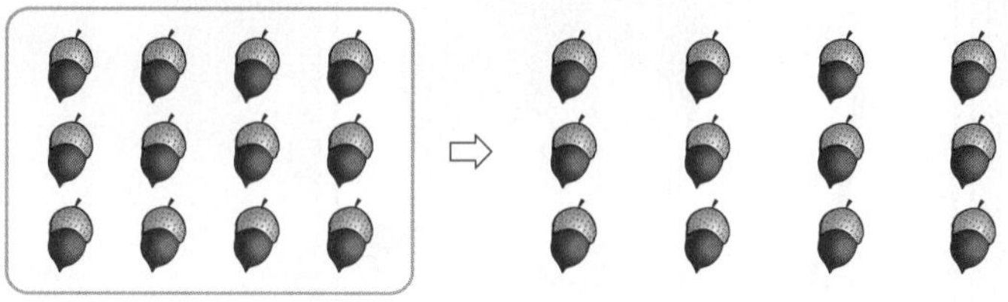

1 도토리 12개를 똑같이 4부분으로 나누어 보세요.

2 □ 안에 알맞은 수를 써넣으세요.

부분 은 전체 를 똑같이 4부분으로

나눈 것 중의 □ 입니다.

3 귤 9개를 똑같이 3부분으로 나누고 □ 안에 알맞은 수를 써넣으세요.

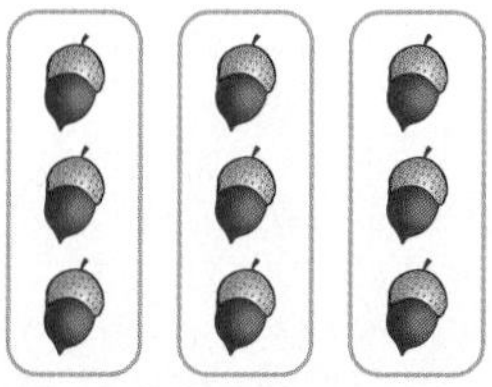

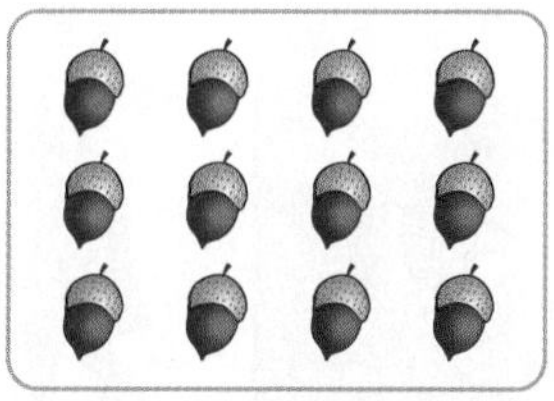

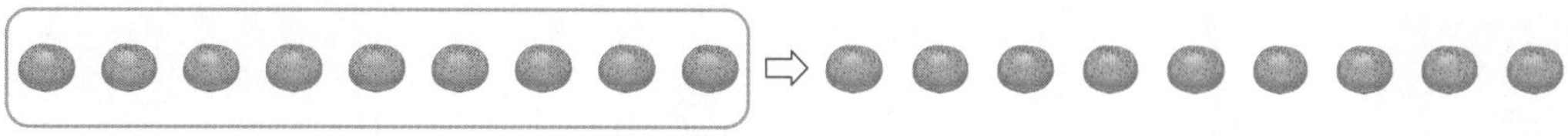

부분 ... 은 전체 ... 를

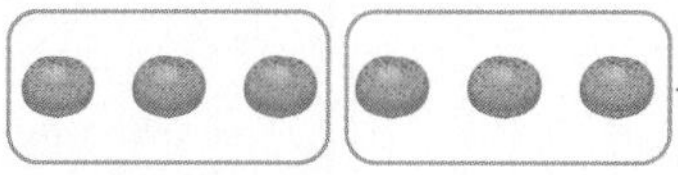

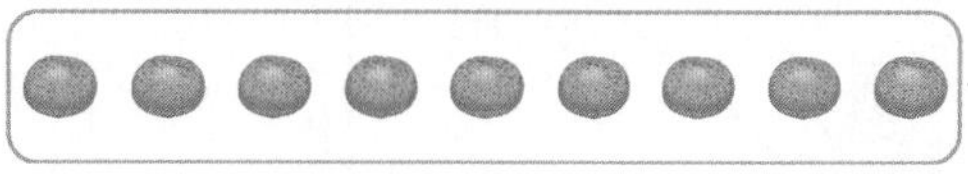

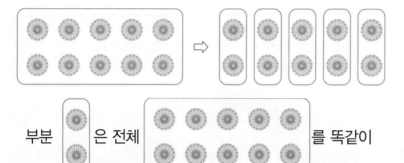

똑같이 3부분으로 나눈 것 중의 □ 입니다.

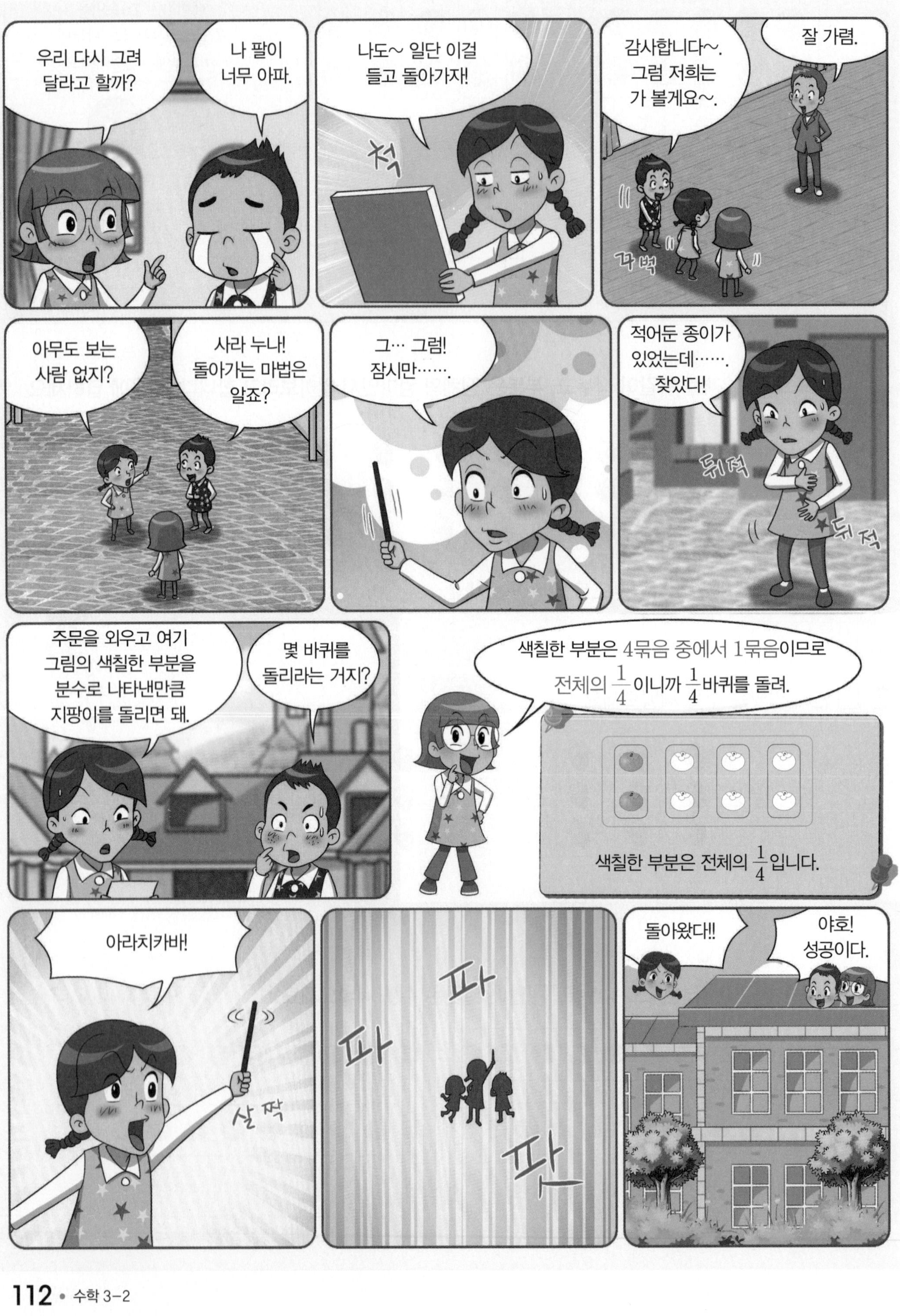
우리 다시 그려 달라고 할까?
나 팔이 너무 아파.
나도~ 일단 이걸 들고 돌아가자!
척
감사합니다~. 그럼 저희는 가 볼게요~.
잘 가렴.
꾸벅
아무도 보는 사람 없지?
사라 누나! 돌아가는 마법은 알죠?
그··· 그럼! 잠시만······.
적어둔 종이가 있었는데······. 찾았다!
뒤적
뒤적
주문을 외우고 여기 그림의 색칠한 부분을 분수로 나타낸만큼 지팡이를 돌리면 돼.
몇 바퀴를 돌리라는 거지?
색칠한 부분은 4묶음 중에서 1묶음이므로 전체의 $\frac{1}{4}$ 이니까 $\frac{1}{4}$ 바퀴를 돌려.
색칠한 부분은 전체의 $\frac{1}{4}$ 입니다.
아라치카바!
살짝
파
파
팟
돌아왔다!!
야호! 성공이다.

개념 클릭

• 부분은 전체의 얼마인지 분수로 나타내기

전체 묶음 수를 분모에, 색칠한 부분의 묶음 수를 분자에 써요.

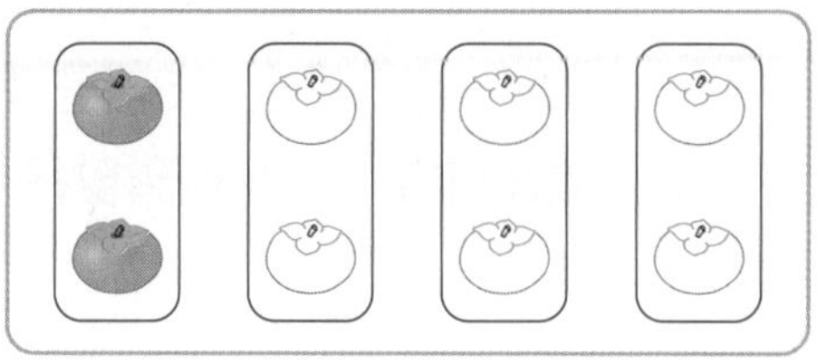

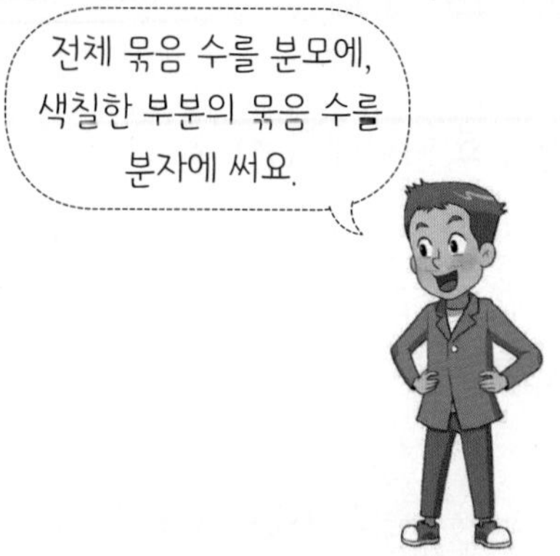

색칠한 부분은 4묶음 중에서 1묶음이므로 전체의 $\dfrac{❶}{4}$ 입니다.

◐ 정답　❶ 1

1 그림을 보고 색칠한 부분은 전체의 몇 분의 몇인지 알아보세요.

색칠한 부분은 5묶음 중에서 2묶음이므로 전체의 $\dfrac{\Box}{\Box}$ 입니다.

색칠한 부분은 전체의 몇 분의 몇인지 분수로 나타내요.

$\dfrac{(부분\ 묶음\ 수)}{(전체\ 묶음\ 수)}$

[2~5] 그림을 보고 색칠한 부분을 분수로 나타내어 보세요.

2

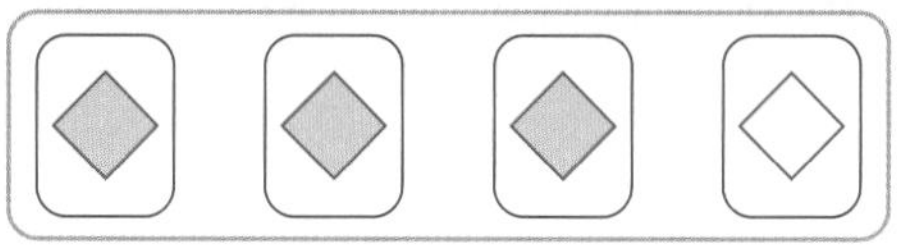

$\dfrac{\Box}{4}$

3

$\dfrac{\Box}{5}$

4

$\dfrac{\Box}{\Box}$

5

$\dfrac{\Box}{\Box}$

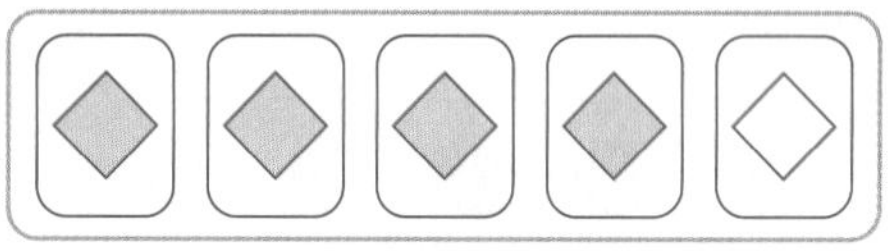

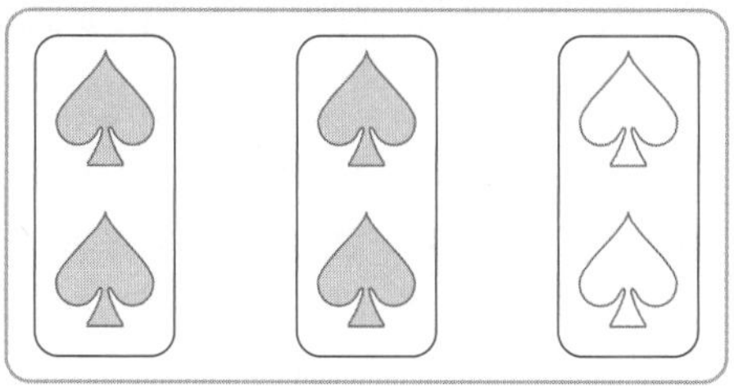

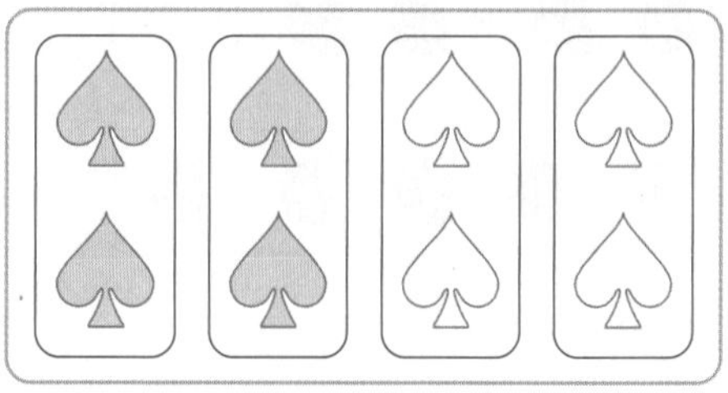

2 단계 개념 집중 연습

분수로 나타내기 (1)

[01~02] 그림을 보고 □ 안에 알맞은 수를 써넣으세요.

01

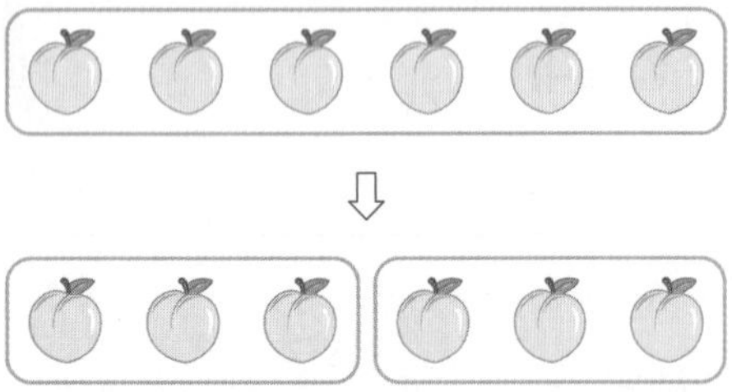

부분  은 전체

 를

똑같이 2부분으로 나눈 것 중의 □ 입니다.

02

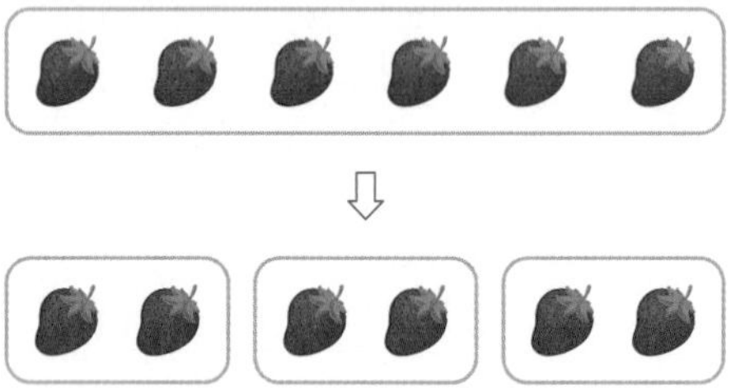

부분 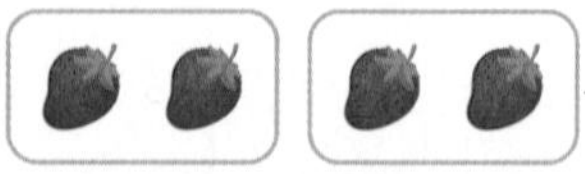 은 전체

 를

똑같이 3부분으로 나눈 것 중의 □ 입니다.

[03~05] 구슬 15개를 똑같이 5부분으로 나누었습니다. □ 안에 알맞은 수를 써넣으세요.

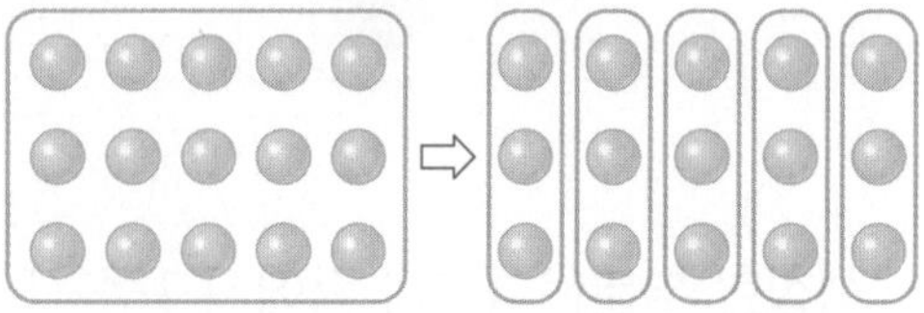

03 부분  은 전체 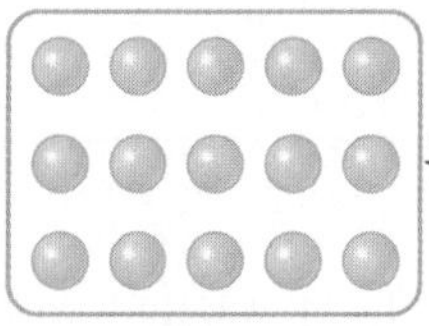 를 똑같이 5부분으로 나눈 것 중의 □ 입니다.

04 부분 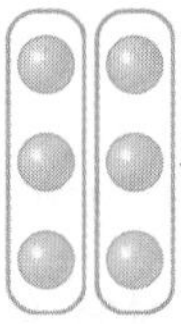 은 전체 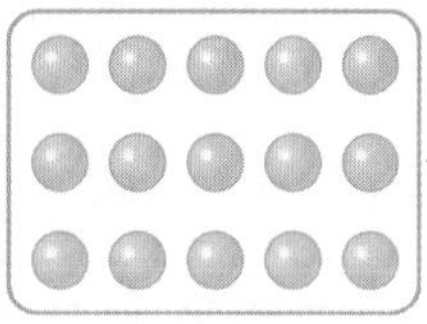 를 똑같이 5부분으로 나눈 것 중의 □ 입니다.

05 부분 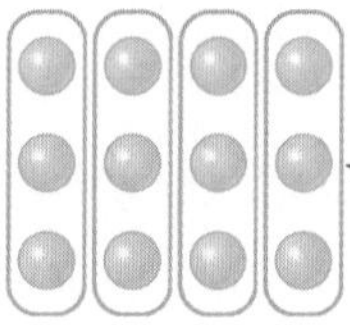 은 전체 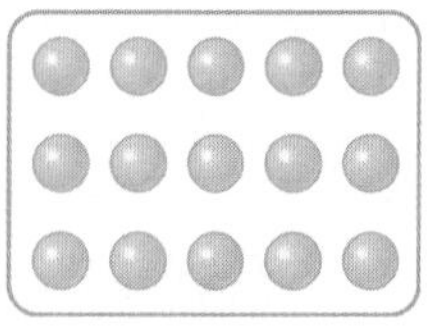 를 똑같이 □ 부분으로 나눈 것 중의 □ 입니다.

분수로 나타내기 (2)

[06~08] 색칠한 부분은 전체의 몇 분의 몇인지 알아보세요.

06

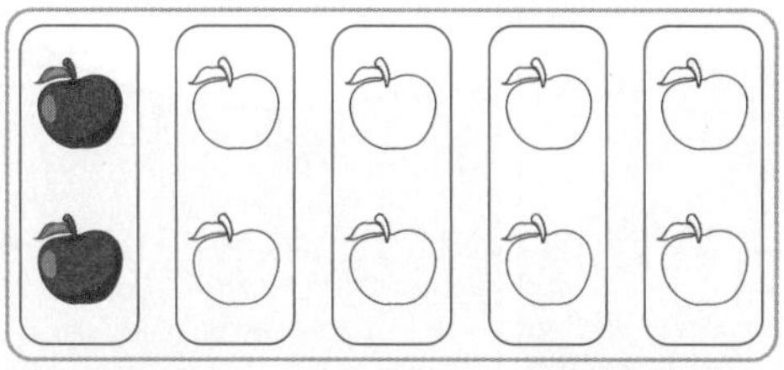

색칠한 부분은 5묶음 중에서 1묶음이므로

전체의 $\frac{\square}{\square}$입니다.

07

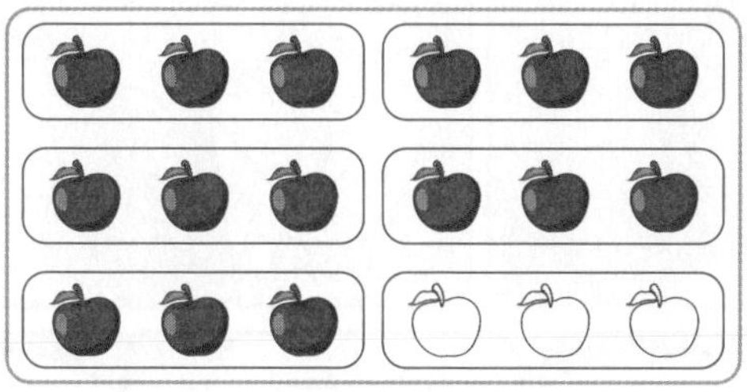

색칠한 부분은 6묶음 중에서 5묶음이므로

전체의 $\frac{\square}{\square}$입니다.

08

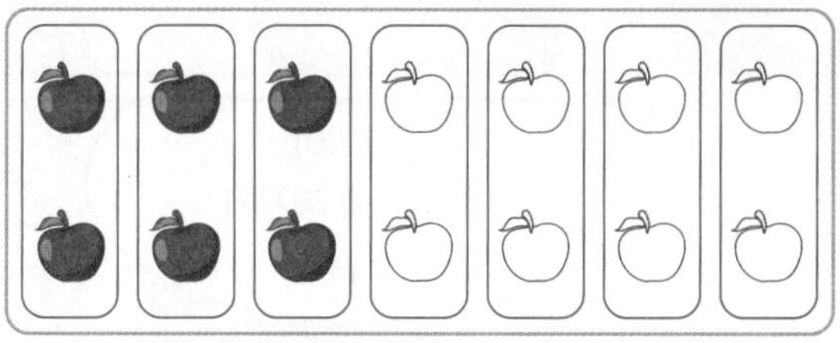

색칠한 부분은 7묶음 중에서 3묶음이므로

전체의 $\frac{\square}{\square}$입니다.

[09~12] 색칠한 부분을 분수로 나타내어 보세요.

09

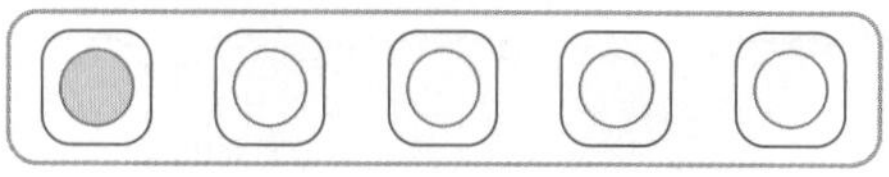

(　　　　　　)

10

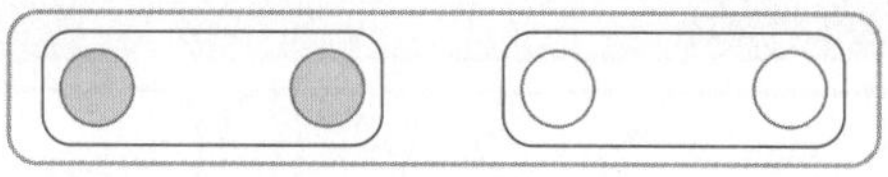

(　　　　　　)

11

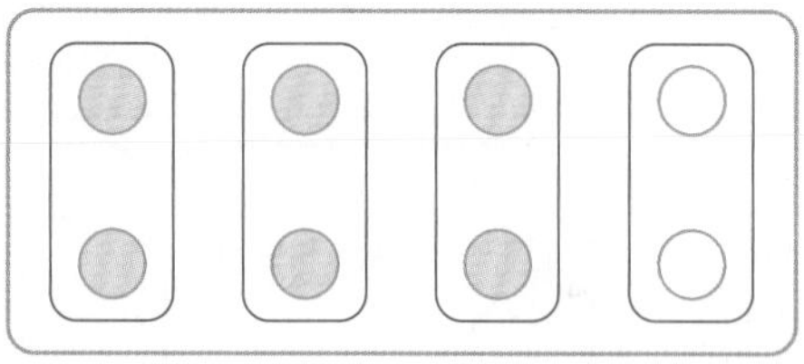

(　　　　　　)

12

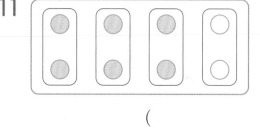

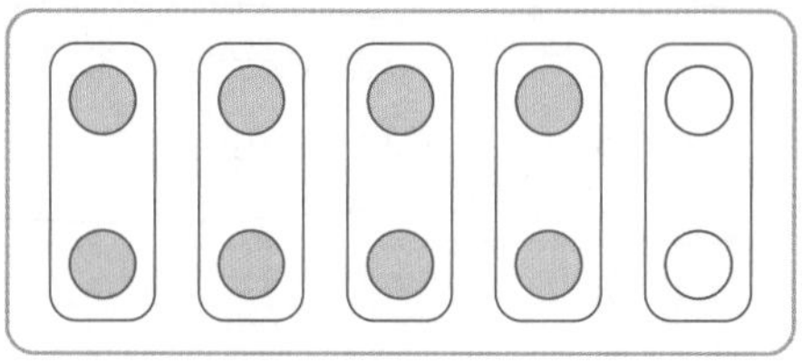

(　　　　　　)

1 단계 교과서 개념

분수만큼은 얼마인가요? (1)

근데 좀 이상하지 않아?
뭐가?
학교 분위기가 좀 바뀐 것 같은데~.
앗! 진짜 뭔가 달라진 것 같아.
기분 탓이겠지~. 교장 선생님 방으로 가 보자!!
교장 선생님 방도 뭔가 바뀐 것 같아.
뭐지?
너희는 누구니?
아! 선생님, 저, 리온이에요.
누구? 난 모르겠는데 …….
왜 그러세요? 장난 치지 마세요.
그럼 증명 해 봐!
6의 $\frac{1}{3}$은 얼마일까?
내 제자들은 수학을 잘 하지
제가 해 볼게요.

6을 3묶음으로 똑같이 나누면 1묶음은 2이니까 6의 $\frac{1}{3}$은 2예요.

6을 3묶음으로 똑같이 나눈 것 중 1묶음은 2입니다.

⇨ 6의 $\frac{1}{3}$은 2입니다.

정답이야! 너희는 내 제자가 맞구나~.
선생님~

개념 클릭

- **분수만큼은 얼마인지 알아보기** (1)

  - 6의 $\dfrac{1}{3}$만큼을 알아보기

6의 $\dfrac{1}{3}$은 6을 3묶음으로 똑같이 나눈 것 중의 1묶음이므로 6을 3묶음으로 나누면 1묶음은 2입니다.

⇨ 6의 $\dfrac{1}{3}$은 ❶ ▢ 입니다.

　　　└➤ 6을 똑같이 3묶음으로 나눈 것 중의 1묶음

1묶음에는 ♥가 2개씩 있어요.

○ 정답 ❶ 2

[1~2] 12의 $\dfrac{1}{4}$을 알아보려고 합니다. 물음에 답하세요.

1 ◇를 4묶음으로 똑같이 나누고 1묶음을 색칠해 보세요.

2 ▢ 안에 알맞은 수를 써넣으세요.

12의 $\dfrac{1}{4}$은 ▢ 입니다.

[3~4] 그림을 보고 ▢ 안에 알맞은 수를 써넣으세요.

3 14의 $\dfrac{1}{7}$은 ▢ 입니다.

4 14의 $\dfrac{4}{7}$는 ▢ 입니다.

먼저 별 14개를 7묶음으로 똑같이 나누어 보세요.

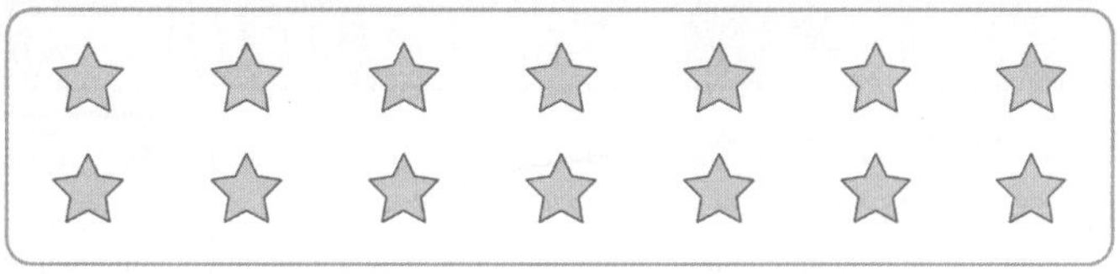

1단계 교과서 개념

분수만큼은 얼마인가요? (2)

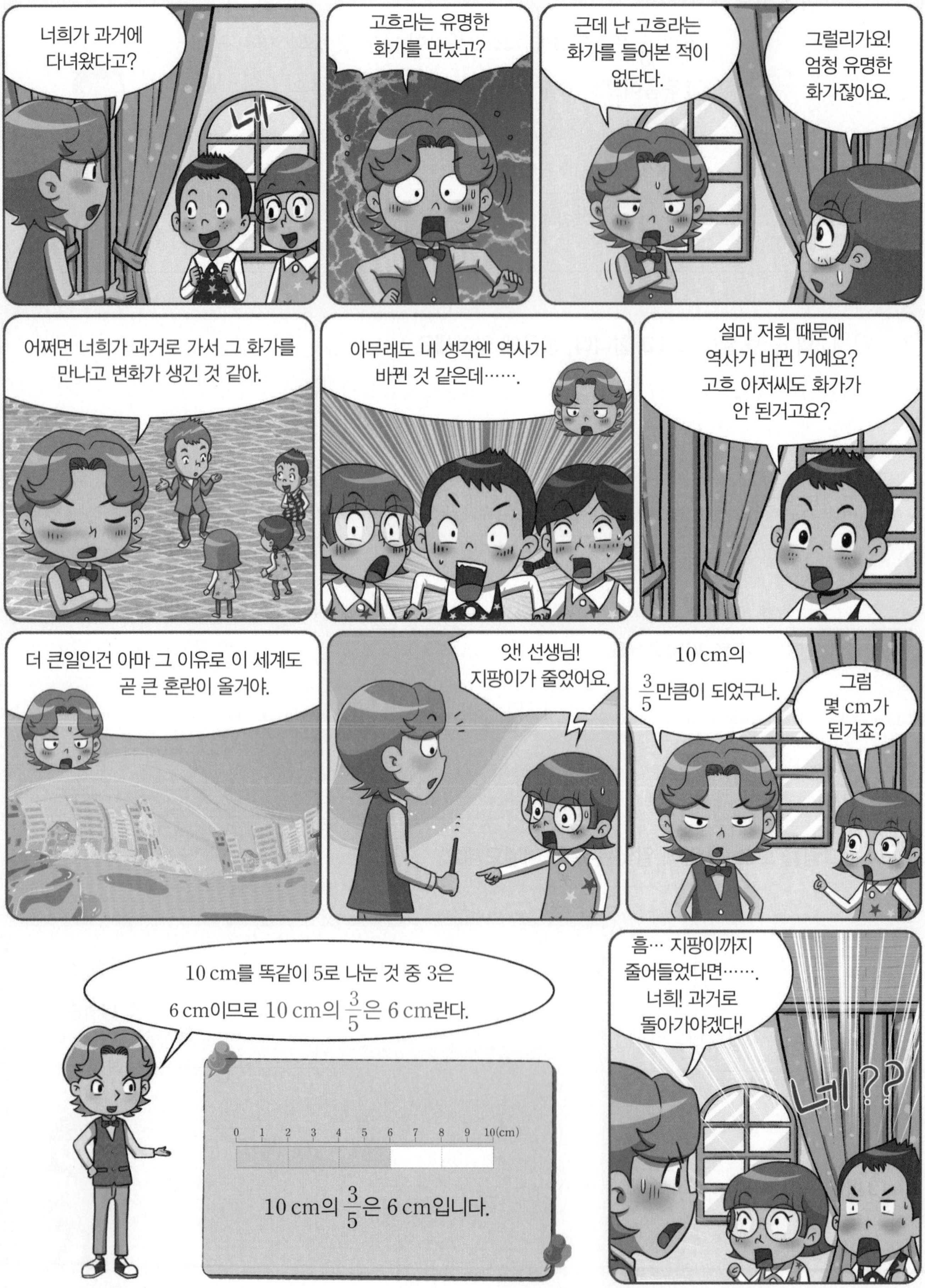

너희가 과거에 다녀왔다고?
네~
고흐라는 유명한 화가를 만났고?
근데 난 고흐라는 화가를 들어본 적이 없단다.
그럴리가요! 엄청 유명한 화가잖아요.
어쩌면 너희가 과거로 가서 그 화가를 만나고 변화가 생긴 것 같아.
아무래도 내 생각엔 역사가 바뀐 것 같은데…….
설마 저희 때문에 역사가 바뀐 거예요? 고흐 아저씨도 화가가 안 된거고요?
더 큰일인건 아마 그 이유로 이 세계도 곧 큰 혼란이 올거야.
앗! 선생님! 지팡이가 줄었어요.
10 cm의 $\frac{3}{5}$만큼이 되었구나.
그럼 몇 cm가 된거죠?
10 cm를 똑같이 5로 나눈 것 중 3은 6 cm이므로 10 cm의 $\frac{3}{5}$은 6 cm란다.
0 1 2 3 4 5 6 7 8 9 10(cm)
10 cm의 $\frac{3}{5}$은 6 cm입니다.
흠… 지팡이까지 줄어들었다면……. 너희! 과거로 돌아가야겠다!
네!??

개념 클릭

- **분수만큼은 얼마인지 알아보기** (2)

  · $10\,\text{cm}$의 $\dfrac{3}{5}$을 알아보기

$10\,\text{cm}$의 $\dfrac{3}{5}$은 전체 $10\,\text{cm}$를 똑같이 5로 나눈 것 중의 3이므로 ❷ ☐ cm예요.

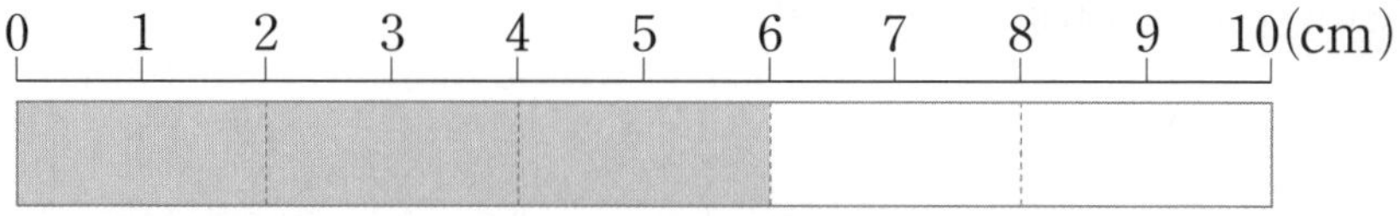

```
0   1   2   3   4   5   6   7   8   9   10(cm)
```

10의 $\dfrac{3}{5}$은 6이므로 $10\,\text{cm}$의 $\dfrac{3}{5}$은 ❶ ☐ cm입니다.

○ 정답　❶ 6　❷ 6

[1～3] 종이띠 $8\,\text{cm}$의 $\dfrac{2}{4}$를 알아보려고 합니다. 물음에 답하세요.

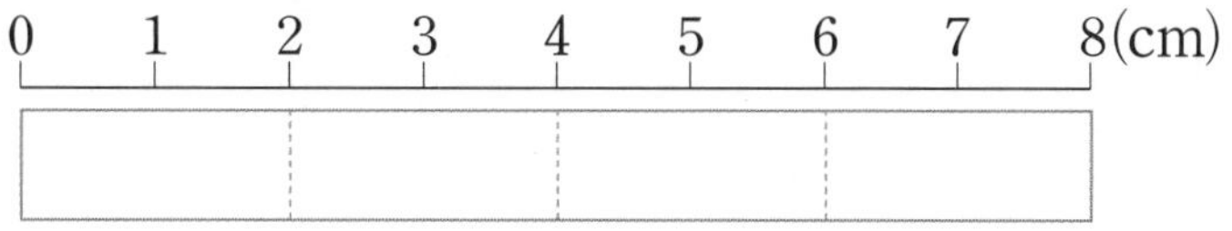

```
0   1   2   3   4   5   6   7   8(cm)
```

1 종이띠의 $\dfrac{2}{4}$만큼을 앞에서부터 차례로 색칠해 보세요.

2 8의 $\dfrac{2}{4}$는 얼마일까요?

(　　　　　　　　　)

3 $8\,\text{cm}$의 $\dfrac{2}{4}$는 몇 cm일까요?

(　　　　　　　　　)

[4～5] 그림을 보고 ☐ 안에 알맞은 수를 써넣으세요.

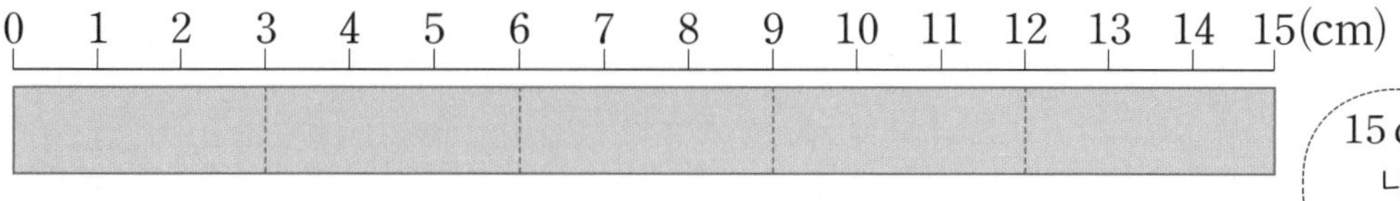

```
0  1  2  3  4  5  6  7  8  9  10  11  12  13  14  15(cm)
```

$15\,\text{cm}$를 똑같이 5로 나눈 것 중의 1은 $3\,\text{cm}$예요.

4 $15\,\text{cm}$의 $\dfrac{2}{5}$는 ☐ cm입니다.

5 $15\,\text{cm}$의 $\dfrac{4}{5}$는 ☐ cm입니다.

2단계 개념 집중 연습

분수만큼은 얼마인지 알아보기 (1)

[01~02] 사탕을 보고 □ 안에 알맞은 수를 써넣으세요.

01 8의 $\frac{1}{4}$은 □입니다.

02 8의 $\frac{3}{4}$은 □입니다.

[03~04] 초콜릿을 보고 □ 안에 알맞은 수를 써넣으세요.

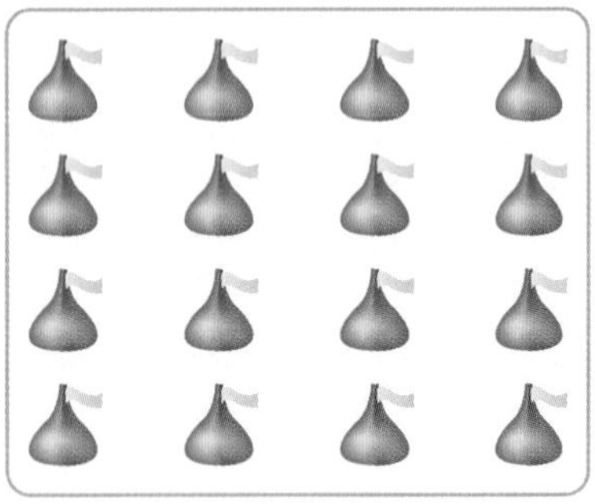

03 16의 $\frac{1}{4}$은 □입니다.

04 16의 $\frac{2}{4}$는 □입니다.

[05~06] 과자를 보고 □ 안에 알맞은 수를 써넣으세요.

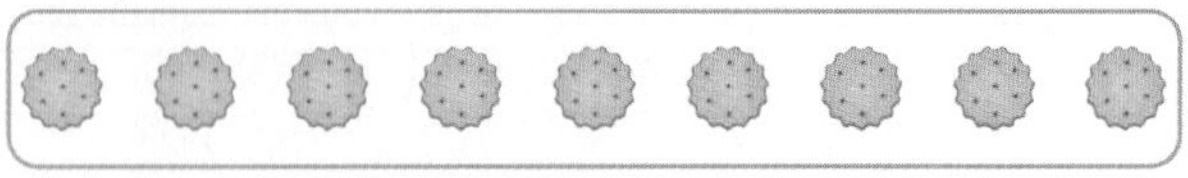

05 9의 $\frac{1}{3}$은 □입니다.

06 9의 $\frac{2}{3}$는 □입니다.

[07~08] 젤리를 보고 □ 안에 알맞은 수를 써넣으세요.

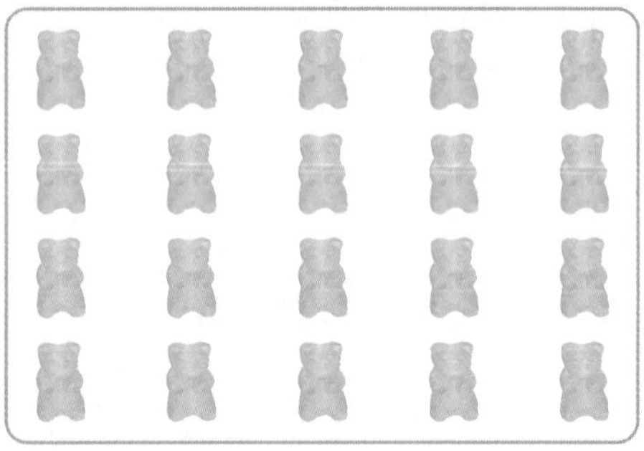

07 20의 $\frac{1}{5}$은 □입니다.

08 20의 $\frac{3}{5}$은 □입니다.

분수만큼은 얼마인지 알아보기 (2)

[09~10] 그림을 보고 □ 안에 알맞은 수를 써 넣으세요.

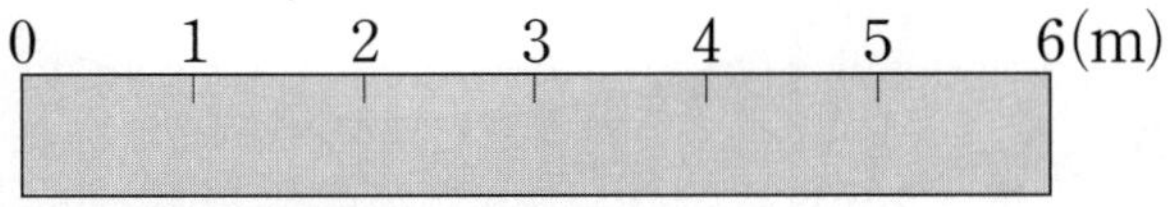

09 6 m의 $\frac{1}{3}$은 □ m입니다.

10 6 m의 $\frac{2}{3}$는 □ m입니다.

[11~12] 그림을 보고 □ 안에 알맞은 수를 써넣으세요.

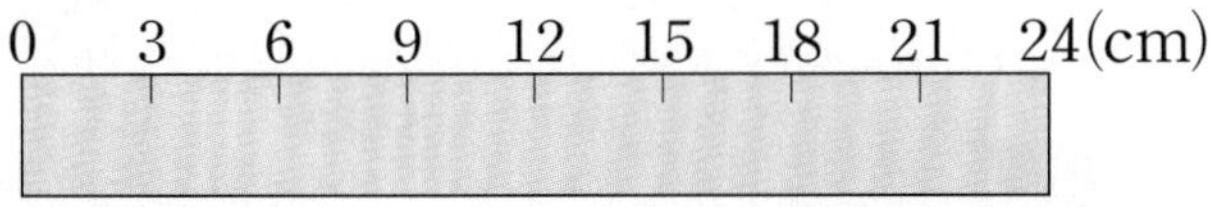

11 24 cm의 $\frac{1}{4}$은 □ cm입니다.

12 24 cm의 $\frac{3}{4}$은 □ cm입니다.

[13~14] 그림을 보고 □ 안에 알맞은 수를 써 넣으세요.

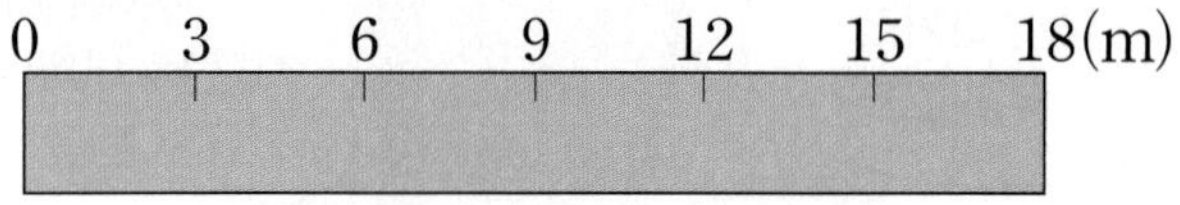

13 18 m의 $\frac{1}{6}$은 □ m입니다.

14 18 m의 $\frac{4}{6}$는 □ m입니다.

[15~16] 그림을 보고 □ 안에 알맞은 수를 써 넣으세요.

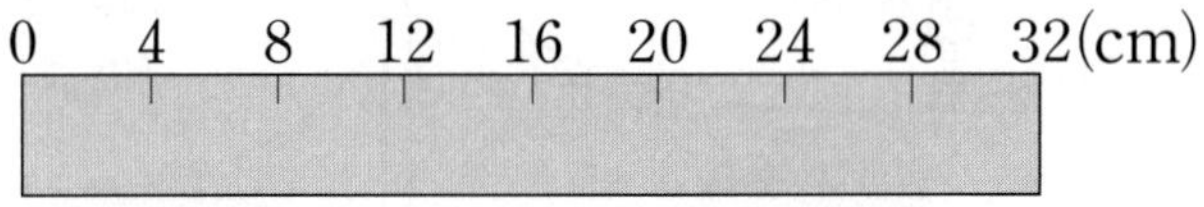

15 32 cm의 $\frac{1}{8}$은 □ cm입니다.

16 32 cm의 $\frac{5}{8}$는 □ cm입니다.

1단계 교과서 개념

여러 가지 분수를 알아볼까요? (1)

다시 과거로 돌아가라고요?
지금 막 왔는데…
이대로라면 지금 이 세계는 엉망이 되고 말거야!
아…
다시 과거로 돌아가 고흐가 화가가 될 수 있도록 도와주렴.
만약 실패하면 너희가 돌아올 이 세계는 없어질 거야!
아… 안 돼요!
그럼 선생님이 도와주세요!
너희끼리 해야 한단다. 내가 도우면 또 어떻게 바뀔지 몰라.
알겠어요! 저희가 반드시 역사를 제대로 되돌려 놓을게요.
이얍!
얘들아, 과거로 돌아가는 시간 터널을 지날 때 주의해야 할 점이 있단다.
주의할 점이요?
시간 터널을 지나갈 때 진분수와 가분수 터널이 나올 거야.
진분수, 가분수요?
진분수는 분자가 분모보다 작은 분수, 가분수는 분자가 분모와 같거나 분모보다 큰 분수란다.
진분수: $\frac{1}{4}$, $\frac{2}{4}$, $\frac{3}{4}$과 같이 분자가 분모보다 작은 분수
가분수: $\frac{4}{4}$, $\frac{5}{4}$와 같이 분자가 분모와 같거나 분모보다 큰 분수
진분수와 가분수 중 진분수 터널을 선택하렴!!

개념 클릭

• **진분수, 가분수, 자연수 알아보기**

- 진분수: $\frac{1}{4}$, $\frac{2}{4}$, $\frac{3}{4}$ 과 같이 분자가 분모보다 작은 분수
- 가분수: $\frac{4}{4}$, $\frac{5}{4}$ 와 같이 분자가 분모와 같거나 분모보다 큰 분수
- 자연수: 1, 2, 3과 같은 수

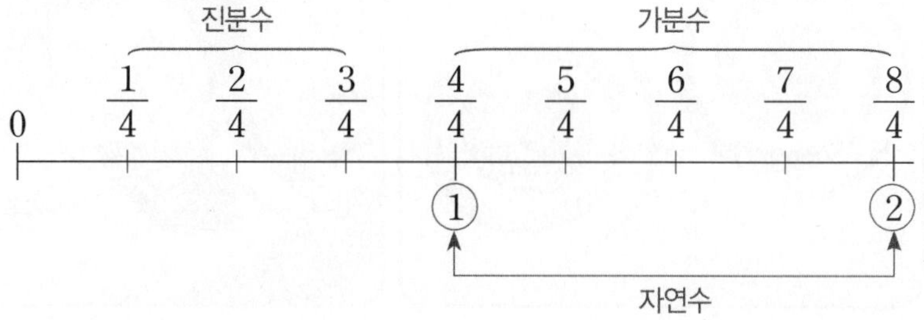

$\frac{4}{4}$ 는 1과 같고
1은 ❶ 　　　　 예요.

❶ 정답 ❶ 자연수

[1~6] 진분수는 '진', 가분수는 '가'를 쓰세요.

1 $\frac{3}{9}$ ⇨ (　　　　　　)

2 $\frac{8}{5}$ ⇨ (　　　　　　)

3 $\frac{3}{3}$ ⇨ (　　　　　　)

4 $\frac{5}{7}$ ⇨ (　　　　　　)

5 $\frac{3}{8}$ ⇨ (　　　　　　)

6 $\frac{10}{6}$ ⇨ (　　　　　　)

분자가 분모보다 작으면 진분수!

분자가 분모와 같거나 분모보다 크면 가분수지요!

---

7 진분수를 모두 찾아 ○표 하세요.

$\frac{1}{2}$　　$\frac{7}{4}$　　$\frac{9}{8}$　　$\frac{3}{5}$　　$\frac{6}{6}$

1 단계 교과서 개념

여러 가지 분수를 알아볼까요? (2)

개념 클릭

- **대분수 알아보기**

  - 1과 $\frac{1}{4}$ 알아보기

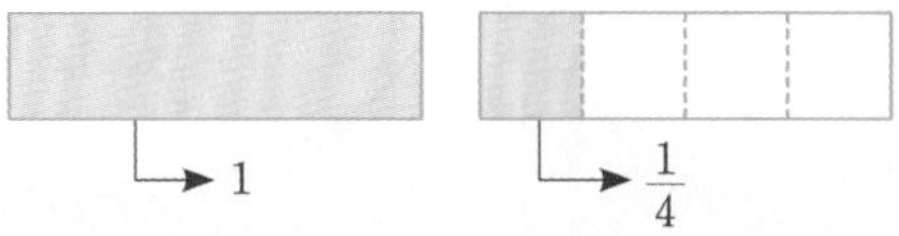

$1과 \frac{1}{4}$ ⇨ 쓰기 $1\frac{1}{4}$
   읽기 1과 4분의 1

> $1\frac{5}{4}$처럼 자연수와 가분수로 이루어진 분수는 대분수가 아니에요.

  - 대분수: $1\frac{1}{4}$과 같이 자연수와 진분수로 이루어진 분수

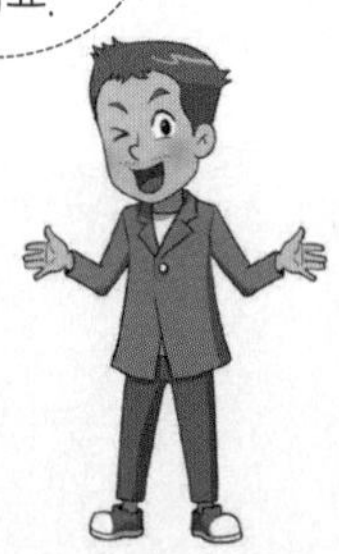

- **대분수를 가분수로 나타내기**

  $1\frac{1}{4}$에서 자연수 1은 $\frac{4}{4}$와 같으므로 $\frac{4}{4}$와 $\frac{1}{4}$은 $\frac{1}{4}$이 5개인 $\frac{5}{4}$로 나타낼 수 있습니다.

  ⇨ $1\frac{1}{4}=\dfrac{\boxed{❶}}{4}$

- **가분수를 대분수로 나타내기**

  가분수 $\frac{7}{4}$에서 가분수 $\frac{4}{4}$는 자연수 1로 나타내고 나머지 $\frac{3}{4}$은 진분수로 하여 $1\frac{3}{4}$으로 나타낼 수 있습니다. ⇨ $\frac{7}{4}=1\dfrac{\boxed{❷}}{4}$

○ 정답 ❶ 5 ❷ 3

---

1 보기를 보고 그림을 대분수로 나타내어 보세요.

보기

1

   ⇨

> 사각형 1개는 1을 나타내요.

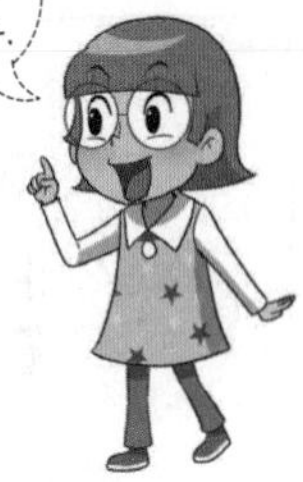

2 대분수 $2\frac{1}{3}$을 가분수로 나타내려고 합니다. 그림을 보고 □ 안에 알맞은 수를 써넣으세요.

$2\frac{1}{3}$은 $\frac{1}{3}$이 $\boxed{}$개이므로 가분수로 나타내면 $2\frac{1}{3}=\dfrac{\boxed{}}{3}$입니다.

[3~4] 가분수는 대분수로, 대분수는 가분수로 나타내어 보세요.

3 $1\frac{2}{3}=\dfrac{\boxed{}}{\boxed{}}$

4 $\frac{7}{6}=\boxed{}\dfrac{\boxed{}}{\boxed{}}$

분모가 같은 분수의 크기를 어떻게 비교하나요?

엉엉~ 어떡해~.

우리 모두 시간 터널에 갇힌 것 같아요.

힝~ 이게 뭐람~.

아니야! 아직 우리에게 기회가 있어.

기회라니?

얼마 전에 시간 여행에 대한 책을 읽은 적이 있어.

시간 터널을 지나다가 길을 잘못 들어서면 또 한 번의 기회가 주어진다고 적혀 있었어.

애! 다행이다.

앗! 저건가보다.

$\frac{9}{5}$ $\frac{7}{5}$

더 큰 분수 터널로 지나가면 되나 봐.

응! 분모가 같은 분수의 크기를 비교하면 돼.

분모가 같은 가분수는 분자가 큰 수가 더 크니까 $\frac{9}{5}$가 $\frac{7}{5}$보다 커.

$\frac{7}{5}$ ├─────┼─────┤ $\frac{5}{5}$
0   1 $\frac{5}{5}$ 2

$\frac{9}{5}$ ├─────┼─────┤
0   1   2

$$\frac{7}{5} < \frac{9}{5}$$

자, 그럼 $\frac{9}{5}$인 터널로 가자.

네!

파이야, 잘 따라와~.

슈웅

네! 사라 누나! 걱정 마요.

슈우웅

개념 클릭

• **분모가 같은 분수의 크기 비교**

• 가분수의 크기 비교

분모가 같은 가분수끼리의 크기 비교에서는 분자의 크기가 큰 가분수가 더 큽니다.

$$\frac{7}{5} \enspace ❶ \enspace \frac{9}{5}$$

• 대분수의 크기 비교

분모가 같은 대분수끼리의 크기 비교에서는 먼저 자연수의 크기를 비교하고 자연수의 크기가 같으면 분자의 크기를 비교합니다.

$$2\frac{1}{4} \enspace ❷ \enspace 1\frac{3}{4}$$
$$\underset{2>1}{\underbrace{\phantom{2\frac{1}{4}}}}$$

정답 ❶ < ❷ >

4
분수

1 $2\frac{1}{5}$ 과 $2\frac{3}{5}$ 의 크기를 비교해 보려고 합니다. 물음에 답하세요.

$2\frac{1}{5}$

$2\frac{3}{5}$

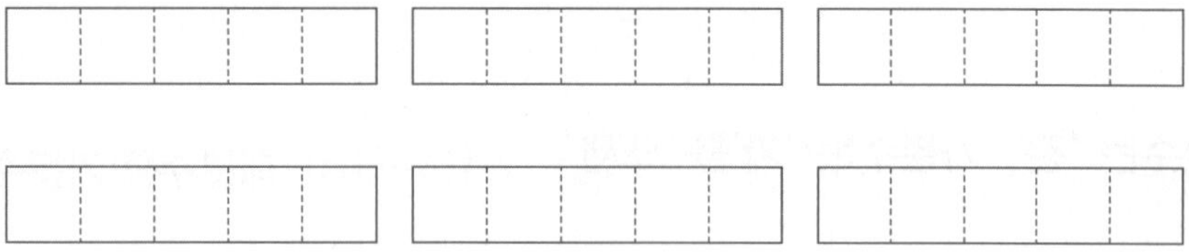

(1) 그림에 분수만큼 앞에서부터 차례로 색칠해 보세요.

(2) 알맞은 말에 ○표 하고 분수의 크기를 비교하여 ○ 안에 >, =, <를 알맞게 써넣으세요.

자연수가 2로 같으므로 $\frac{1}{5}$과 $\frac{3}{5}$의 크기를 비교하면

1이 3보다 (크므로, 작으므로) $2\frac{1}{5}$ ○ $2\frac{3}{5}$ 입니다.

[2~5] 두 수의 크기를 비교하여 ○ 안에 >, =, <를 알맞게 써넣으세요.

2 $\frac{9}{8}$ ○ $\frac{10}{8}$

3 $1\frac{4}{7}$ ○ $3\frac{1}{7}$

4 $1\frac{3}{5}$ ○ $1\frac{2}{5}$

5 $2\frac{1}{4}$ ○ $\frac{10}{4}$

대분수랑 가분수의 크기는 어떻게 비교해?

가분수 또는 대분수로 나타내어 비교하면 돼.

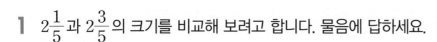

2단계 개념 집중 연습

(진분수, 가분수, 자연수 알아보기)

01 그림을 보고 가분수로 나타내어 보세요.

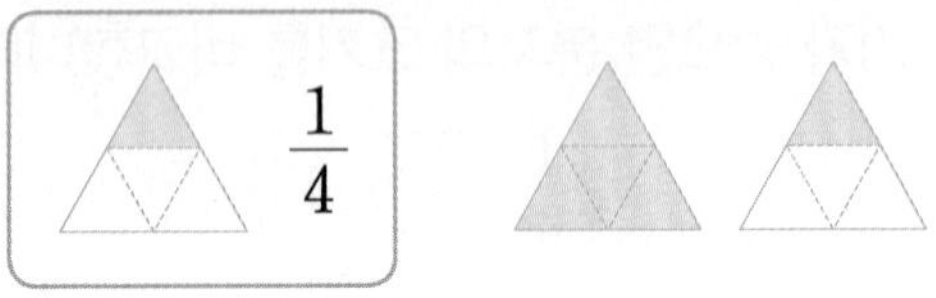

$\frac{\square}{\square}$

[02~05] 진분수는 '진', 가분수는 '가'를 쓰세요.

02 $\frac{4}{5}$ ⇨ (　　　　　)

03 $\frac{8}{8}$ ⇨ (　　　　　)

04 $\frac{9}{10}$ ⇨ (　　　　　)

05 $\frac{9}{7}$ ⇨ (　　　　　)

(대분수 알아보기)

06 그림을 보고 대분수로 나타내어 보세요.

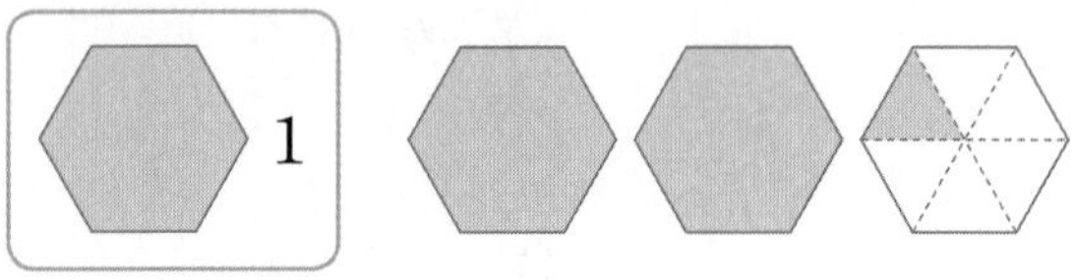

$\square\frac{\square}{\square}$

[07~10] 대분수를 가분수로 나타내어 보세요.

07 $1\frac{4}{5}$ ⇨ (　　　　　)

08 $1\frac{2}{9}$ ⇨ (　　　　　)

09 $1\frac{1}{7}$ ⇨ (　　　　　)

10 $2\frac{3}{8}$ ⇨ (　　　　　)

[11~13] 가분수를 대분수로 나타내어 보세요.

11 $\frac{6}{5}$ ⇨ (　　　　　　　　)

12 $\frac{10}{7}$ ⇨ (　　　　　　　　)

13 $\frac{13}{6}$ ⇨ (　　　　　　　　)

분모가 같은 분수의 크기 비교

[14~20] 두 분수의 크기를 비교하여 ○ 안에 >, =, <를 알맞게 써넣으세요.

14 $\frac{8}{6}$ ○ $\frac{5}{6}$

15 $1\frac{2}{9}$ ○ $2\frac{1}{9}$

16 $3\frac{2}{7}$ ○ $2\frac{4}{7}$

17 $2\frac{5}{8}$ ○ $2\frac{3}{8}$

18 $1\frac{1}{9}$ ○ $1\frac{5}{9}$

19 $\frac{15}{8}$ ○ $2\frac{1}{8}$

20 $\frac{12}{7}$ ○ $1\frac{3}{7}$

01 구슬 8개를 똑같이 4부분으로 나누고 □ 안에 알맞은 수를 써넣으세요.

Tip

• '전체'는 '분모'에, '부분'은 '분자'로 하여 $\dfrac{(부분\ 묶음\ 수)}{(전체\ 묶음\ 수)}$ 로 나타냅니다.

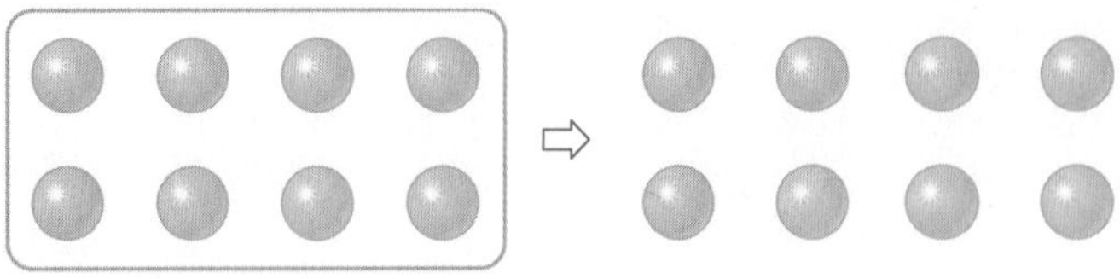

(1) 부분 은 전체 를 똑같이 4부분

으로 나눈 것 중의 □ 입니다.

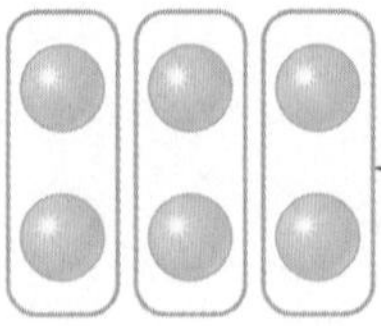

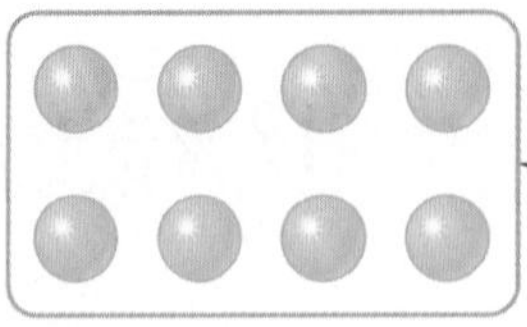

(2) 부분 은 4묶음 중에서 □ 묶음이므로 전체의

$\dfrac{□}{□}$ 입니다.

02 □ 안에 알맞은 수를 써넣으세요.

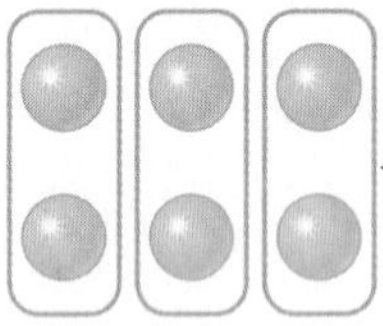

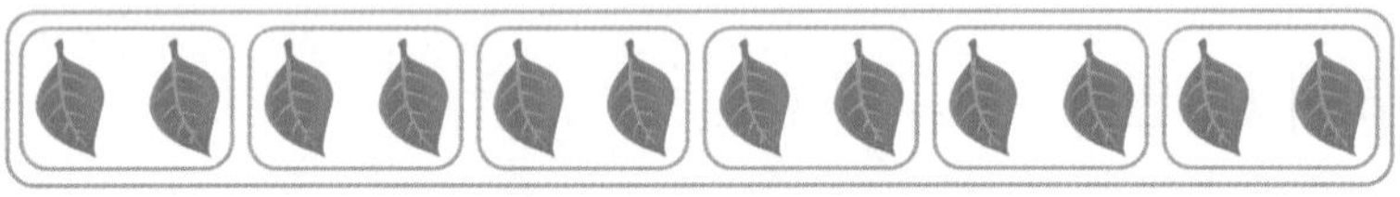

12를 2씩 묶으면 □ 묶음이 됩니다. 10은 12의 $\dfrac{□}{□}$ 입니다.

03 그림을 보고 □ 안에 알맞은 수를 써넣으세요.

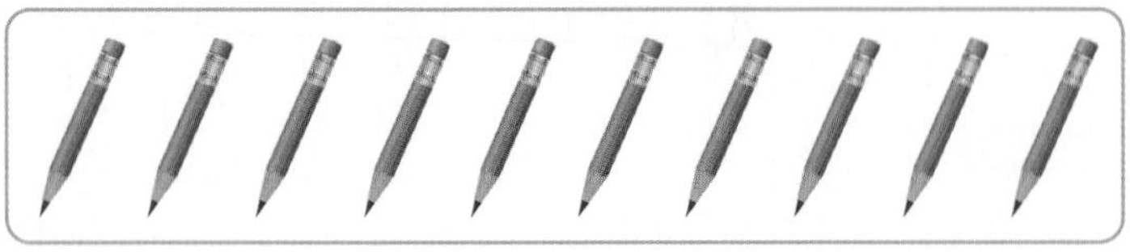

10의 $\dfrac{3}{5}$ 은 □ 입니다.

먼저 10을 5묶음으로 똑같이 나누고 그중 3묶음이 몇 개인지 알아봐요.

04 그림을 보고 □ 안에 알맞은 수를 써넣으세요.

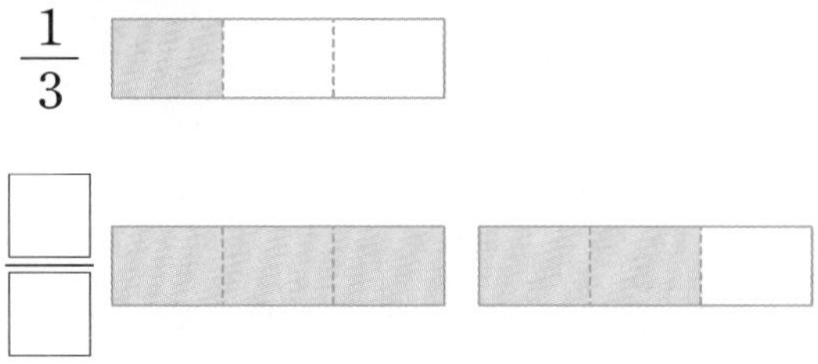

Tip

$\frac{1}{3}$이 모두 몇 개인지 알아봐요.

05 그림을 보고 □ 안에 알맞은 수를 써넣으세요.

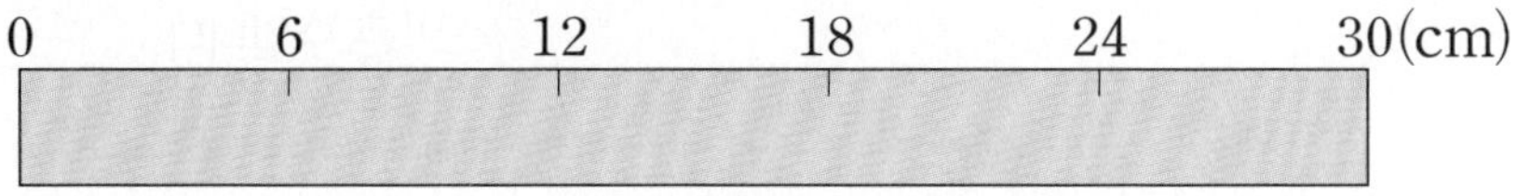

(1) 30 cm의 $\frac{1}{5}$은 □ cm입니다.

(2) 30 cm의 $\frac{4}{5}$는 □ cm입니다.

06 □ 안에 알맞은 수를 써넣으세요.

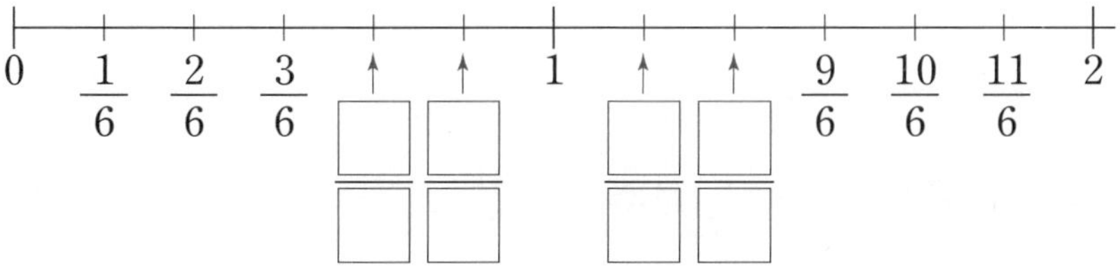

07 가분수는 빨간색, 대분수는 파란색으로 색칠해 보세요.

$2\frac{4}{5}$	$\frac{9}{8}$	$\frac{3}{7}$	$4\frac{1}{3}$	$1\frac{4}{10}$	$\frac{8}{6}$

• 가분수: 분자가 분모와 같거나 분모보다 큰 분수
대분수: 자연수와 진분수로 이루어진 분수

Tip

08 그림을 보고 가분수를 대분수로 나타내어 보세요.

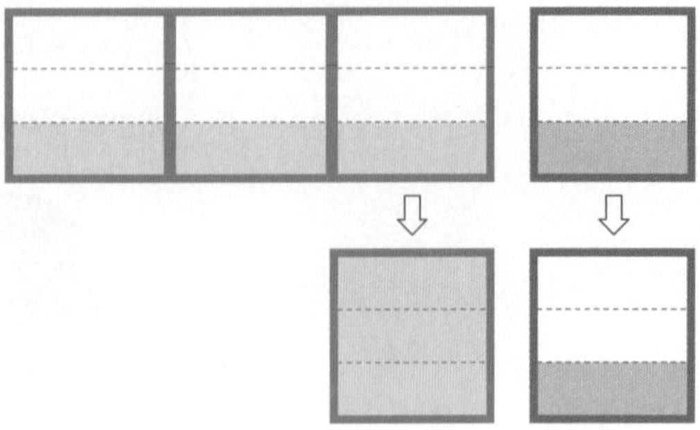

$\frac{4}{3}=\square\frac{\square}{\square}$

09 그림을 보고 분수의 크기를 비교하여 ○ 안에 >, <를 알맞게 써넣으세요.

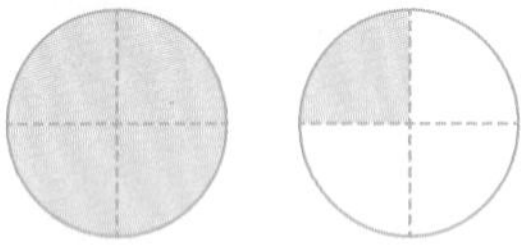

$1\frac{1}{4}$ ○ $1\frac{3}{4}$

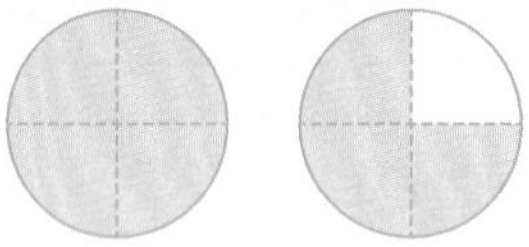

• 색칠된 부분이 넓은 쪽이 더 큰 수입니다.

10 사다리를 타고 내려가 도착한 곳이 참이면 ○표, 거짓이면 ×표 하세요.

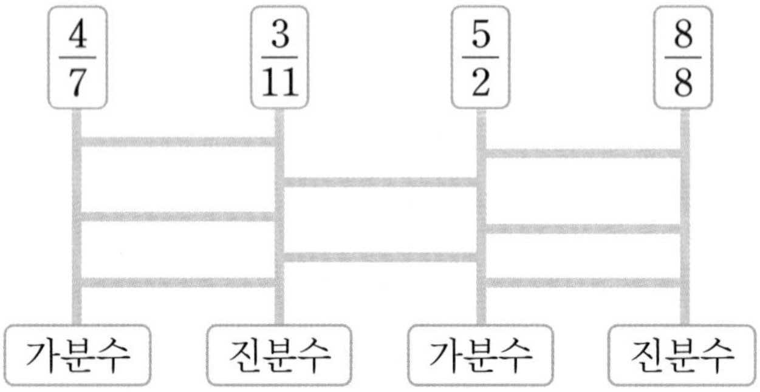

(　　　) (　　　) (　　　) (　　　)

• 사다리 타기는 아래로 내려가다가 가로로 놓인 선을 만나면 가로로 갑니다.

11 분수의 크기를 비교하여 알맞은 말에 ○표 하고 ○ 안에 >, <를 알맞게 써넣으세요.

$2\frac{1}{10}$ ○ $1\frac{9}{10}$

자연수 부분의 크기를 비교하면 $2\frac{1}{10}$이 $1\frac{9}{10}$보다 (큽니다 , 작습니다).

• 대분수는 먼저 자연수의 크기를 비교하고 자연수의 크기가 같으면 분자의 크기를 비교합니다.

12 □ 안에 알맞은 수를 써넣으세요.

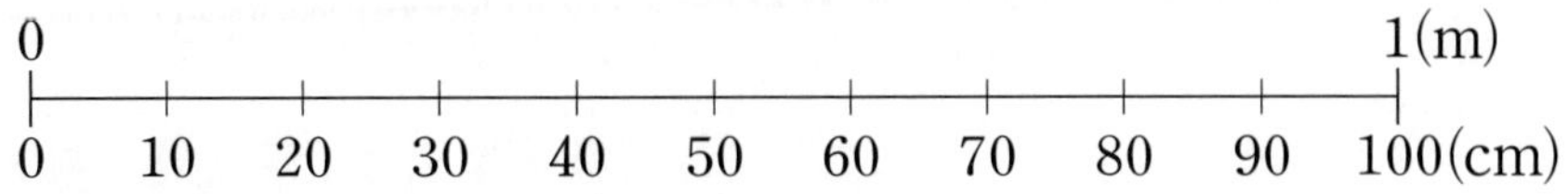

(1) $\frac{2}{5}$ m는 □ cm입니다.

(2) $\frac{3}{5}$ m는 □ cm입니다.

Tip

1 m=100 cm이므로 $\frac{2}{5}$ m는 100 cm를 똑같이 5로 나눈 것 중의 2예요.

4
분수

13 대분수는 가분수로, 가분수는 대분수로 나타내어 보세요.

(1) $1\frac{1}{6}=\frac{\square}{\square}$

(2) $1\frac{3}{5}=\frac{\square}{\square}$

(3) $\frac{9}{7}=\square\frac{\square}{\square}$

(4) $\frac{10}{6}=\square\frac{\square}{\square}$

14 두 분수의 크기를 비교하여 ○ 안에 >, =, <를 알맞게 써넣으세요.

(1) $\frac{15}{4}$ ○ $\frac{13}{4}$

(2) $2\frac{5}{6}$ ○ $2\frac{3}{6}$

(3) $1\frac{8}{11}$ ○ $\frac{19}{11}$

(4) $\frac{16}{12}$ ○ $1\frac{7}{12}$

가분수와 대분수의 크기 비교는 가분수 또는 대분수로 나타내어 비교해 보세요.

4 단계 단원 평가

01 그림을 보고 □ 안에 알맞은 수를 써넣으세요.

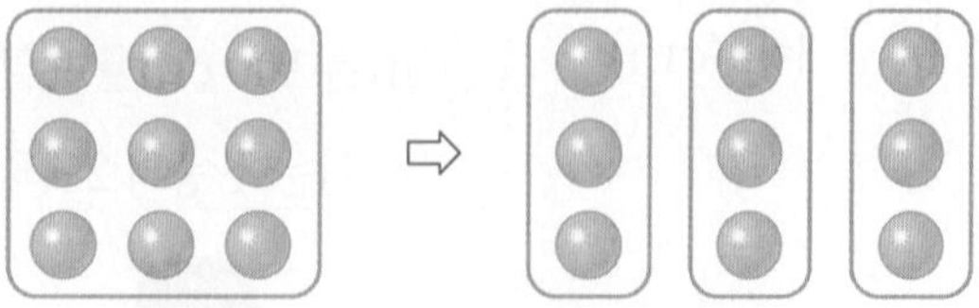

부분 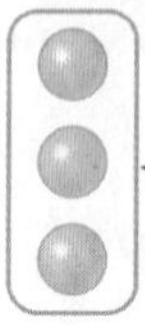 은 전체 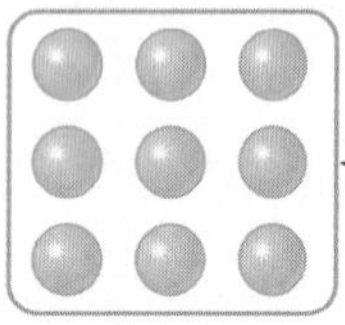 를 똑같이

3부분으로 나눈 것 중의 □ 입니다.

02 색칠한 부분을 분수로 나타내어 보세요.

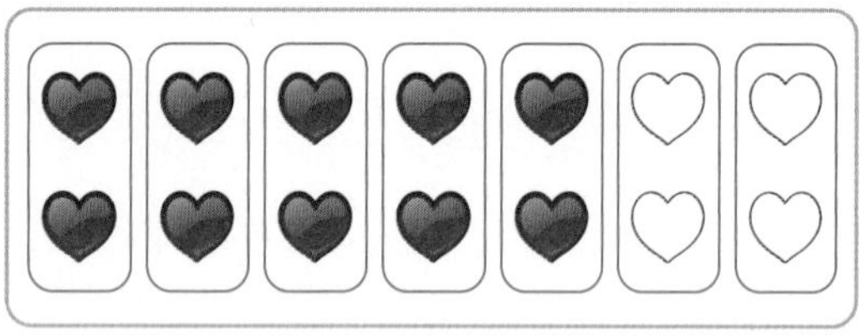

(　　　　　　　　)

03 그림을 보고 □ 안에 알맞은 수를 써넣으세요.

6의 $\frac{2}{3}$는 □ 입니다.

04 □ 안에 알맞은 수를 써넣으세요.

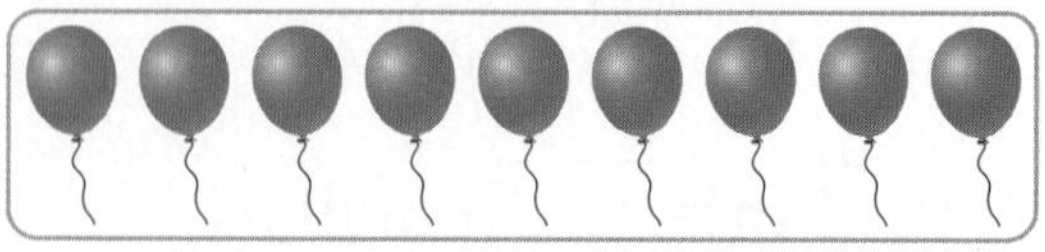

9를 3씩 묶으면 □ 묶음이 됩니다.

6은 9의 $\frac{\square}{3}$입니다.

[05~06] **그림을 보고 □ 안에 알맞은 수를 써넣으세요.**

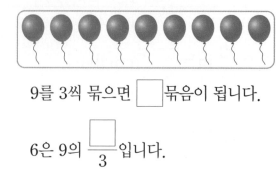

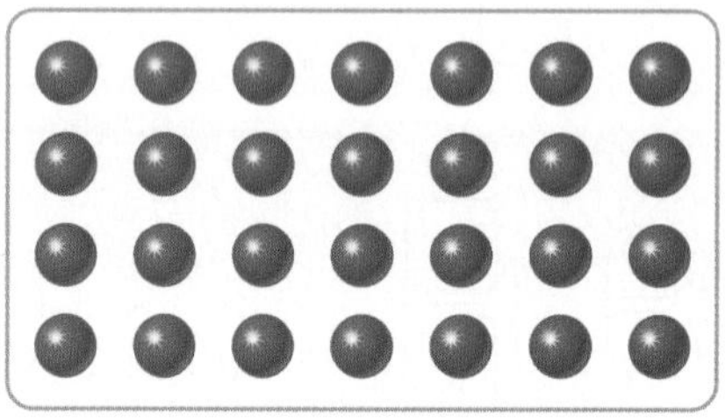

05 28의 $\frac{1}{7}$은 □ 입니다.

06 28의 $\frac{4}{7}$는 □ 입니다.

07 진분수에는 ○표, 가분수에는 △표 하세요.

$\frac{9}{15}$	$\frac{8}{7}$	$\frac{7}{9}$	$\frac{8}{8}$
(　　)	(　　)	(　　)	(　　)

08 색칠한 부분을 대분수로 나타내어 보세요.

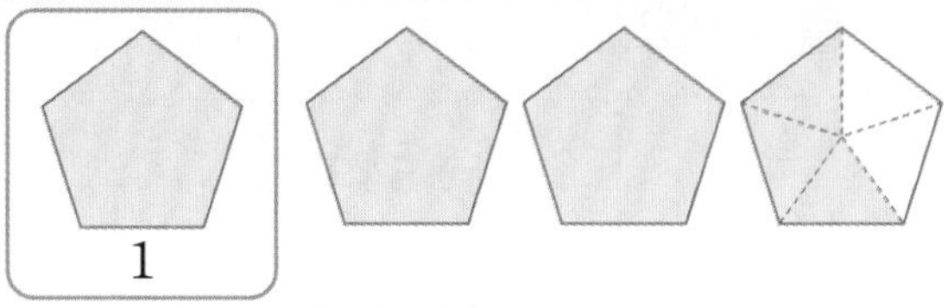

( )

09 그림을 보고 대분수를 가분수로 나타내어 보세요.

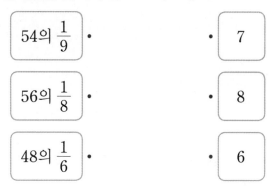

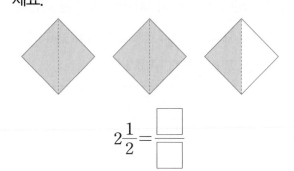

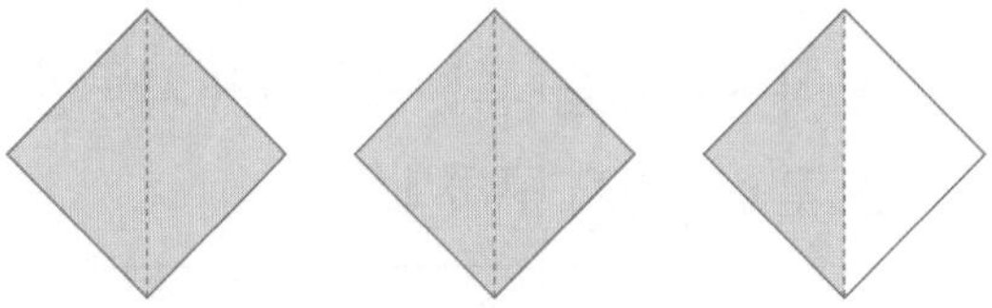

$2\frac{1}{2}=\frac{\square}{\square}$

10 대분수는 모두 몇 개일까요?

$5\frac{2}{7}$	$\frac{10}{10}$	$1\frac{3}{2}$	$\frac{29}{6}$	$5\frac{3}{8}$

( )

11 분모가 4인 진분수를 모두 쓰세요.

( )

12 관계있는 것끼리 선으로 이으세요.

54의 $\frac{1}{9}$ •	• 7
56의 $\frac{1}{8}$ •	• 8
48의 $\frac{1}{6}$ •	• 6

[13~14] 분수의 크기를 비교하여 ○ 안에 >, =, <를 알맞게 써넣으세요.

13 $2\frac{4}{5}$ ○ $2\frac{1}{5}$

14 $1\frac{3}{6}$ ○ $\frac{11}{6}$

15 대분수는 가분수로, 가분수는 대분수로 나타
내어 보세요.

대분수	$1\dfrac{4}{9}$	

⇩ ⇧

가분수		$\dfrac{13}{8}$

16 [조건] 에 맞는 분수를 찾아 ◯표 하세요.

[조건]
분모와 분자의 합이 14이고 진분수입
니다.

$$\left(\quad \frac{4}{11} \quad \frac{5}{9} \quad \frac{8}{6} \quad \right)$$

17 분모가 8인 가분수 중에서 가장 작은 가분수
를 쓰세요.

( )

18 다음 중 나타내는 수가 <u>다른</u> 것을 찾아 기호
를 쓰세요.

> ㉠ 54의 $\dfrac{3}{9}$
>
> ㉡ 72의 $\dfrac{2}{8}$
>
> ㉢ 48의 $\dfrac{2}{6}$

( )

19 종훈이는 종이띠 30 cm 중 $\dfrac{3}{6}$을 리본을 만드
는 데 사용했습니다. 종훈이가 사용한 종이띠
는 몇 cm인지 구하세요.

( )

20 그림을 보고 윤한이가 숙제를 한 시간은 몇
분인지 구하세요.

내가 숙제를
한 시간은
1시간의 $\dfrac{1}{2}$이야.

윤한

( )

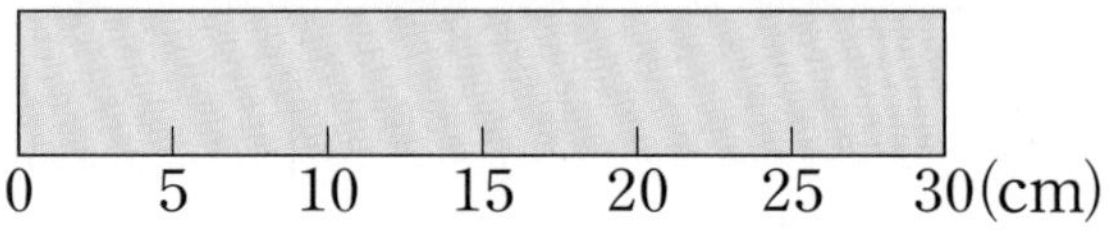

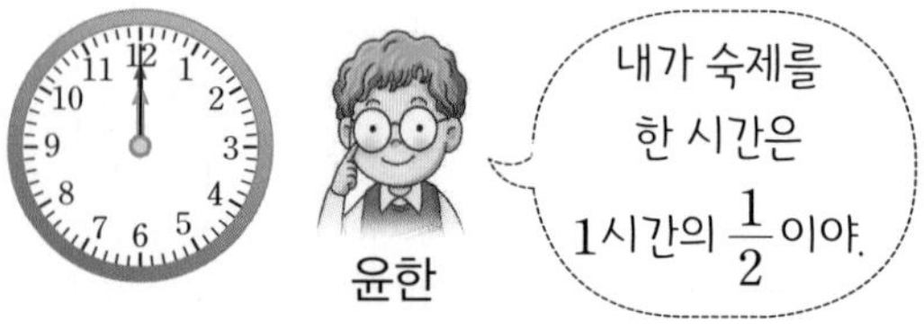

스스로 학습장

🐾 질문에 답을 해 보면서 분수를 정리해 보세요.

1

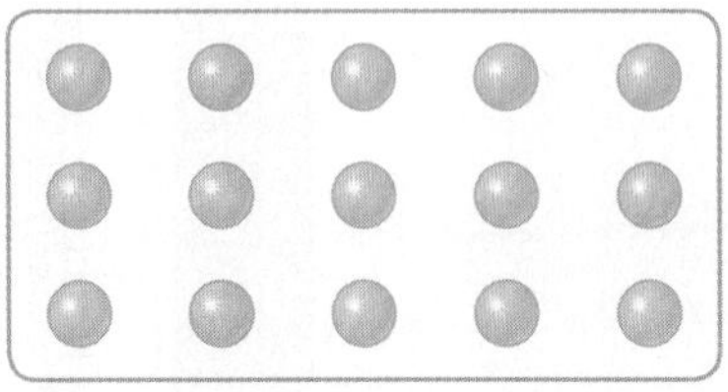

구슬 15개의 $\frac{2}{5}$는 몇 개일까요?

(   )

2

$$\frac{5}{3} \quad \frac{7}{7} \quad 1\frac{5}{9} \quad \frac{8}{7} \quad \frac{5}{12} \quad \frac{1}{6}$$

(   )

가분수는 모두 몇 개일까요?

3

가분수는 대분수로 대분수는 가분수로 나타내어 보세요.

대분수	$1\frac{4}{10}$	
가분수		$\frac{12}{9}$

4

$$\frac{14}{8} \quad 1\frac{5}{8}$$

(   )

어느 분수가 더 큰 수일까요?

5 들이와 무게

QR 코드를 찍으면 5단원 개념 동영상 강의를 볼 수 있어요.

이번에 배울 내용

- 들이 비교하기
- 들이의 단위 알아보기
- 들이를 어림하고 재기
- 들이의 덧셈과 뺄셈
- 무게 비교하기
- 무게의 단위 알아보기
- 무게를 어림하고 재기
- 무게의 덧셈과 뺄셈

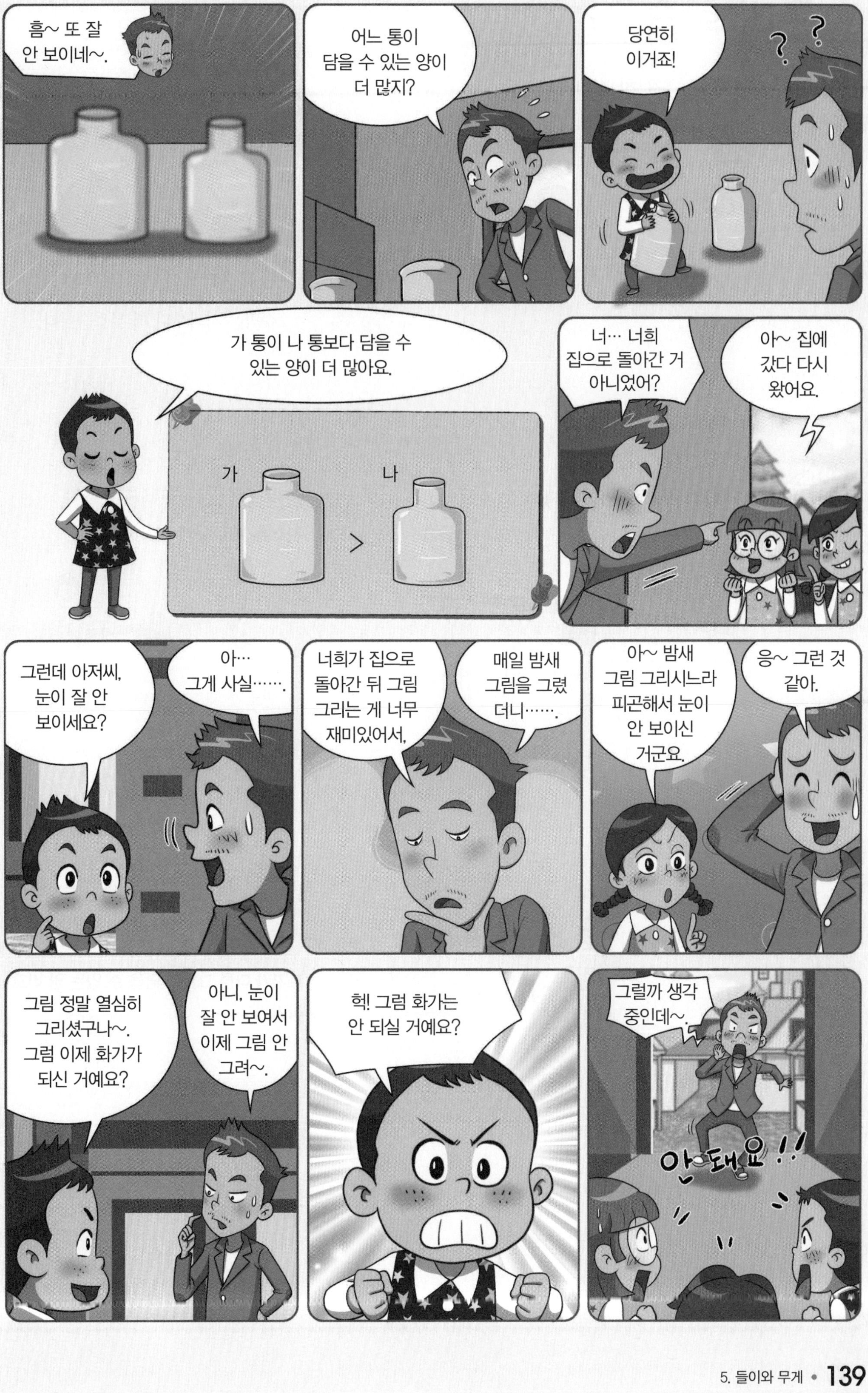

흠~ 또 잘 안 보이네~.
어느 통이 담을 수 있는 양이 더 많지?
당연히 이거죠!
?
?
가 통이 나 통보다 담을 수 있는 양이 더 많아요.
가
나
>
너… 너희 집으로 돌아간 거 아니었어?
아~ 집에 갔다 다시 왔어요.
그런데 아저씨, 눈이 잘 안 보이세요?
아… 그게 사실…….
너희가 집으로 돌아간 뒤 그림 그리는 게 너무 재미있어서,
매일 밤새 그림을 그렸더니…….
아~ 밤새 그림 그리시느라 피곤해서 눈이 안 보이신 거군요.
응~ 그런 것 같아.
그림 정말 열심히 그리셨구나~. 그럼 이제 화가가 되신 거예요?
아니, 눈이 잘 안 보여서 이제 그림 안 그려~.
헉! 그럼 화가는 안 되실 거예요?
그럴까 생각 중인데~.
안 돼요!!

준비 학습

1 더 무거운 것에 ○표 하세요.

(   )   (   )

2 □ 안에 알맞은 이름을 써넣으세요.

정현   주원

□ 이는 □ 이보다 더 무겁습니다.

3 담을 수 있는 양이 가장 많은 것에 ○표 하세요.

(   )   (   )   (   )

개념 체크 **1** ◀ 1학년 1학기 4단원

무게 비교하기

더 가볍다   더 무겁다

수박은 사과보다 더 무겁습니다.

개념 체크 **2** ◀ 1학년 1학기 4단원

시소를 보고 무게 비교하기

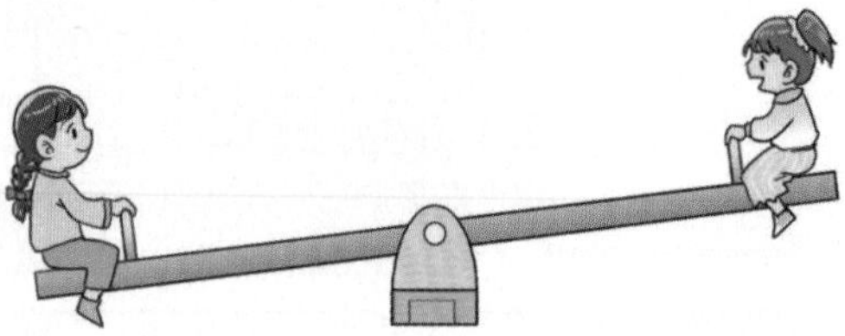

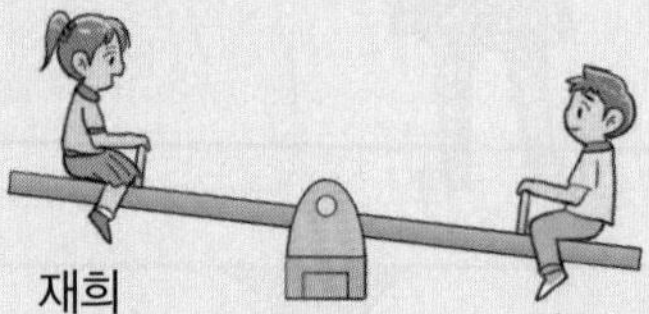

재희   민호

민호가 재희보다 더 무겁습니다.

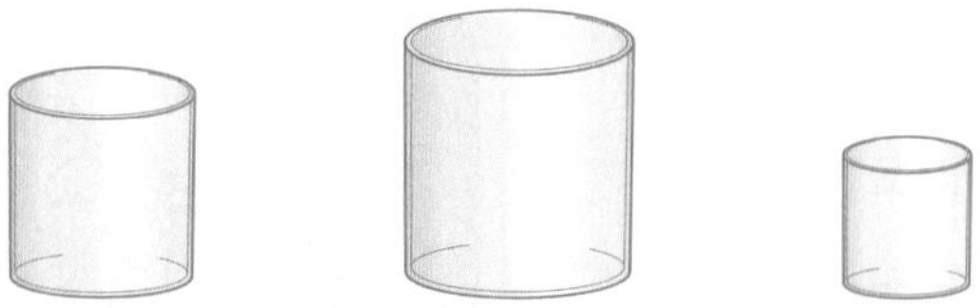

개념 체크 **3** ◀ 1학년 1학기 4단원

크기가 다른 그릇의 담을 수 있는 양 비교하기

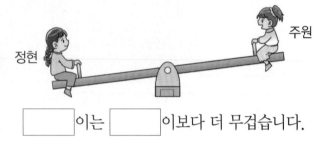

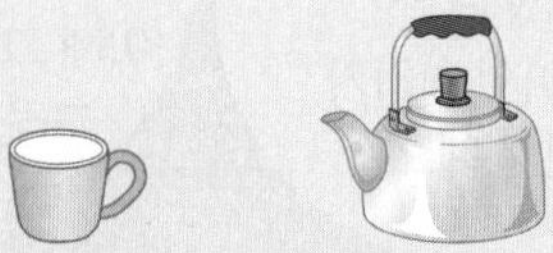

더 적다   더 많다

주전자가 컵보다 담을 수 있는 양이 더 많습니다.

4 물이 많이 담긴 것부터 차례로 1, 2, 3을 쓰세요.

( ) ( ) ( )

5 길이의 합을 구하세요.

(1)
$$\begin{array}{rrrr} & 2\text{ m} & 45\text{ cm} \\ + & 1\text{ m} & 27\text{ cm} \\ \hline & \square\text{ m} & \square\text{ cm} \end{array}$$

(2)
$$\begin{array}{rrrr} & 3\text{ m} & 14\text{ cm} \\ + & 5\text{ m} & 20\text{ cm} \\ \hline & \square\text{ m} & \square\text{ cm} \end{array}$$

6 길이의 차를 구하세요.

(1)
$$\begin{array}{rrrr} & 4\text{ m} & 58\text{ cm} \\ - & 2\text{ m} & 13\text{ cm} \\ \hline & \square\text{ m} & \square\text{ cm} \end{array}$$

(2)
$$\begin{array}{rrrr} & 7\text{ m} & 42\text{ cm} \\ - & 3\text{ m} & 17\text{ cm} \\ \hline & \square\text{ m} & \square\text{ cm} \end{array}$$

7 주어진 물건의 길이를 어림하고 자로 재어 몇 cm 몇 mm인지 쓰세요.

어림한 길이	잰 길이

개념 체크 4 ◀ 1학년 1학기 4단원

크기가 같은 그릇에 담긴 물의 양 비교하기

왼쪽 컵에 담긴 물의 양이 더 적습니다.

개념 체크 5 ◀ 2학년 2학기 3단원

길이의 합

$$\begin{array}{rrr} & 1\text{ m} & 41\text{ cm} \\ + & 1\text{ m} & 23\text{ cm} \\ \hline & 2\text{ m} & 64\text{ cm} \end{array}$$

m는 m끼리 더하고, cm는 cm끼리 더합니다.

개념 체크 6 ◀ 2학년 2학기 3단원

길이의 차

$$\begin{array}{rrr} & 3\text{ m} & 40\text{ cm} \\ - & 1\text{ m} & 20\text{ cm} \\ \hline & 2\text{ m} & 20\text{ cm} \end{array}$$

m는 m끼리 빼고, cm는 cm끼리 뺍니다.

개념 체크 7 ◀ 3학년 1학기 5단원

길이 어림하기

• 어림한 길이를 말할 때에는 약을 붙여 말합니다.

예

어림한 길이: 약 3 cm
잰 길이: 2 cm 7 mm

5 들이와 무게

1 단계 교과서 개념

들이를 어떻게 비교하나요?

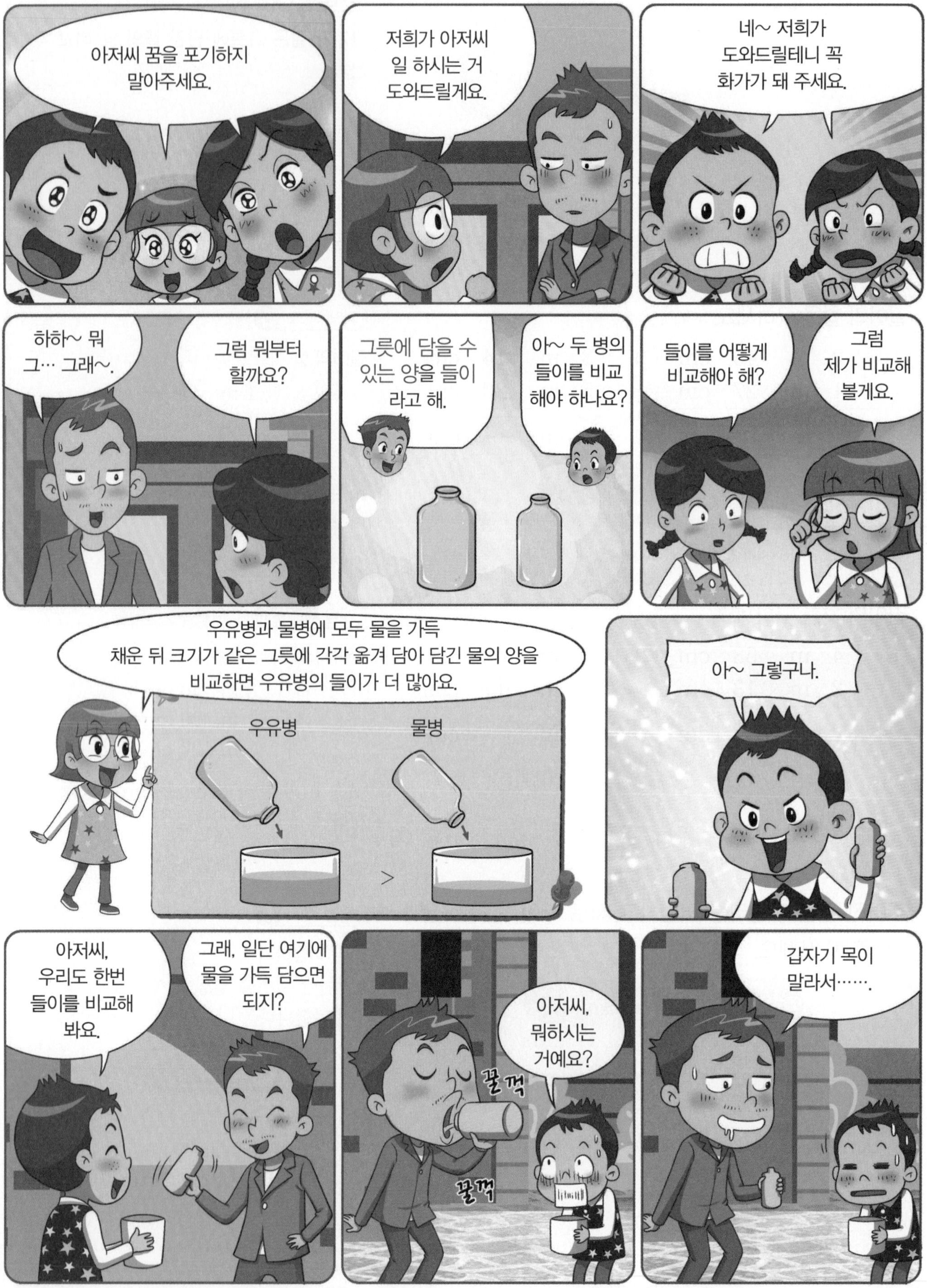
아저씨 꿈을 포기하지 말아주세요.
저희가 아저씨 일 하시는 거 도와드릴게요.
네~ 저희가 도와드릴테니 꼭 화가가 돼 주세요.
하하~ 뭐 그… 그래~.
그럼 뭐부터 할까요?
그릇에 담을 수 있는 양을 들이라고 해.
아~ 두 병의 들이를 비교해야 하나요?
들이를 어떻게 비교해야 해?
그럼 제가 비교해 볼게요.
우유병과 물병에 모두 물을 가득 채운 뒤 크기가 같은 그릇에 각각 옮겨 담아 담긴 물의 양을 비교하면 우유병의 들이가 더 많아요.
우유병
물병
>
아~ 그렇구나.
아저씨, 우리도 한번 들이를 비교해 봐요.
그래, 일단 여기에 물을 가득 담으면 되지?
꿀꺽
꿀꺽
아저씨, 뭐하시는 거예요?
갑자기 목이 말라서…….

개념 클릭

● 들이 비교하기

방법1 ㉮ 병에 물을 가득 채운 후 ㉯ 병에 옮겨 담아 비교하기

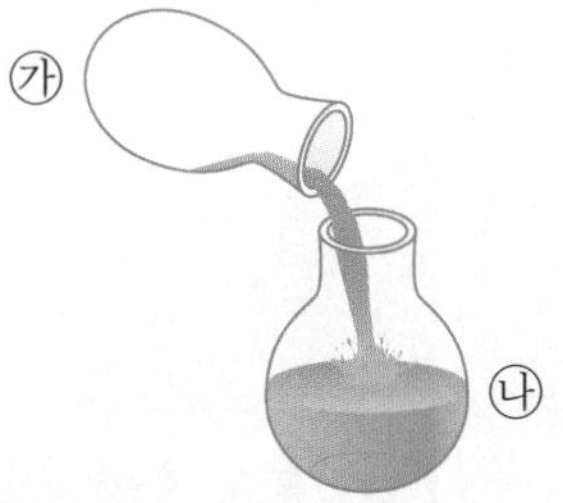

㉯ 병에 물이 다 들어가므로 ㉯ 병의 들이가 더 많습니다.

방법1 ㉮, ㉯ 병에 물을 가득 채운 후 크기가 같은 그릇 2개에 각각 옮겨 담아 비교하기

그릇에 담긴 물의 양을 비교하면 ❶ 병의 들이가 더 많습니다.

○ 정답 ❶ ㉯

5
들이와 무게

[1~2] ㉮ 병에 물을 가득 채운 후 ㉯ 병에 옮겨 담았습니다. 그림과 같이 물이 채워졌을 때 들이가 더 많은 것은 어느 것인지 기호를 쓰세요.

1

(   )

2

(   )

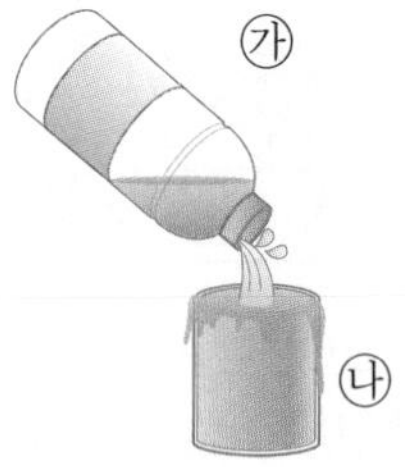

3 ㉮ 그릇과 ㉯ 그릇에 물을 가득 채운 후 모양과 크기가 같은 컵에 옮겨 담았습니다. □ 안에 알맞은 수를 써넣으세요.

옮겨 담은 컵의 수가 많은 그릇이 들이가 더 많아요.

(1) ㉮ 그릇에 가득 채운 물을 옮겨 담으면 □ 컵이 됩니다.

(2) ㉯ 그릇에 가득 채운 물을 옮겨 담으면 □ 컵이 됩니다.

(3) ㉮ 그릇이 ㉯ 그릇보다 컵 □ 개만큼 물이 더 많이 들어갑니다.

1 단계 교과서 개념

들이의 단위는 무엇인가요?

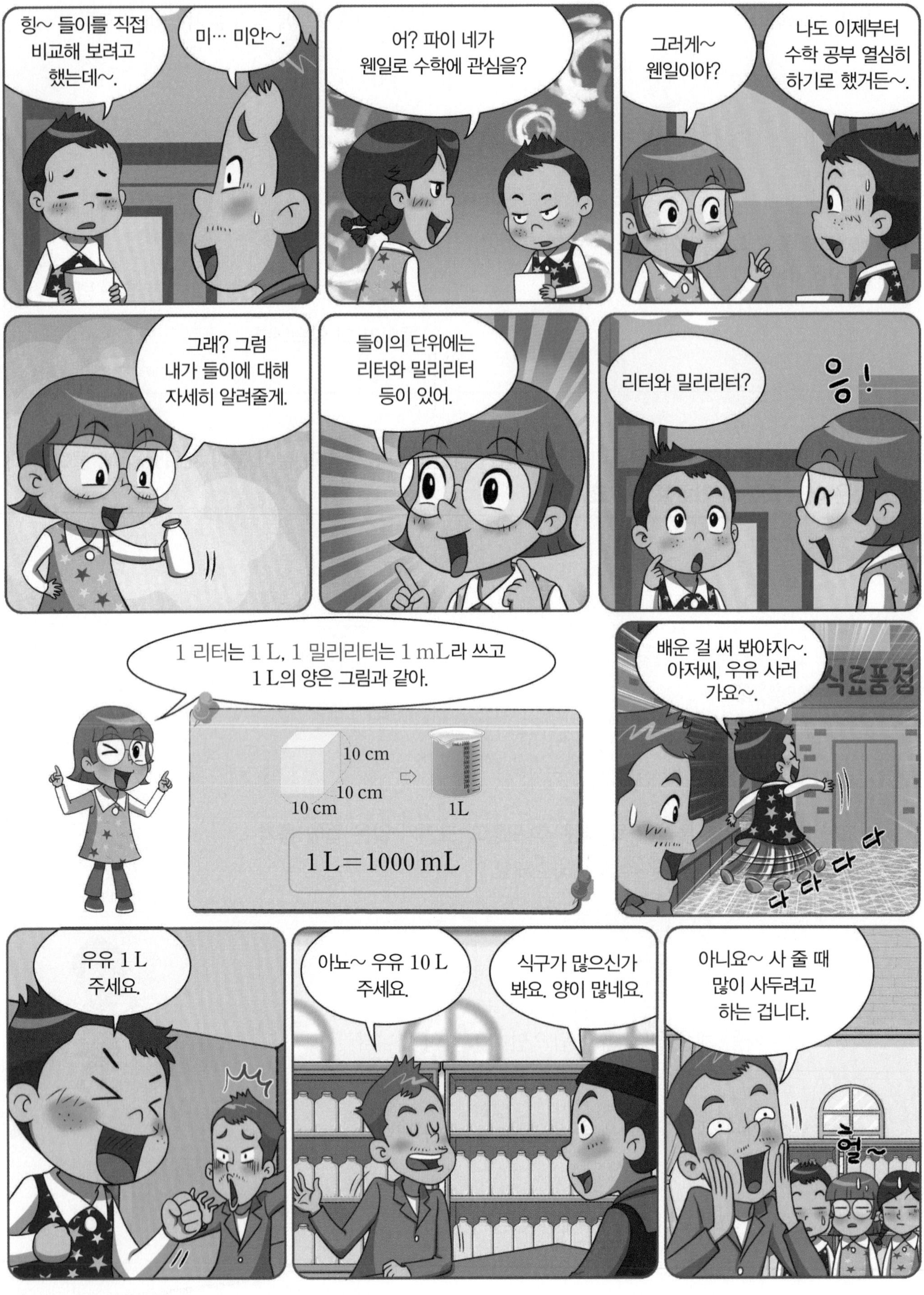

힝~ 들이를 직접 비교해 보려고 했는데~.
미… 미안~.
어? 파이 네가 웬일로 수학에 관심을?
그러게~ 웬일이야?
나도 이제부터 수학 공부 열심히 하기로 했거든~.
그래? 그럼 내가 들이에 대해 자세히 알려줄게.
들이의 단위에는 리터와 밀리리터 등이 있어.
리터와 밀리리터?
응!
1 리터는 1 L, 1 밀리리터는 1 mL라 쓰고 1 L의 양은 그림과 같아.
10 cm
10 cm
10 cm
1L
1 L=1000 mL
배운 걸 써 봐야지~. 아저씨, 우유 사러 가요~.
식료품점
다
다
다
다
다
우유 1 L 주세요.
아뇨~ 우유 10 L 주세요.
식구가 많으신가 봐요. 양이 많네요.
아니요~ 사 줄 때 많이 사두려고 하는 겁니다.
헐~

개념 클릭

- **들이의 단위**
  - 들이의 단위에는 리터와 밀리리터 등이 있습니다.
  - 1 리터는 1 L, 1 밀리리터는 1 mL라고 씁니다.

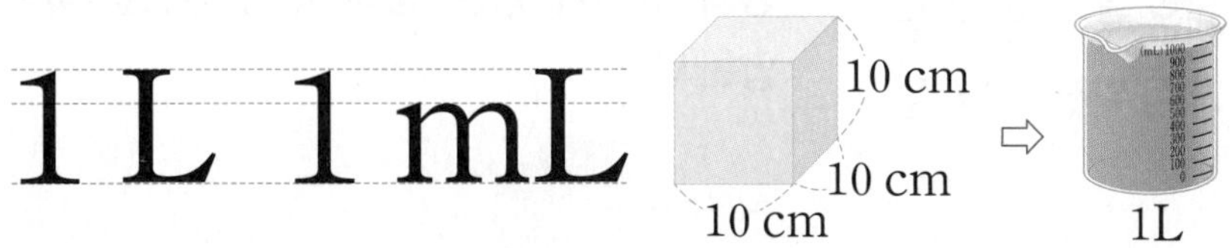
1 L 1 mL
10 cm
10 cm
10 cm
1L

1 L는 ❶ mL
와 같아요.

  - 1 리터는 1000 밀리리터와 같습니다. 1 L=1000 mL

- **1 L 200 mL 알아보기**
  - 1 L보다 200 mL 더 많은 들이 ⇨ 쓰기 1 L 200 mL / 읽기 1 리터 200 밀리리터
  - 1 L는 1000 mL와 같으므로 1 L 200 mL는 1200 mL입니다.

1 L 200 mL=1200 mL → 1 L 200 mL=1000 mL+200 mL
=1200 mL

정답 ❶ 1000

[1~2] 주어진 들이를 쓰고 읽어 보세요.

1 2 L 쓰기 2 L 읽기 ____________

2 30 mL 쓰기 30 mL 읽기 ____________

[3~5] □ 안에 알맞은 수를 써넣으세요.

3 6 L=□ mL

4 5 L 600 mL=□ mL

5 3200 mL=□ L □ mL

2 L는 몇 mL 일까?
1 L는 1000 mL 이니까 2 L는 2000 mL지.

2단계 개념 집중 연습

들이 비교하기

[01~02] 우유병에 물을 가득 채운 후 물병에 옮겨 담았습니다. 그림과 같이 물이 채워졌을 때 들이가 더 많은 것을 쓰세요.

01

(　　　　　　　　　　)

02

(　　　　　　　　　　)

[03~04] ㉮, ㉯에 물을 가득 채운 후 모양과 크기가 같은 그릇에 옮겨 담았습니다. 그림과 같이 물이 채워졌을 때 들이가 더 많은 것을 쓰세요.

03

(　　　　　　　　　　)

04
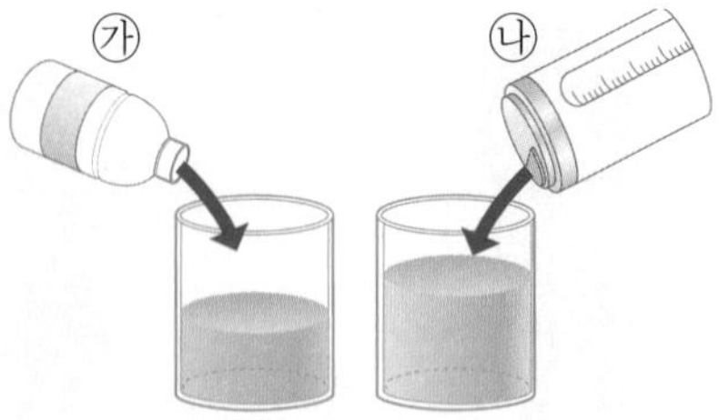

(　　　　　　　　　　)

[05~06] 주전자와 물통에 물을 가득 채운 후 모양과 크기가 같은 컵에 옮겨 담았습니다. 물음에 답하세요.

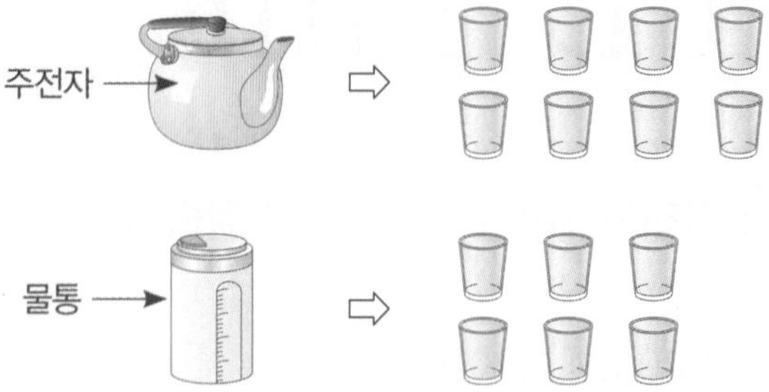

05 주전자와 물통에 가득 채운 물을 작은 컵에 옮겨 담으면 모두 몇 컵이 될까요?

주전자: □컵, 물통: □컵

06 주전자와 물통 중 들이가 더 많은 것은 어느 것일까요?

(　　　　　　　　　　)

[07~08] 들이가 가장 많은 것에 ○표 하세요.

07

(　　) (　　) (　　)

08

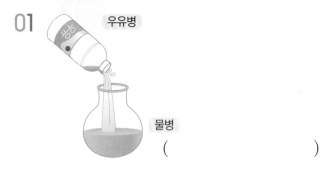

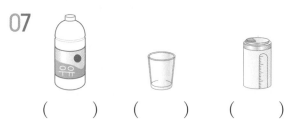

(　　) (　　) (　　)

들이의 단위

[09~11] 주어진 들이를 써 보세요.

09 4 L

쓰기

10 200 mL

쓰기

11 1 L 70 mL

쓰기

[12~13] 주어진 들이를 읽어 보세요.

12 5 L

(　　　　　　　　)

13 2 L 400 mL

(　　　　　　　　)

[14~18] □ 안에 알맞은 수를 써넣으세요.

14 8 L=□ mL

15 1 L 800 mL=□ mL+800 mL

=□ mL

16 1400 mL=□ mL+400 mL

=□ L 400 mL

17 1 L 600 mL=□ mL

18 2400 mL=□ L □ mL

1 단계 교과서 개념

들이를 어떻게 어림하고 재나요?

룰루~ 우유가 많아서 정말 행복해~.
얘들아~ 고마워. 계속 날 도와줘서~.
저는 아저씨의 꿈을 응원합니다.
저도요!
아저씨, 이제 그림 다시 그리실 거죠?
저희가 그림 그리는 거 도와드릴게요.
이렇게 날 도와주려 하다니! 정말 고맙구나!
크 흡
그림 그리기 전 너희가 사준 우유를 먹고 시작해 볼까?
자, 컵에 따라 마셔야겠다.
아저씨! 저도 우유 약 200 mL를 컵에 따라 주세요.
응?
약 200 mL라고? 그게 얼마만큼이니?
들이를 어림하여 말할 때에는 약 200 mL라 하고 200 mL 우유갑의 양을 생각하여 어림할 수 있어요.
우유
200mL
우유는 약 200 mL입니다.
그렇군. 그럼 남은 건 내가 다 마셔야지~.
뭐...지...

개념 클릭

- **들이를 어림하고 재기**

  들이를 어림하여 말할 때에는 약 □ L 또는 약 □ mL라고 합니다.

  예

컵에 따른 우유는 약 200 mL입니다.	⇨	우유를 비커에 담아 재면 250 mL입니다.

컵에 담긴 우유를 비커에 담아 직접 재면 ❶ [　　] mL예요.

- **알맞은 들이의 단위로 나타내기**

  1 L보다 많은 것은 L 단위로, 1 L보다 적은 것은 mL 단위로 나타냅니다.

  예

요구르트는 약 120 mL입니다.

○ 정답 ❶ 250

[1~2] 알맞은 단위를 찾아 ○표 하세요.

어림한 들이를 말할 때 '약'을 붙여요.

1

간장병의 들이는 약 800 (mL , L)입니다.

2

기름병의 들이는 약 1 (mL , L)입니다.

[3~4] 물통에 물을 가득 채운 후 비커에 모두 옮겨 담았습니다. 물통의 들이는 몇 mL인지 쓰세요.

3

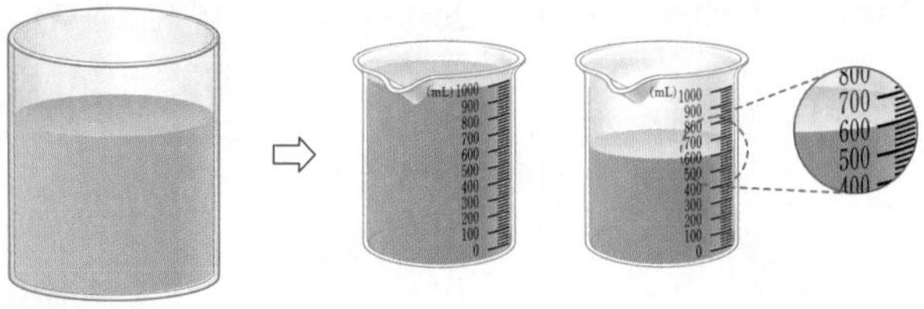

(　　　　　　　　)

4

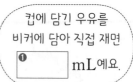

(　　　　　　　　)

1단계 교과서 개념

들이를 어떻게 더하고 빼나요?

L는 L끼리, mL는 mL끼리 더하면 2 L 500 mL가 되지.

$$\begin{array}{rlrl} & 1\ \text{L} & 200\ \text{mL} \\ + & 1\ \text{L} & 300\ \text{mL} \\ \hline & 2\ \text{L} & 500\ \text{mL} \end{array}$$

개념 클릭

• **들이의 덧셈**

L는 L끼리 더하고, mL는 mL끼리 더합니다.

$$
\begin{array}{rrr}
 & 1\ L & 200\ \ mL \\
+ & 1\ L & 300\ \ mL \\
\hline
 & 2\ L & \boxed{❶}\ \ mL \\
\end{array}
$$

1+1=2 ←┘   └→ 200+300=500

• **들이의 뺄셈**

L는 L끼리 빼고, mL는 mL끼리 뺍니다.

$$
\begin{array}{rrr}
 & 3\ L & 600\ \ mL \\
- & 1\ L & 400\ \ mL \\
\hline
 & 2\ L & \boxed{❷}\ \ mL \\
\end{array}
$$

3-1=2 ←┘   └→ 600-400=200

● 정답 ❶ 500 ❷ 200

[1~7] 계산해 보세요.

1
$$
\begin{array}{rrr}
 & 3\ L & 200\ \ mL \\
+ & 2\ L & 300\ \ mL \\
\hline
 & \boxed{}\ L & \boxed{}\ \ mL \\
\end{array}
$$

2
$$
\begin{array}{rrr}
 & 4\ L & 700\ \ mL \\
+ & 2\ L & 200\ \ mL \\
\hline
 & \boxed{}\ L & \boxed{}\ \ mL \\
\end{array}
$$

3
$$
\begin{array}{rrr}
 & 7\ L & 800\ \ mL \\
- & 3\ L & 600\ \ mL \\
\hline
 & \boxed{}\ L & \boxed{}\ \ mL \\
\end{array}
$$

4
$$
\begin{array}{rrr}
 & 9\ L & 900\ \ mL \\
- & 3\ L & 300\ \ mL \\
\hline
 & \boxed{}\ L & \boxed{}\ \ mL \\
\end{array}
$$

5 3 L 400 mL + 4 L 500 mL = ☐ L ☐ mL

6 2500 mL + 1300 mL = ☐ mL = ☐ L ☐ mL

1000 mL=1 L임을 이용하여 mL를 몇 L 몇 mL인지 구해요.

7 5700 mL − 3000 mL = ☐ mL = ☐ L ☐ mL

2단계 개념 집중 연습

(들이를 어림하고 재기)

[01~04] **그림을 보고 알맞게 어림한 것에 ○표 하세요.**

01 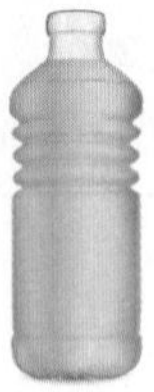

약 1 mL	(　　)
약 1 L	(　　)

02 

약 200 mL	(　　)
약 200 L	(　　)

03 

약 2 L	(　　)
약 2 mL	(　　)

04 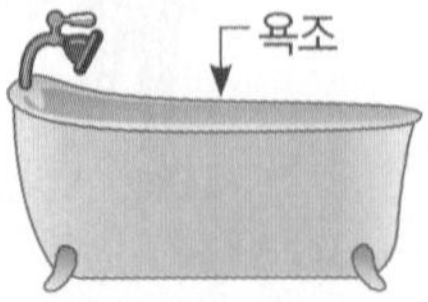

약 200 mL	(　　)
약 200 L	(　　)

[05~08] **알맞은 단위를 찾아 ○표 하세요.**

05 음료수 캔의 들이는 약 200 (mL , L)입니다.

06 물병의 들이는 약 1 (mL , L)입니다.

07 주전자의 들이는 약 3 (mL , L)입니다.

08 수족관의 들이는 약 130 (mL , L)입니다.

[09~10] **수조에 물을 가득 채운 후 비커에 모두 옮겨 담았습니다. 수조의 들이는 몇 mL인지 구하세요.**

09 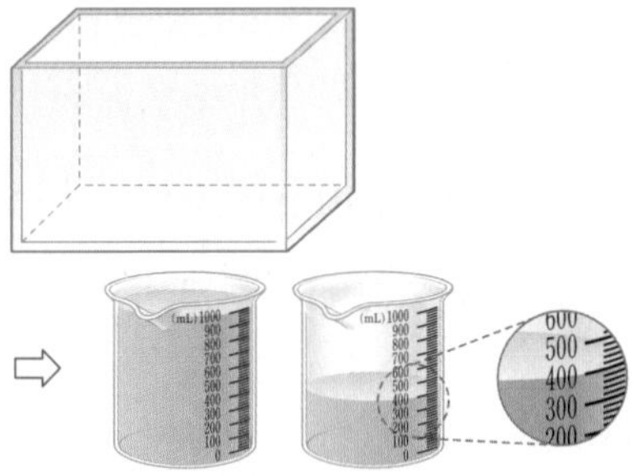

(　　　　　　　　)

10 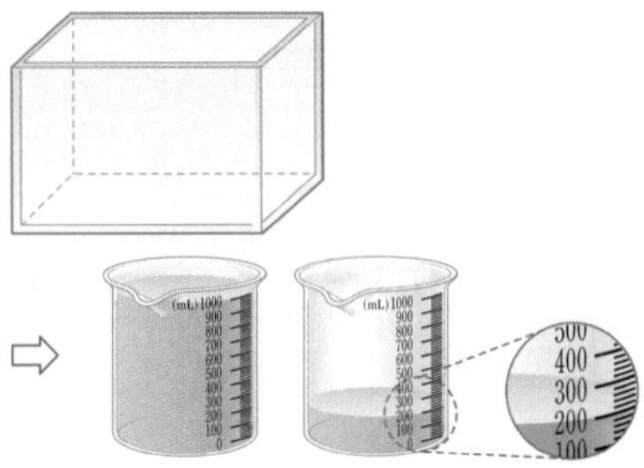

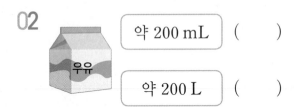

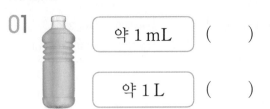

(　　　　　　　　)

들이의 덧셈과 뺄셈

[11~15] 들이의 덧셈을 해 보세요.

11
$$\begin{array}{r} 2\ \text{L} \quad 400 \quad \text{mL} \\ +\ 3\ \text{L} \quad 200 \quad \text{mL} \\ \hline \boxed{}\ \text{L}\ \boxed{}\ \text{mL} \end{array}$$

12
$$\begin{array}{r} 5\ \text{L} \quad 100 \quad \text{mL} \\ +\ 6\ \text{L} \quad 700 \quad \text{mL} \\ \hline \boxed{}\ \text{L}\ \boxed{}\ \text{mL} \end{array}$$

13
$$\begin{array}{r} 2\ \text{L} \quad 300 \quad \text{mL} \\ +\ 6\ \text{L} \quad 600 \quad \text{mL} \\ \hline \boxed{}\ \text{L}\ \boxed{}\ \text{mL} \end{array}$$

14 $3\ \text{L}\ 200\ \text{mL} + 4\ \text{L}\ 300\ \text{mL}$
$= \boxed{}\ \text{L}\ \boxed{}\ \text{mL}$

15 $1400\ \text{mL} + 5000\ \text{mL}$
$= \boxed{}\ \text{mL}$
$= \boxed{}\ \text{L}\ \boxed{}\ \text{mL}$

[16~20] 들이의 뺄셈을 해 보세요.

16
$$\begin{array}{r} 3\ \text{L} \quad 700 \quad \text{mL} \\ -\ 1\ \text{L} \quad 200 \quad \text{mL} \\ \hline \boxed{}\ \text{L}\ \boxed{}\ \text{mL} \end{array}$$

17
$$\begin{array}{r} 5\ \text{L} \quad 400 \quad \text{mL} \\ -\ 2\ \text{L} \quad 300 \quad \text{mL} \\ \hline \boxed{}\ \text{L}\ \boxed{}\ \text{mL} \end{array}$$

18
$$\begin{array}{r} 9\ \text{L} \quad 600 \quad \text{mL} \\ -\ 4\ \text{L} \quad 500 \quad \text{mL} \\ \hline \boxed{}\ \text{L}\ \boxed{}\ \text{mL} \end{array}$$

19 $12\ \text{L}\ 500\ \text{mL} - 7\ \text{L}\ 200\ \text{mL}$
$= \boxed{}\ \text{L}\ \boxed{}\ \text{mL}$

20 $5600\ \text{mL} - 1300\ \text{mL}$
$= \boxed{}\ \text{mL}$
$= \boxed{}\ \text{L}\ \boxed{}\ \text{mL}$

5

1 단계 교과서 개념

무게를 어떻게 비교하나요?

과일가게
고흥군,
웬일인가?
오늘은 자네 쉬는
날인데.
아, 오늘은
손님으로 왔습니다.
안녕하세요
리온아, 여긴
왜 온 거야?
아저씨가 그림
그릴 때 필요한
과일을 사신대~.
과일을 직접 보고 그리면
더 똑같이 그릴 수 있잖니~.
어떤 과일이
필요하신데요?
사과랑 바나나~.
자, 둘 중 더 무거운 게
뭘까?
흠~ 잘 모르겠는데요.
두 무게를 비교할 땐
이렇게 하면 돼.
두 과일을 윗접시저울에 올려 접시가 내려간
쪽이 더 무거우니 사과가 더 무겁단다.
사과가 바나나보다 더 무겁습니다.
어때? 쉽지!
전
알겠어요~.
자, 그럼 사과랑
바나나만 있으면
되죠?
아니!
이왕 온 김에
과일 좀 왕창
사볼까~.
결국 목적은
이거였어!

개념 클릭

• 무게 비교하기

방법 1 저울의 양쪽에 올려 비교하기

→ 윗접시저울

저울의 양쪽에 물건을 올렸을 때 접시가 내려가는 쪽이 더 무겁습니다.

⇨ 사과가 바나나보다 더 무겁습니다.

방법 2 같은 단위를 이용하여 비교하기

→ 바둑돌

같은 단위를 이용하여 무게를 비교할 때는 단위가 더 많이 사용된 것이 더 무겁습니다.

⇨ 사과는 바둑돌 20개, 바나나는 바둑돌 15개의 무게와 같으므로 **❶**　　가 바나나보다 더 무겁습니다.

직접 양손으로 들어서 비교해 볼 수도 있어요.

⊙ 정답 ❶ 사과

5
들이와 무게

1 무게가 무거운 순서대로 기호를 쓰세요.

(　　　　　　　　)

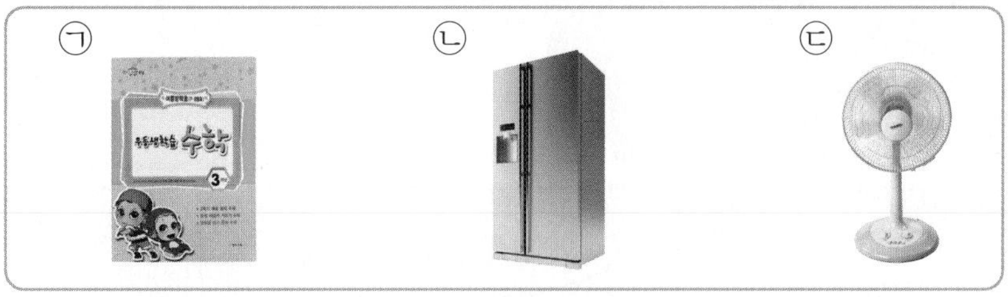

2 연필과 풀 중에서 더 무거운 것은 어느 것일까요?

(　　　　　　　　)

접시가 아래로 내려간 쪽이 더 무거워요.

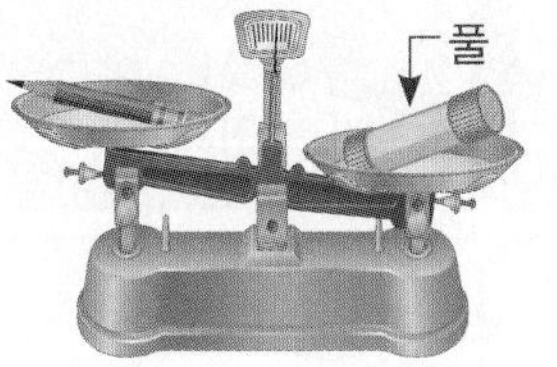

3 지우개와 가위 중에서 더 무거운 것은 무엇일까요?

(　　　　　　　　)

1단계 교과서 개념

무게의 단위는 무엇인가요?

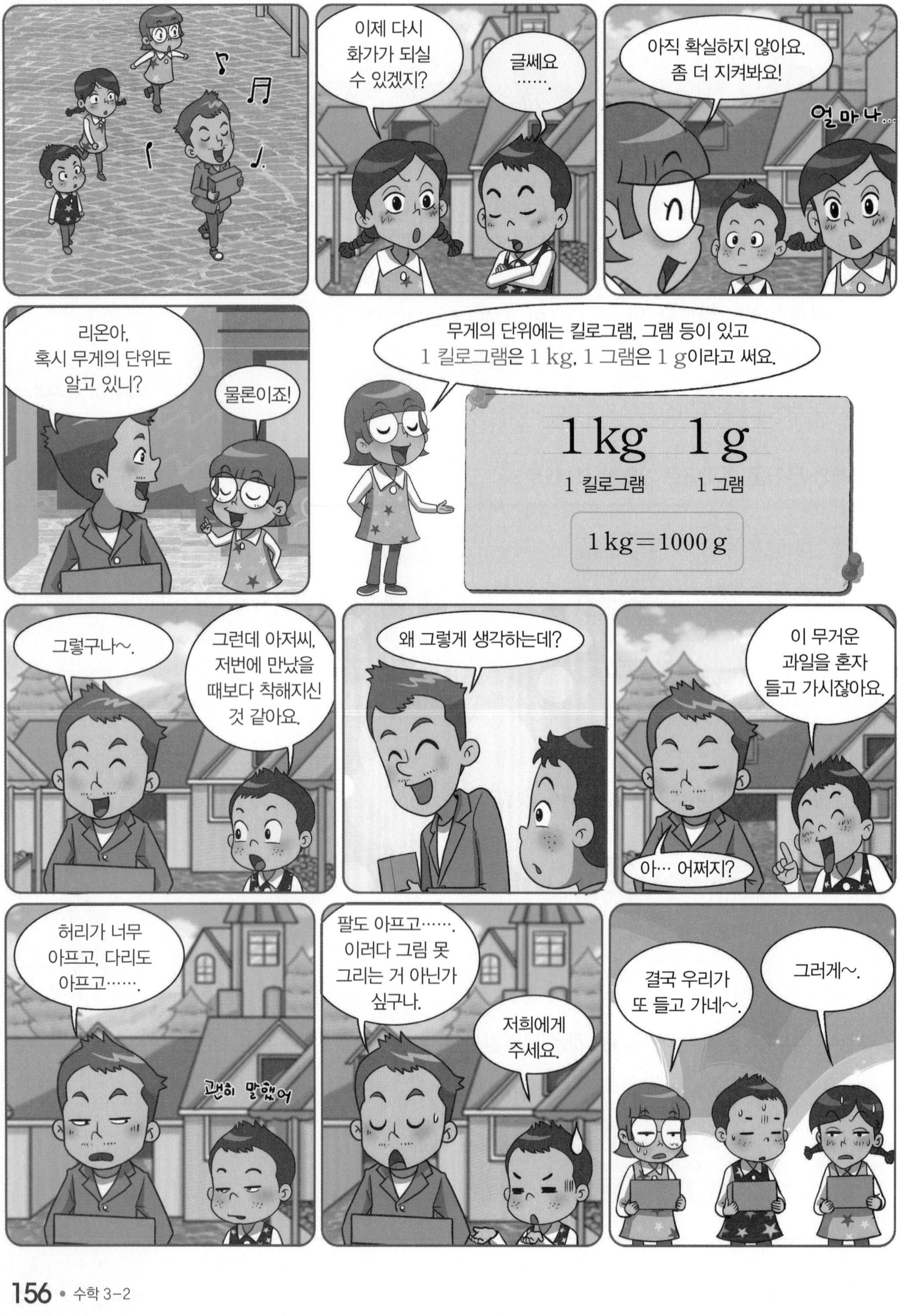

이제 다시 화가가 되실 수 있겠지?
글쎄요 …….
아직 확실하지 않아요. 좀 더 지켜봐요!
얼마나...
리온아, 혹시 무게의 단위도 알고 있니?
물론이죠!
무게의 단위에는 킬로그램, 그램 등이 있고 1 킬로그램은 1 kg, 1 그램은 1 g이라고 써요.
1 kg 1 g
1 킬로그램 1 그램
1 kg＝1000 g
그렇구나~.
그런데 아저씨, 저번에 만났을 때보다 착해지신 것 같아요.
왜 그렇게 생각하는데?
이 무거운 과일을 혼자 들고 가시잖아요.
아… 어쩌지?
허리가 너무 아프고, 다리도 아프고…….
괜히 말했어
팔도 아프고……. 이러다 그림 못 그리는 거 아닌가 싶구나.
저희에게 주세요.
결국 우리가 또 들고 가네~.
그러게~.

개념 클릭

- **무게의 단위**
  - 무게의 단위에는 킬로그램과 그램, 톤 등이 있습니다.
  - 1 킬로그램은 1 kg, 1 그램은 1 g, 1 톤은 1 t이라고 씁니다.

1kg 1g 1t

  - 1 킬로그램은 1000 그램과 같습니다. | 1 kg ＝ 1000 g |

  - 1 톤은 1000 킬로그램과 같습니다. | 1 t ＝ 1000 kg |

| $\boxed{①}$ kg ＝ 1000 g, $\boxed{②}$ t ＝ 1000 kg이에요. |

- **1 kg 500g 알아보기**
  - 1 kg보다 500 g 더 무거운 무게 ⇨ 쓰기 1 kg 500 g / 읽기 1 킬로그램 500 그램
  - 1 kg은 1000 g과 같으므로 1 kg 500 g은 1500 g입니다.

| 1 kg 500 g ＝ 1500 g | → 1 kg 500 g ＝ 1000 g ＋ 500 g
                                          ＝ 1500 g

⊙ 정답 ❶ 1 ❷ 1

5
들이와 무게

[1~3] 주어진 무게를 쓰고 읽어 보세요.

1 | 3 kg | 쓰기   읽기 _____

2 | 40 g | 쓰기   읽기 _____

3 | 2 t | 쓰기   읽기 _____

| 1 kg ＝ 1000 g, 1 t ＝ 1000 kg을 이용해요. |

[4~7] □ 안에 알맞은 수를 써넣으세요.

4 4 kg ＝ ☐ g

5 9 t ＝ ☐ kg

6 3700 g ＝ ☐ kg ☐ g

7 5 kg 40 g ＝ ☐ g

2단계 개념 집중 연습

무게 비교하기

[01~02] 무게가 더 무거운 것에 ○표 하세요.

01

( ) ( )

02

( ) ( )

[03~05] 더 가벼운 것의 이름을 쓰세요.

03

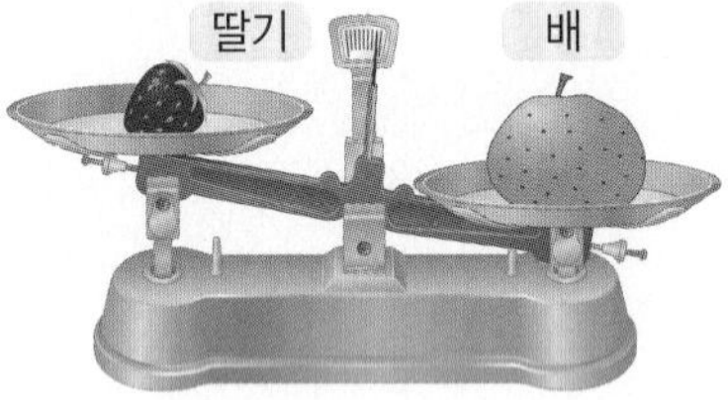

( )

04

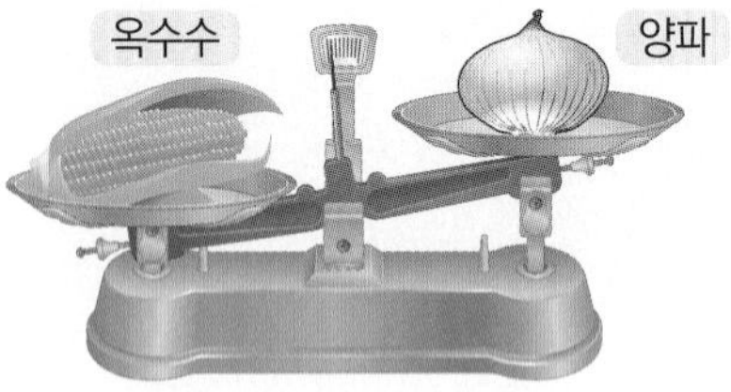

( )

05

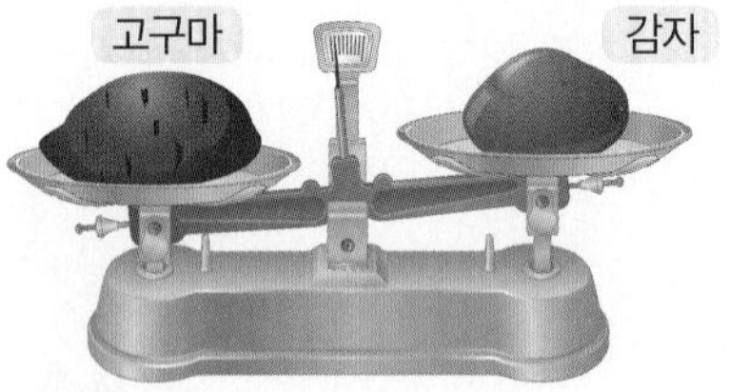

( )

[06~09] 저울과 바둑돌을 사용하여 초콜릿과 사탕의 무게를 비교하려고 합니다. 물음에 답하세요.

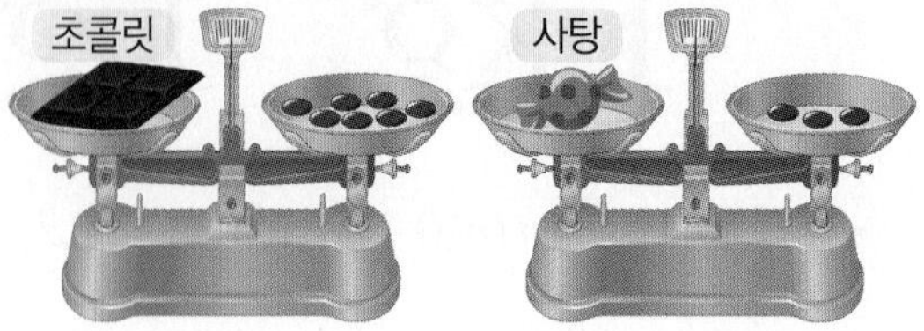

06 초콜릿의 무게는 바둑돌 몇 개의 무게와 같을까요?

( )

07 사탕의 무게는 바둑돌 몇 개의 무게와 같을까요?

( )

08 초콜릿과 사탕 중에서 어느 것이 더 무거울까요?

( )

09 초콜릿은 사탕보다 바둑돌 몇 개만큼 더 무거울까요?

( )

(무게의 단위)

[10~12] 주어진 무게를 쓰고 읽어 보세요.

10 40 kg

쓰기

읽기

11 200 g

쓰기

읽기

12 5 t

쓰기

읽기

13 수박의 무게는 몇 kg일까요?

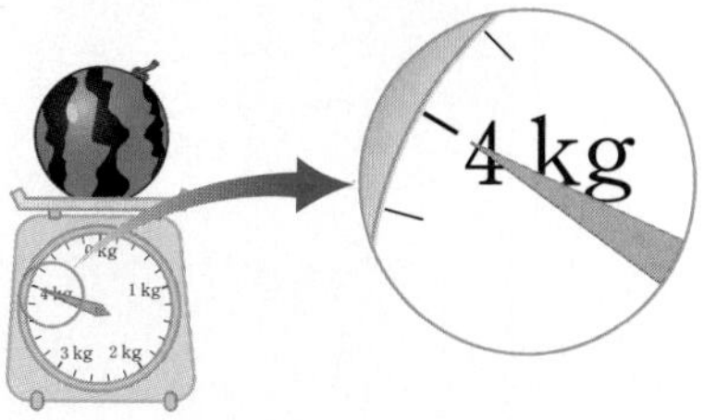

(　　　　　　)

14 사과의 무게는 몇 g일까요?

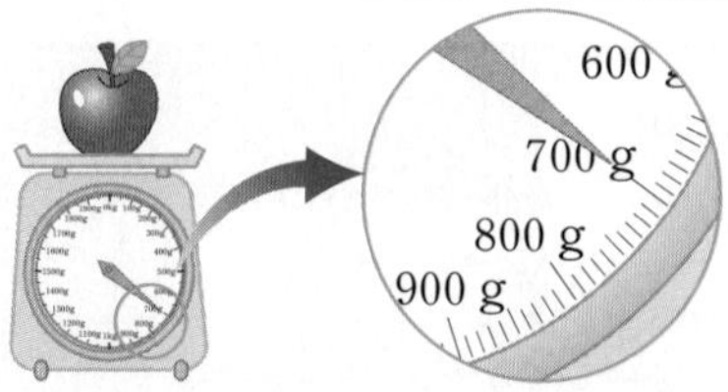

(　　　　　　)

[15~18] □ 안에 알맞은 수를 써넣으세요.

15 5 kg=□g

16 8 t=□kg

17 9800 g=□kg □g

18 2 kg 8 g=□g

5 들이와 무게

1 단계 교과서 개념

무게를 어떻게 어림하고 재나요?

이 정도면 되려나?
사
삭
어떤 각도로 그려야 예쁠까?
삭
휙
이렇게?
휙
흐음~
왜 그러세요?
쟁반에 담긴 귤의 무게가 얼마나 되려나~.
글쎄요?
어림하면 약 1 kg인 것 같아요.
무게를 어림하여 말할 때 약을 붙여 약 1 kg으로 어림할 수 있어요.
쟁반에 담긴 귤의 무게는 약 1 kg입니다.
자! 그럼 본격적으로 그림 연습을 시작해 볼까?
기대 기대
멀뚱
멀뚱
왜 그러세요?
다른 과일도 같이 올려 놓고 그려야 겠다.
휙
휙
잠시 후
뜨
헉
과일이 너무 많아서 그리기 힘들어~.

개념 클릭

- **무게를 어림하고 재기**

  무게를 어림하여 말할 때에는 약 ☐ kg 또는 약 ☐ g이라고 합니다.

  (예)

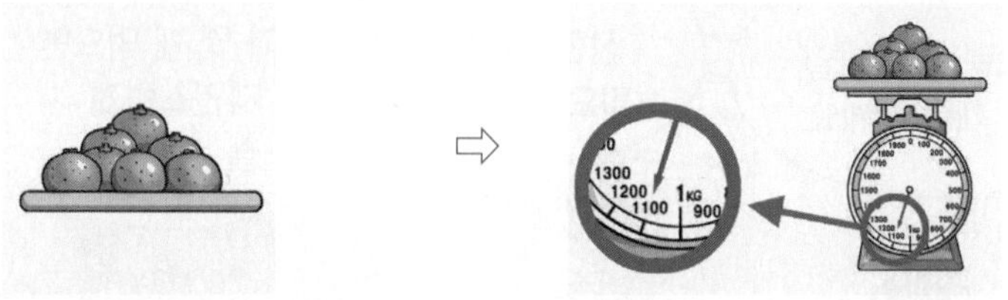

 ⇨

  | 쟁반에 담긴 귤의 무게는 약 1 kg입니다. | ⇨ | 저울로 무게를 재면 1 kg 100 g입니다. |

  어림한 값이 맞는지 저울을 사용하여 재어 보세요.

- **알맞은 무게의 단위로 나타내기**

  1 t보다 무거운 단위는 t 단위로, 1 kg보다 무거운 단위는 kg 단위로, 1 kg보다 가벼운 단위는 g 단위로 나타냅니다.

  (예) 사탕의 무게는 약 50 [❶] 입니다.

  ○ 정답 ❶ g

5

들이와 무게

[1~3] 알맞은 단위를 찾아 ○표 하세요.

1

고양이의 몸무게는 약 2 (g , kg)입니다.

2

100원짜리 동전의 무게는 약 5 (g , kg)입니다.

3

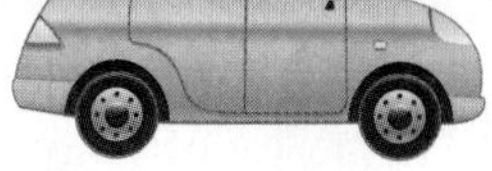

승용차의 무게는 약 2 (kg , t)입니다.

[4~5] ☐ 안에 kg과 g 중 알맞은 단위를 써넣으세요.

4 귤 한 개의 무게는 약 70 ☐ 입니다.

5 책상의 무게는 약 10 ☐ 입니다.

1 kg인 물건이나 주변의 물건을 이용하여 물건의 무게를 어림해 보세요.

무게를 어떻게 더하고 빼나요?

몇 개는 빼고 그려야겠다.

그럼 제가 과일 몇 개를 뺄게요.

잠깐, 그럴 필요없단다.

내가 몇 개 먹으면 자연스럽게 뺄 수 있지.

네?

헉! 아까 사온 과일 3 kg 500 g 중 1 kg 200g만 남았어!

얼마나 드신 거야?

kg은 kg끼리, g은 g끼리 빼면 2 kg 300 g을 드신 거야.

$$
\begin{array}{r}
3 \text{ kg} \quad 500 \text{ g} \\
- 1 \text{ kg} \quad 200 \text{ g} \\
\hline
2 \text{ kg} \quad 300 \text{ g}
\end{array}
$$

그 많은 걸 순식간에…… 대단하다.

음~.

왜 그러세요.

이것도 아닌 것 같아.

네?

과일이 아직도 좀 많은 것 같은데……

그래서요?

몇 개를 더 먹어야겠어.

아저씨!! 그림 그리실 과일까지 다 드시면 어떡해요!

어머! 이런!

개념 클릭

• **무게의 덧셈**

kg은 kg끼리 더하고, g은 g끼리 더합니다.

$$
\begin{array}{r}
3 \ \text{kg} \quad 600 \ \text{g} \\
+ \ 1 \ \text{kg} \quad 200 \ \text{g} \\
\hline
\boxed{❶} \ \text{kg} \quad \underline{800} \ \text{g}
\end{array}
$$

3+1=4 ←   → 600+200=800

• **무게의 뺄셈**

kg은 kg끼리 빼고, g은 g끼리 뺍니다.

$$
\begin{array}{r}
3 \ \text{kg} \quad 500 \quad \text{g} \\
- 1 \ \text{kg} \quad 200 \quad \text{g} \\
\hline
2 \ \text{kg} \quad \boxed{❷} \quad \text{g}
\end{array}
$$

3-1=2 ←   → 500-200=300

◐ 정답 ❶ 4 ❷ 300

[1~7] 계산해 보세요.

1
$$
\begin{array}{r}
6 \ \text{kg} \quad 200 \quad \text{g} \\
+ \ 1 \ \text{kg} \quad 500 \quad \text{g} \\
\hline
\boxed{} \ \text{kg} \quad \boxed{} \ \text{g}
\end{array}
$$

2
$$
\begin{array}{r}
2 \ \text{kg} \quad 100 \quad \text{g} \\
+ \ 3 \ \text{kg} \quad 400 \quad \text{g} \\
\hline
\boxed{} \ \text{kg} \quad \boxed{} \ \text{g}
\end{array}
$$

3
$$
\begin{array}{r}
8 \ \text{kg} \quad 700 \quad \text{g} \\
- \ 2 \ \text{kg} \quad 400 \quad \text{g} \\
\hline
\boxed{} \ \text{kg} \quad \boxed{} \ \text{g}
\end{array}
$$

4
$$
\begin{array}{r}
9 \ \text{kg} \quad 800 \quad \text{g} \\
- \ 4 \ \text{kg} \quad 300 \quad \text{g} \\
\hline
\boxed{} \ \text{kg} \quad \boxed{} \ \text{g}
\end{array}
$$

5 3 kg 500 g + 2 kg 100 g = ☐ kg ☐ g

6 8 kg 900 g − 2 kg 300 g = ☐ kg ☐ g

7 7 kg 500 g − 1 kg 400 g = ☐ kg ☐ g

kg은 kg끼리,
g은 g끼리
계산해요.

5

2단계 개념 집중 연습

무게를 어림하고 재기

[01~04] 그림을 보고 알맞게 어림한 것에 ○표 하세요.

01

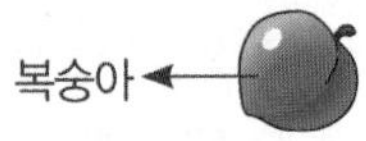

약 180 g	약 180 kg
(　　　)	(　　　)

02

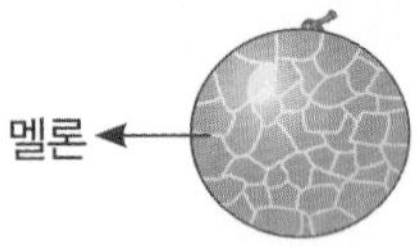

약 2 kg	약 2 t
(　　　)	(　　　)

03

약 3 g	약 3 kg
(　　　)	(　　　)

04

약 4 g	약 4000 kg
(　　　)	(　　　)

[05~08] 알맞은 단위를 찾아 ○표 하세요.

05 배 한 개의 무게는 약 700 (g , kg)입니다.

06 책가방의 무게는 약 2 (g , kg)입니다.

07 냉장고의 무게는 약 150 (kg , t)입니다.

08 비행기의 무게는 약 360 (kg , t)입니다.

[09~10] 보기에서 물건을 선택하여 문장을 완성해 보세요.

보기
코끼리　　의자

09 [　　　　]의 무게는 약 2 kg입니다.

10 [　　　　]의 무게는 약 4 t입니다.

(무게의 덧셈과 뺄셈)

[11~15] 무게의 덧셈과 뺄셈을 해 보세요.

11

	5	kg	200	g
+	2	kg	400	g
	□	kg	□	g

12

	2	kg	700	g
+	6	kg	100	g
	□	kg	□	g

13

	6	kg	200	g
+	3	kg	300	g
	□	kg	□	g

14 8 kg 750 g + 6 kg 200 g

= □ kg □ g

15 11 kg 600 g + 9 kg 100 g

= □ kg □ g

[16~20] 무게의 뺄셈을 해 보세요.

16

	7	kg	400	g
−	4	kg	300	g
	□	kg	□	g

17

	5	kg	900	g
−	3	kg	400	g
	□	kg	□	g

18

	9	kg	700	g
−	3	kg	500	g
	□	kg	□	g

19 12 kg 900 g − 5 kg 600 g

= □ kg □ g

20 7 kg 800 g − 5 kg 300 g

= □ kg □ g

01 무게가 무거운 순서대로 기호를 쓰세요.

⑦ 풍선   ⑥ 의자   ⑥ 수학책   ② 에어컨

(   )

Tip

02 들이가 많은 순서대로 1, 2, 3을 쓰세요.

• 모양과 크기를 비교하여 들이를 비교할 수 있습니다.
또는 각각 병에 물을 가득 채운 뒤 모양과 크기가 같은 그릇에 옮겨 담아 비교할 수 있습니다.

(   )   (   )   (   )

03 ⑦ 그릇과 ⑭ 그릇에 물을 가득 채운 후 모양과 크기가 같은 컵에 옮겨 담았습니다. □ 안에 알맞은 말이나 수를 써넣으세요.

옮겨 담은 컵의 수가 많을수록 들이가 더 많아요.

□ 그릇이 □ 그릇보다 컵 □개만큼 물이 더 들어갑니다.

04 물의 양이 얼마인지 눈금을 읽고 □ 안에 알맞은 수를 써넣으세요.

(1)

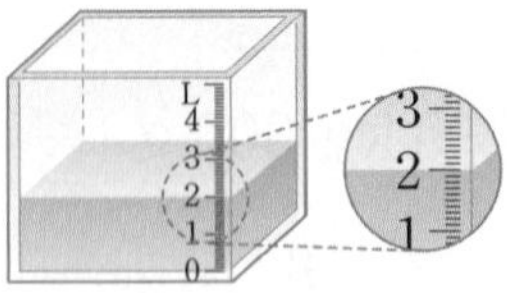

□ L

(2)
□ mL

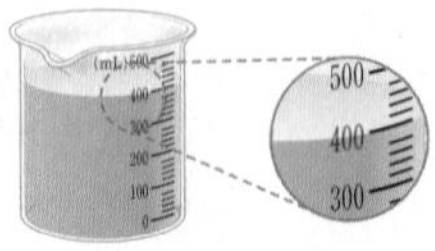

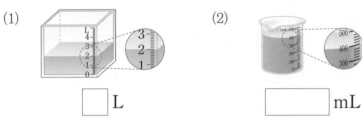

05 □ 안에 알맞은 수를 써넣으세요.

(1) 1 kg보다 400 g 더 무거운 무게 ⇨ □ kg □ g

(2) 900 kg보다 100 kg 더 무거운 무게 ⇨ □ t

06 무게가 같은 것끼리 선으로 이으세요.

1 kg 200 g	•		•	9 kg 500 g
3000 kg	•		•	1200 g
9500 g	•		•	3 t

1 kg＝1000 g,
1 t＝1000 kg을 이용해요.

07 주전자에 물을 가득 채운 후 비커에 모두 옮겨 담았습니다. 주전자의 들이는 몇 mL일까요?

(　　　　　　　　)

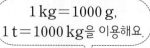

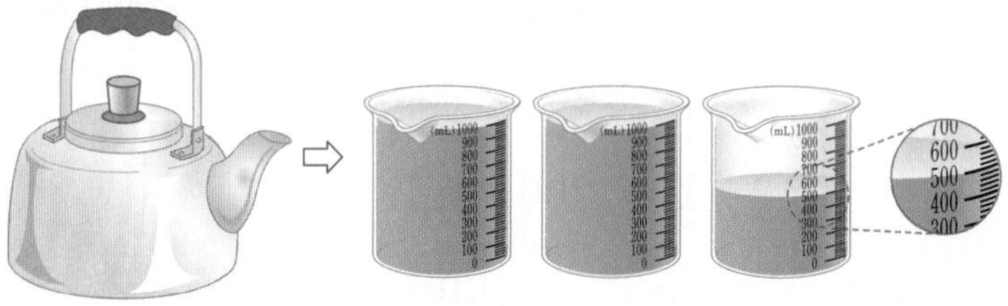

• 비커에 담긴 물의 양이 모두 몇 mL인지 알아봅니다.

08 □ 안에 L와 mL 중 알맞은 단위를 써넣으세요.

(1) 냄비의 들이는 약 3 □ 입니다.

(2) 주사기의 들이는 약 2 □ 입니다.

5

09 무게가 1 t보다 무거운 것을 모두 찾아 기호를 쓰세요.

> ㉠ 학교 의자 1개   ㉡ 버스 1대
> ㉢ 에어컨 1대   ㉣ 승용차 1대

(   )

1000 kg보다 더 무거운 무게를 생각해 봐요.

· 무게를 어림하여 나타낼 때에는 약을 붙여 말합니다.

10 보기에서 물건을 선택하여 문장을 완성해 보세요.

보기
소방차   바둑돌

(1) [   ]의 무게는 약 20 t입니다.

(2) [   ]의 무게는 약 4 g입니다.

11 들이가 1 L인 비커에 다음과 같이 물이 들어 있습니다. 비커에 있는 물을 모두 수조에 부으면 물의 양은 모두 얼마인지 구하세요.

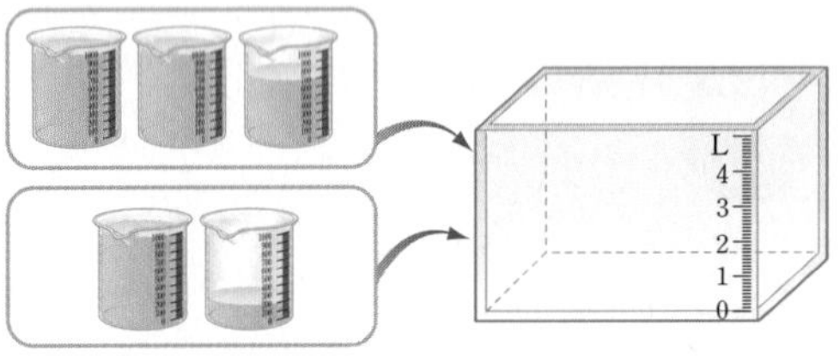

$$\begin{array}{rrr} & 2 \text{ L} & 700 \text{ mL} \\ + & 1 \text{ L} & 200 \text{ mL} \\ \hline & \boxed{} \text{ L} & \boxed{} \text{ mL} \end{array}$$

· L는 L끼리 더하고, mL는 mL끼리 더합니다.

12 들이가 3 L 500 mL인 수조에 1 L 200 mL만큼 물이 들어 있습니다. 물을 얼마나 더 부으면 수조를 가득 채울 수 있는지 구하세요.

$$\begin{array}{rrr} & 3 \text{ L} & 500 \text{ mL} \\ - & 1 \text{ L} & 200 \text{ mL} \\ \hline & \boxed{} \text{ L} & \boxed{} \text{ mL} \end{array}$$

· L는 L끼리 빼고, mL는 mL끼리 뺍니다.

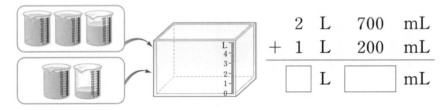

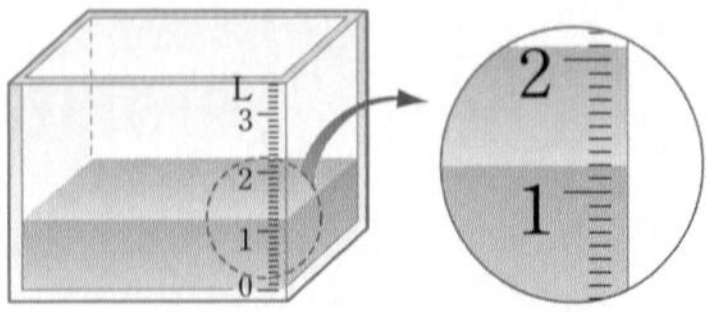

13 윤아가 장바구니를 들고 저울에 올라가면 무게가 38 kg 800 g이고, 들지 않고 저울에 올라가면 무게가 37 kg 400 g입니다. 장바구니의 무게는 얼마인지 구하세요.

$$
\begin{array}{r}
38\ \text{kg}\quad 800\ \text{g} \\
-\ 37\ \text{kg}\quad 400\ \text{g} \\
\hline
\boxed{}\ \text{kg}\quad \boxed{}\ \text{g}
\end{array}
$$

윤아

38 kg 800 g   37 kg 400 g

> **Tip**
>
> kg은 kg끼리, g은 g끼리 빼요.

14 고구마 한 상자의 무게는 3 kg 600 g이고, 콩 한 봉지의 무게는 2 kg 100 g입니다. 고구마 한 상자의 무게는 콩 한 봉지의 무게보다 몇 kg 몇 g 더 무거운지 구하세요.

(   )

• 고구마 한 상자의 무게에서 콩 한 봉지의 무게를 뺍니다.

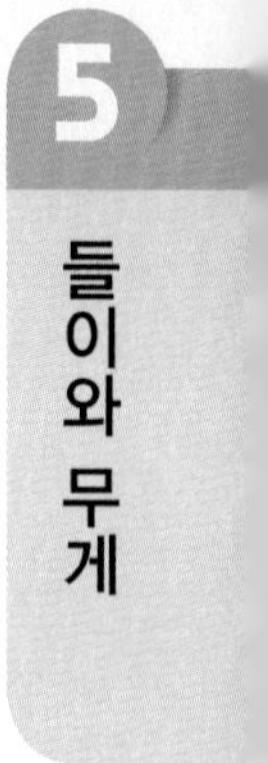

15 저울로 사과, 배, 귤의 무게를 비교하고 있습니다. 사과, 배, 귤 중에서 가장 가벼운 과일이 무엇인지 알 수 있는 방법을 쓰세요.

사과   배   배   귤

• 저울의 접시가 올라간 쪽의 무게가 더 가볍습니다.

방법 _____

_____

_____

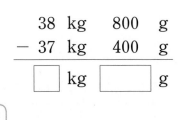

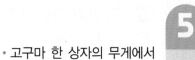

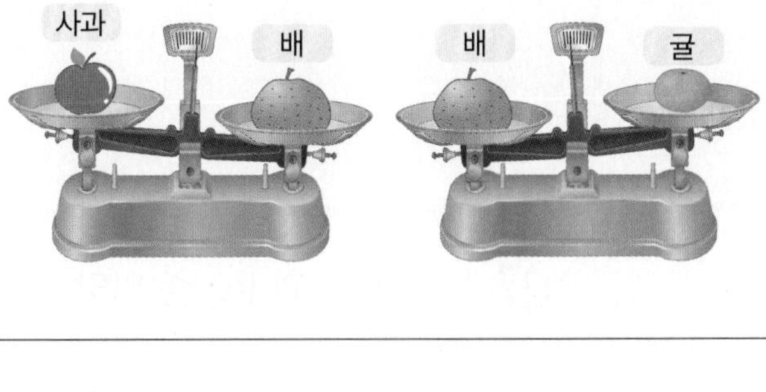

01 주어진 무게를 읽어 보세요.

10 t

(　　　　　　　　　　)

02 주스병에 물을 가득 채운 후 물병에 옮겨 담았습니다. 그림과 같이 물이 채워졌을 때 들이가 더 많은 것은 어느 것일까요?

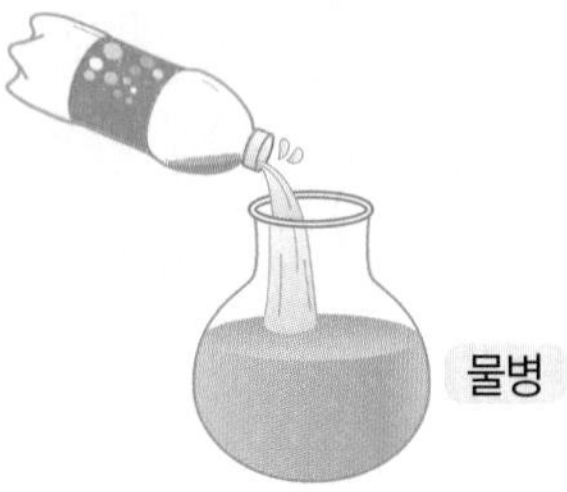

(　　　　　　　　　　)

03 물의 양은 얼마인지 눈금을 읽어 □ 안에 알맞은 수를 써넣으세요.

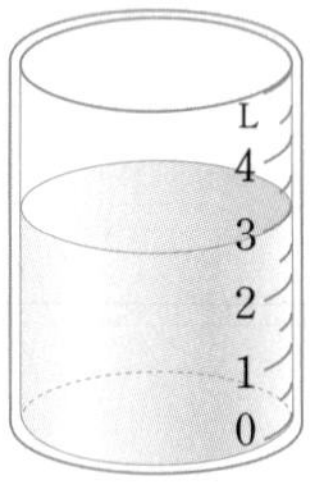

□ L

04 농구공의 무게는 몇 g일까요?

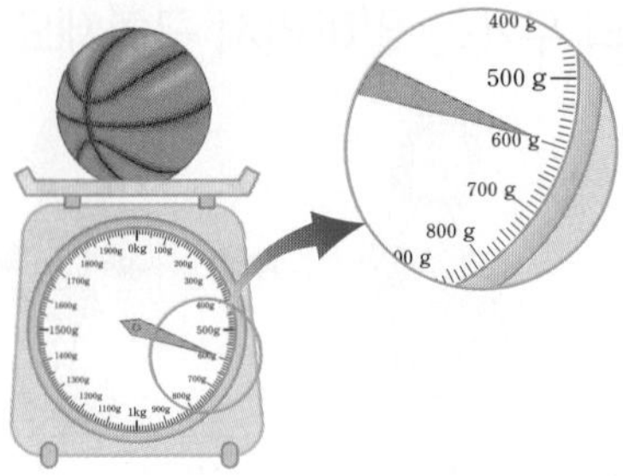

(　　　　　　　　　　)

[05~06] □ 안에 알맞은 수를 써넣으세요.

05 8350 mL＝8000 mL＋□ mL
＝□ L □ mL

06 3 kg 750 g＝3000 g＋□ g
＝□ g

07 □ 안에 g과 kg 중 알맞은 단위를 써넣으세요.

바나나 한 개의 무게는
약 100 □입니다.

08 **보기**에서 물건을 선택하여 문장을 완성해 보세요.

보기

우유갑   주사기

□ 의 들이는 약 200 mL입니다.

[09~10] □ **안에 알맞은 수를 써넣으세요.**

09
```
    5  L    450  mL
 +  2  L    300  mL
   ─────────────────
   □  L  □     mL
```

10
```
    6  L    900  mL
 −  4  L    300  mL
   ─────────────────
   □  L  □     mL
```

11 계산해 보세요.

5 kg 200 g + 1 kg 180 g

12 두 무게의 차를 구하세요.

| 18 kg 700 g | 9 kg 400 g |

( )

13 사과와 키위의 무게를 비교하려고 합니다. □ 안에 알맞은 수나 말을 써넣으세요.

└ 사과   동전 15개   └ 키위   동전 9개

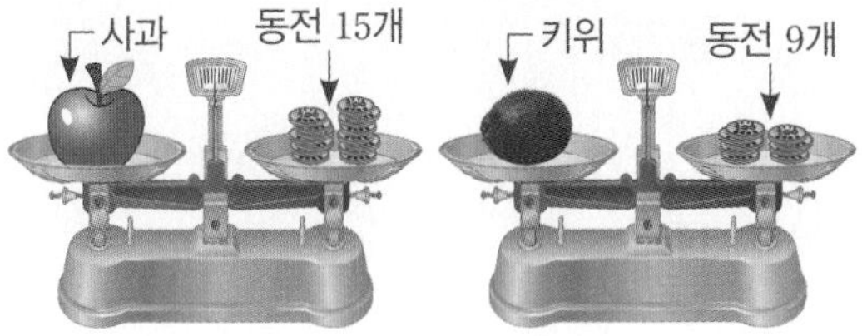

□ 가 □ 보다 동전 □ 개 만큼 더 무겁습니다.

14 같은 것끼리 선으로 이으세요.

2300 g	•	•	4 kg 20 g
4020 g	•	•	2 kg 300 g
4002 g	•	•	4 kg 2 g

15 들이를 비교하여 ○ 안에 >, =, <를 알맞게 써넣으세요.

$$5400\,mL \bigcirc 5\,L\,90\,mL$$

18 잘못된 부분을 찾아 바르게 고쳐 보세요.

> 종이컵의 들이는 약 180 L입니다.

⇨ _____

_____

16 물 2 L에 600 mL를 더 부으면 모두 몇 mL가 될까요?

( )

19 소금을 올려놓은 저울의 바늘이 2 kg 400 g을 가리키고 있습니다. 소금 500 g을 더 올려놓으면 소금의 무게는 모두 몇 g인지 구하세요.

( )

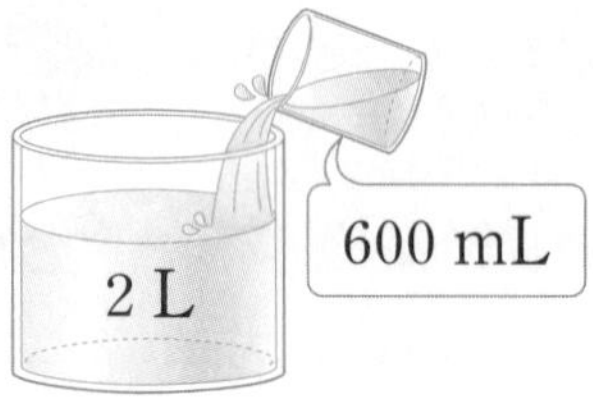

17 무게가 가장 무거운 것을 찾아 기호를 쓰세요.

> ㉠ 3 kg 200 g   ㉡ 3030 g
> ㉢ 3009 g   ㉣ 3 kg

( )

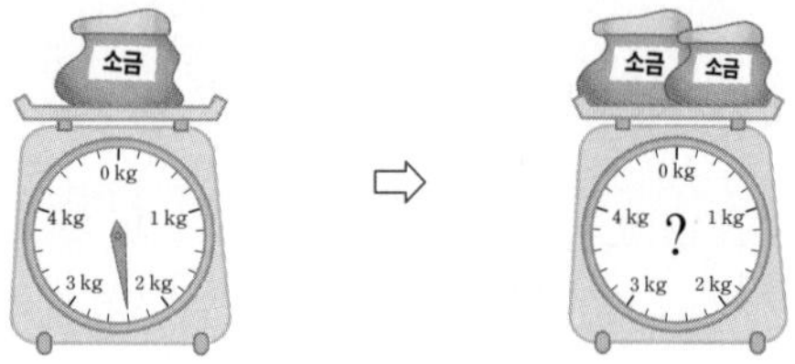

20 영은이네 가족은 우유를 어제는 2 L 500 mL 마셨고, 오늘은 어제보다 200 mL 더 적게 마셨습니다. 영은이네 가족이 어제와 오늘 마신 우유는 모두 몇 mL인지 구하세요.

( )

• 스피드 정답표 12쪽, 정답 43쪽

스스로 학습장

스스로 학습장은 이 단원에서 배운 것을 확인하는 코너입니다.
몰랐던 것은 꼭 다시 공부해서 내 것으로 만들어 보아요.

설명을 읽고 맞으면 ○표, 틀리면 ×표 하세요.

1 200 mL는 200 리터라고 읽습니다. .... ☐

2 5 kg은 5 킬로그램이라고 읽습니다. .... ☐

3 1 L는 1000 mL입니다. .... ☐

4 1 t은 100 kg입니다. .... ☐

5 900 g보다 10 g 더 무거운 무게는 1 kg입니다. .... ☐

6 4700 mL는 4 L 70 mL와 같습니다. .... ☐

7 어림한 무게를 말할 때에는 무게 앞에 '약'을 붙여 말합니다. .... ☐

8 2 L 200 mL와 5 L 400 mL의 합은 8 L 600 mL입니다. .... ☐

9 9 kg 800 g와 4 kg 700 g의 차는 5 kg 100 g입니다. .... ☐

맞은 개수 8~9개

야호!
당신은 수학왕!

맞은 개수 6~7개

좀 더 노력하면
수학왕이 될 수 있어요.

맞은 개수 0~5개

이런! 수학 실력을
더 쌓아야겠어요.

6 자료의 정리

QR 코드를 찍으면 6단원 개념 동영상 강의를 볼 수 있어요.

이번에 배울 내용

- 표를 보고 내용 알아보기
- 자료를 수집하여 표로 나타내기
- 그림그래프 알아보기
- 그림그래프로 나타내기

공원에 핀 장미꽃

색깔	빨간색	노란색	분홍색	하얀색	합계
장미꽃 수 (송이)	12	10	8	4	34

준비 학습

1 서진이네 모둠 학생들이 배우고 싶은 악기를 조사하였습니다. 자료를 보고 표로 나타내어 보세요.

배우고 싶은 악기

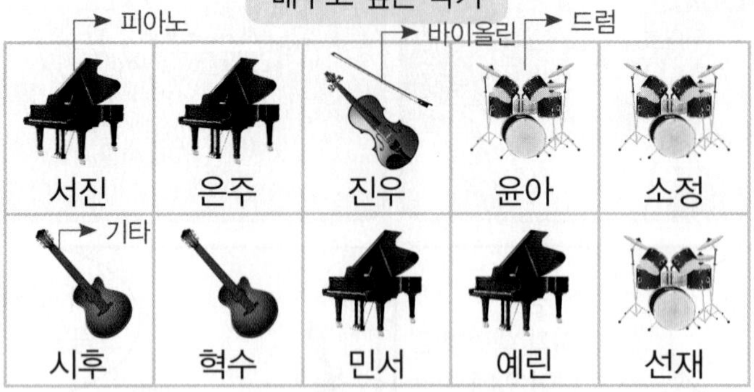

배우고 싶은 악기

악기	피아노	바이올린	드럼	기타	합계
학생 수(명)					

2 나은이네 모둠 학생들이 좋아하는 간식을 조사하여 나타낸 표입니다. 표를 보고 ○를 이용하여 그래프로 나타내어 보세요.

학생들이 좋아하는 간식

간식	김밥	떡볶이	빵	과자	합계
학생 수(명)	2	4	1	3	10

학생들이 좋아하는 간식

4				
3				
2				
1				
학생 수(명) / 간식	김밥	떡볶이	빵	과자

개념 체크 **1** ◀ 2학년 2학기 5단원

자료를 보고 표로 나타내기

- 자료를 보고 기준을 정하여 분류하고 수를 세어 표로 나타냅니다.

학생들이 좋아하는 과일

사과	포도	배
배	사과	사과
포도	사과	배

학생들이 좋아하는 과일

과일	사과	포도	배	합계
학생 수(명)	4	2	3	9

개념 체크 **2** ◀ 2학년 2학기 5단원

자료를 보고 그래프로 나타내기

- 그래프로 나타내는 순서

① 그래프의 가로와 세로에 어떤 것을 나타낼지 정합니다.

② 가로와 세로를 각각 몇 칸으로 할지 정합니다.

③ 표를 보고 그래프에 ○, ×, / 중 하나를 이용하여 나타냅니다.

④ 그래프의 제목을 씁니다.

[3~4] 은서네 모둠 학생들이 좋아하는 곤충을 조사하였습니다. 물음에 답하세요.

학생들이 좋아하는 곤충

은서 → 나비   영은 → 잠자리   성우 → 무당벌레   예지   민석 → 사슴벌레

미진   지혁   하진   용우   현아

3 자료를 보고 표로 나타내고, 표를 보고 ○를 이용하여 그래프로 나타내어 보세요.

학생들이 좋아하는 곤충

곤충	나비	잠자리	무당벌레	사슴벌레	합계
학생 수(명)					

학생들이 좋아하는 곤충

학생 수 (명) \ 곤충	나비	잠자리	무당벌레	사슴벌레
4				
3				
2				
1				

4 표와 그래프 중 조사한 전체 학생 수를 한눈에 알아보기 편리한 것은 무엇일까요?

(   )

개념 체크 **3** ◀ 2학년 2학기 5단원

자료를 보고 표와 그래프로 나타내기

① 조사한 자료를 기준을 정해 분류합니다.

② 분류한 것을 세어 표로 나타낸 후, 항목별 수를 모두 더해 합계에 씁니다.

③ 표를 보고 항목별 수를 ○, ×, / 중한 가지를 선택하여 그래프로 나타냅니다.

개념 체크 **4** ◀ 2학년 2학기 5단원

표와 그래프의 편리한 점 알아보기

• 표의 편리한 점
  조사한 자료의 항목별 수와 조사한 자료의 전체 수를 쉽게 알 수 있습니다.

• 그래프의 편리한 점
  조사한 내용을 한눈에 알 수 있습니다.

6

푸하하~ 자, 이제 진짜로 시작해볼까?

자, 이렇게 ·······.

오~

또 뭐지?

아저씨, 어디 가세요?

노란색 장미꽃이 분홍색 장미꽃보다 몇 송이 더 많이 피었는지 세어 보려고~.

여기서 보면 잘 모르겠거든~.

아! 그건 표를 보면 알 수 있어요.

노란색 장미꽃이 10송이, 분홍색 장미꽃이 8송이 이므로 노란색 장미꽃이 2송이 더 많이 피었어요.

공원에 핀 장미꽃

색깔	빨간색	노란색	분홍색	하얀색	합계
장미꽃 수 (송이)	12	10	8	4	34

⇨ 노란색 장미꽃이 10송이, 분홍색 장미꽃이 8송이이므로 노란색 장미꽃이 $10-8=2$(송이) 더 많이 피었습니다.

오~ 표에서 그런 것도 알 수 있구나~.

이제 그림 그리실 거죠?

응~. 그런데 그 전에 ·······.

지금 햇빛이 좀 뜨겁지 않니?

개념 클릭

• 표를 보고 내용 알아보기

공원에 핀 장미꽃

색깔	빨간색	노란색	분홍색	하얀색	합계
장미꽃 수(송이)	12	10	8	4	34

장미꽃은 모두 34송이 피었어요.

• 빨간색 장미꽃은 12송이가 피었습니다.

• 가장 많이 핀 장미꽃은 [❶   ] 장미꽃입니다.

• 노란색 장미꽃은 분홍색 장미꽃보다 [❷] 송이 더 많이 피었습니다.

➡ 정답　❶ 빨간색　❷ 2

[1~4] 소희네 반 학생들이 좋아하는 음식을 조사하여 표로 나타내었습니다. 물음에 답하세요.

학생들이 좋아하는 음식

음식	김밥	짜장면	피자	햄버거	라면	합계
학생 수(명)	4	6	5	3	2	20

1 소희네 반 학생은 모두 몇 명일까요?

(　　　　　　　　)

소희네 반 전체 학생 수는 표에서 합계를 보면 돼요.

2 햄버거를 좋아하는 학생은 몇 명일까요?

(　　　　　　　　)

3 가장 많은 학생들이 좋아하는 음식은 무엇일까요?

(　　　　　　　　)

4 짜장면을 좋아하는 학생은 라면을 좋아하는 학생보다 몇 명 더 많을까요?

(　　　　　　　　)

6

1 단계 교과서 개념

자료를 수집하여 어떻게 표로 나타내나요?

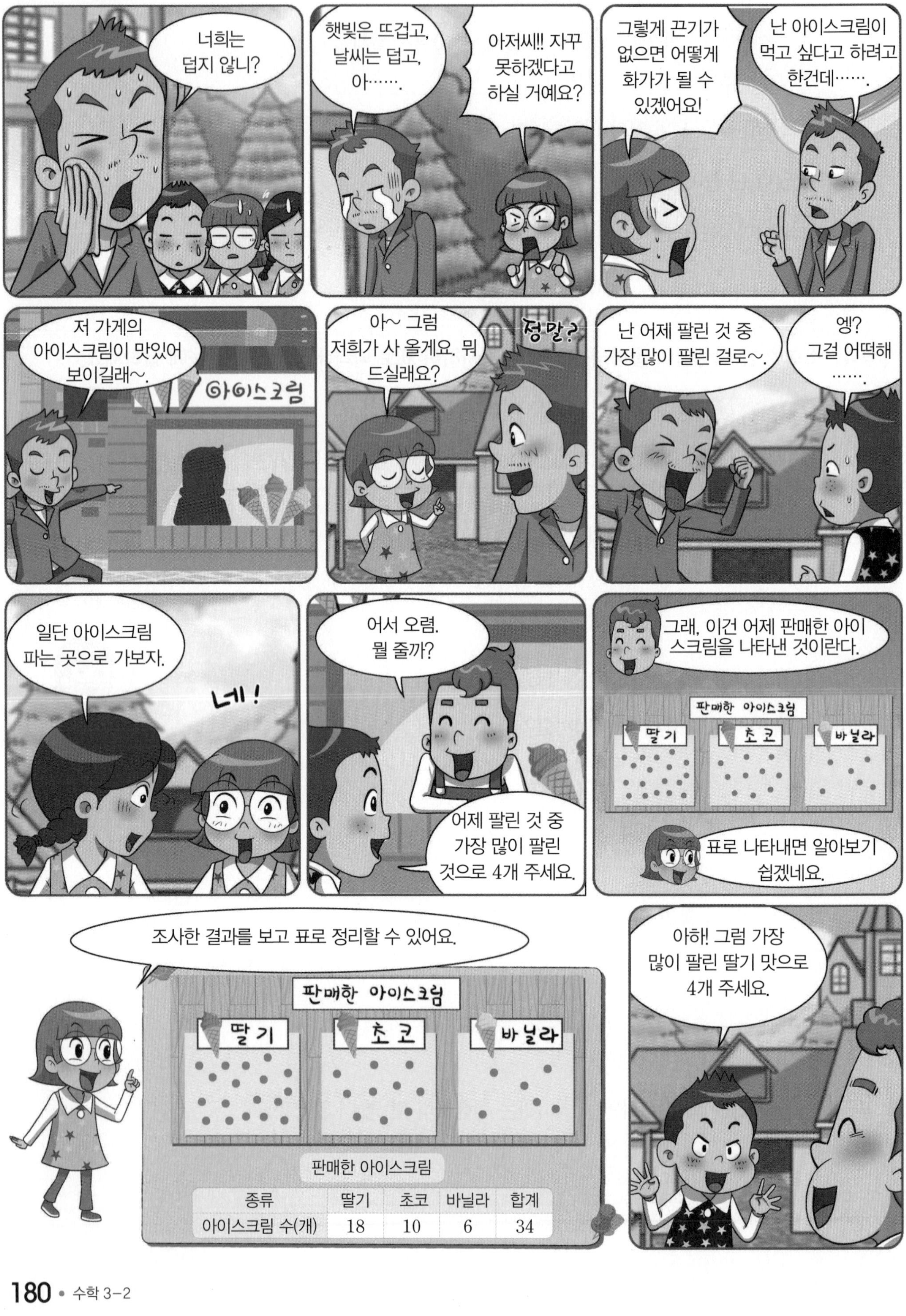

너희는 덥지 않니?
햇빛은 뜨겁고, 날씨는 덥고, 아……
아저씨!! 자꾸 못하겠다고 하실 거예요?
그렇게 끈기가 없으면 어떻게 화가가 될 수 있겠어요!
난 아이스크림이 먹고 싶다고 하려고 한건데……
저 가게의 아이스크림이 맛있어 보이길래~.
아이스크림
아~ 그럼 저희가 사 올게요. 뭐 드실래요?
정말?
난 어제 팔린 것 중 가장 많이 팔린 걸로~.
엥? 그걸 어떡해 ……
일단 아이스크림 파는 곳으로 가보자.
네!
어서 오렴. 뭘 줄까?
어제 팔린 것 중 가장 많이 팔린 것으로 4개 주세요.
그래, 이건 어제 판매한 아이스크림을 나타낸 것이란다.
판매한 아이스크림
딸기
초코
바닐라
표로 나타내면 알아보기 쉽겠네요.
조사한 결과를 보고 표로 정리할 수 있어요.
판매한 아이스크림
딸기
초코
바닐라
아하! 그럼 가장 많이 팔린 딸기 맛으로 4개 주세요.

판매한 아이스크림

종류	딸기	초코	바닐라	합계
아이스크림 수(개)	18	10	6	34

개념 클릭

- **자료를 수집하여 표로 나타내기**

판매한 아이스크림

딸기   초코   바닐라

→ 붙임딱지 1개는
판매한 아이스크림
1개를 나타냅니다.

조사한 붙임
딱지의 수를 세어 표로
나타내어 보세요.

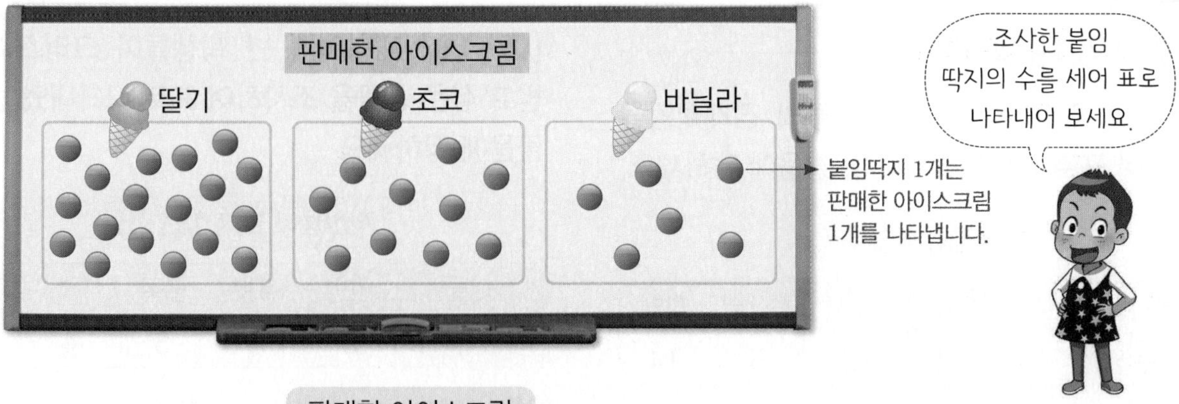

판매한 아이스크림

종류	딸기	초코	바닐라	합계
아이스크림 수(개)	18	10	❶	34

○ 정답 ❶ 6

[1~4] 재혁이네 반 학생들이 좋아하는 과일을 조사하였습니다. 물음에 답하세요.

좋아하는 과일

사과   포도   바나나   딸기

1개는 1명을
나타냅니다.

학생들이 좋아하는
과일을 붙임딱지를
붙여 조사했어요.

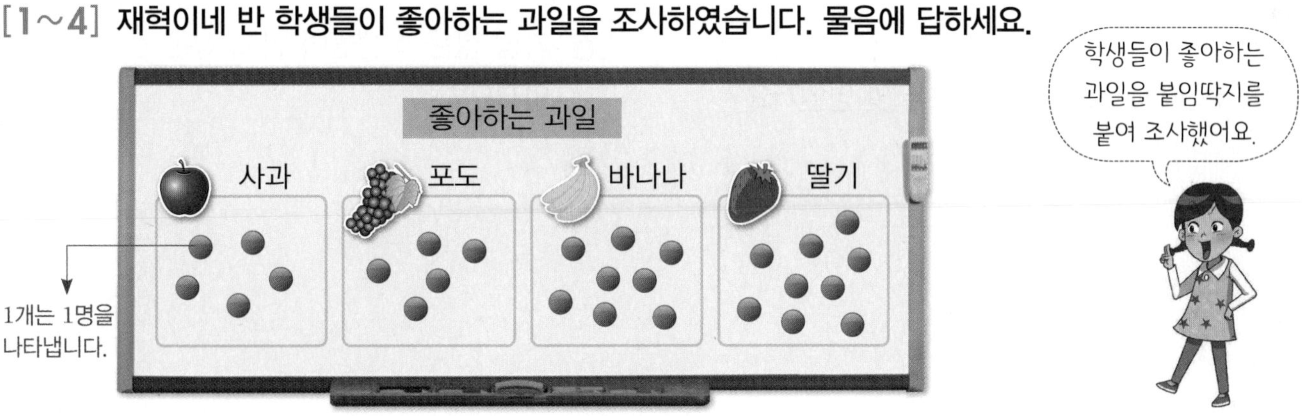

1 조사한 것은 무엇일까요?

(   )

2 조사한 과일의 종류를 모두 쓰세요.

(   )

3 사과를 좋아하는 학생은 몇 명일까요?

(   )

4 조사한 자료를 보고 표로 나타내어 보세요.

학생들이 좋아하는 과일

과일	사과	포도	바나나	딸기	합계
학생 수(명)					

6

자
료
의
정

2단계 개념 집중 연습

표를 보고 내용 알아보기

[01~04] **호진이네 모둠 학생들의 장래희망을 조사하여 표로 나타내었습니다. 물음에 답하세요.**

학생들의 장래희망

장래희망	연예인	요리사	의사	선생님	합계
학생 수(명)	3	4	2	5	14

01 장래희망이 요리사인 학생은 몇 명일까요?

( )

02 호진이네 모둠 학생은 모두 몇 명일까요?

( )

03 가장 적은 학생들의 장래희망은 무엇일까요?

( )

04 가장 많은 학생들의 장래희망은 무엇일까요?

( )

[05~08] **재형이네 반 학생들이 크리스마스에 받고 싶은 선물을 조사하여 표로 나타내었습니다. 물음에 답하세요.**

학생들이 받고 싶은 선물

선물	인형	로봇	블록	책	합계
학생 수(명)	3	8	5	4	20

05 재형이네 반 학생은 모두 몇 명일까요?

( )

06 가장 많은 학생들이 받고 싶은 선물은 무엇일까요?

( )

07 받고 싶은 선물의 학생이 많은 선물부터 순서대로 쓰세요.

( )

08 블록을 받고 싶은 학생은 책을 받고 싶은 학생보다 몇 명 더 많을까요?

( )

자료를 수집하여 표로 나타내기

09 혜진이네 학교에 있는 공을 조사하였습니다. 자료를 보고 표로 나타내어 보세요.

학교에 있는 공

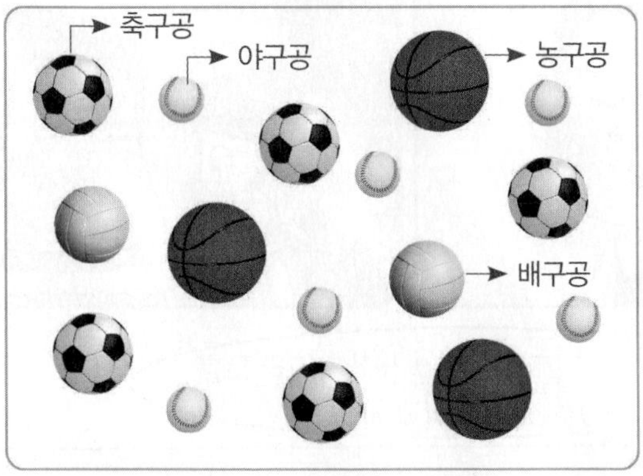

학교에 있는 공

종류	축구공	농구공	야구공	배구공	합계
개수(개)					

10 동규네 반 학생들의 혈액형을 조사하였습니다. 자료를 보고 표로 나타내어 보세요.

학생들의 혈액형

B형	A형	B형	AB형	B형
A형	A형	AB형	A형	O형
O형	AB형	B형	AB형	B형
B형	A형	O형	B형	AB형

학생들의 혈액형

혈액형	A형	B형	AB형	O형	합계
학생 수(명)					

11 정호네 반 학생들이 좋아하는 색깔을 붙임딱지를 붙여 조사하였습니다. 자료를 보고 표로 나타내어 보세요.

학생들이 좋아하는 색깔

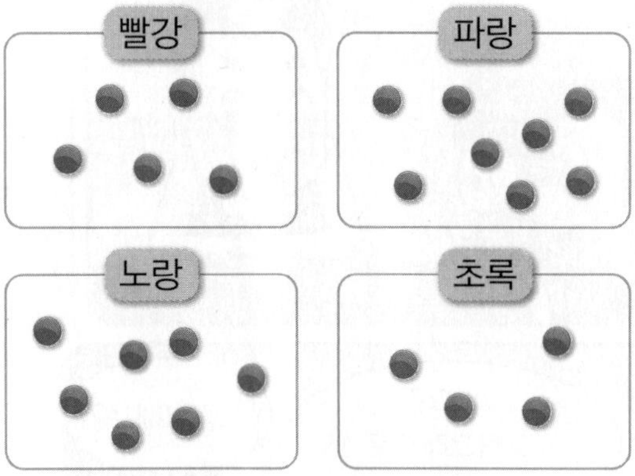

학생들이 좋아하는 색깔

색깔	빨강	파랑	노랑	초록	합계
학생 수(명)					

12 소희네 반 학생들이 좋아하는 간식을 붙임딱지를 붙여 조사하였습니다. 자료를 보고 표로 나타내어 보세요.

학생들이 좋아하는 간식

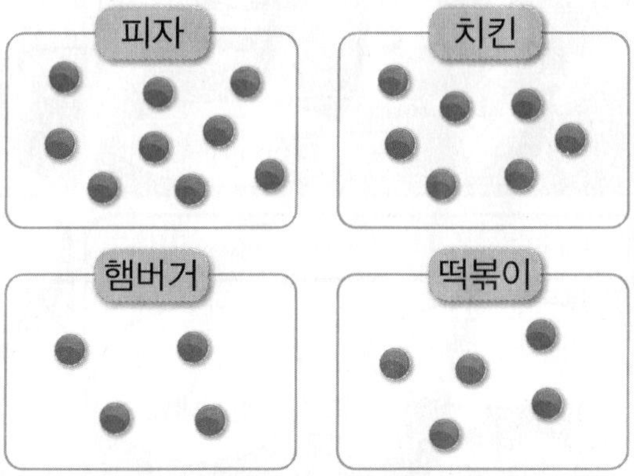

학생들이 좋아하는 간식

간식	피자	치킨	햄버거	떡볶이	합계
학생 수(명)					

1 단계 교과서 개념

그림그래프는 무엇인가요?

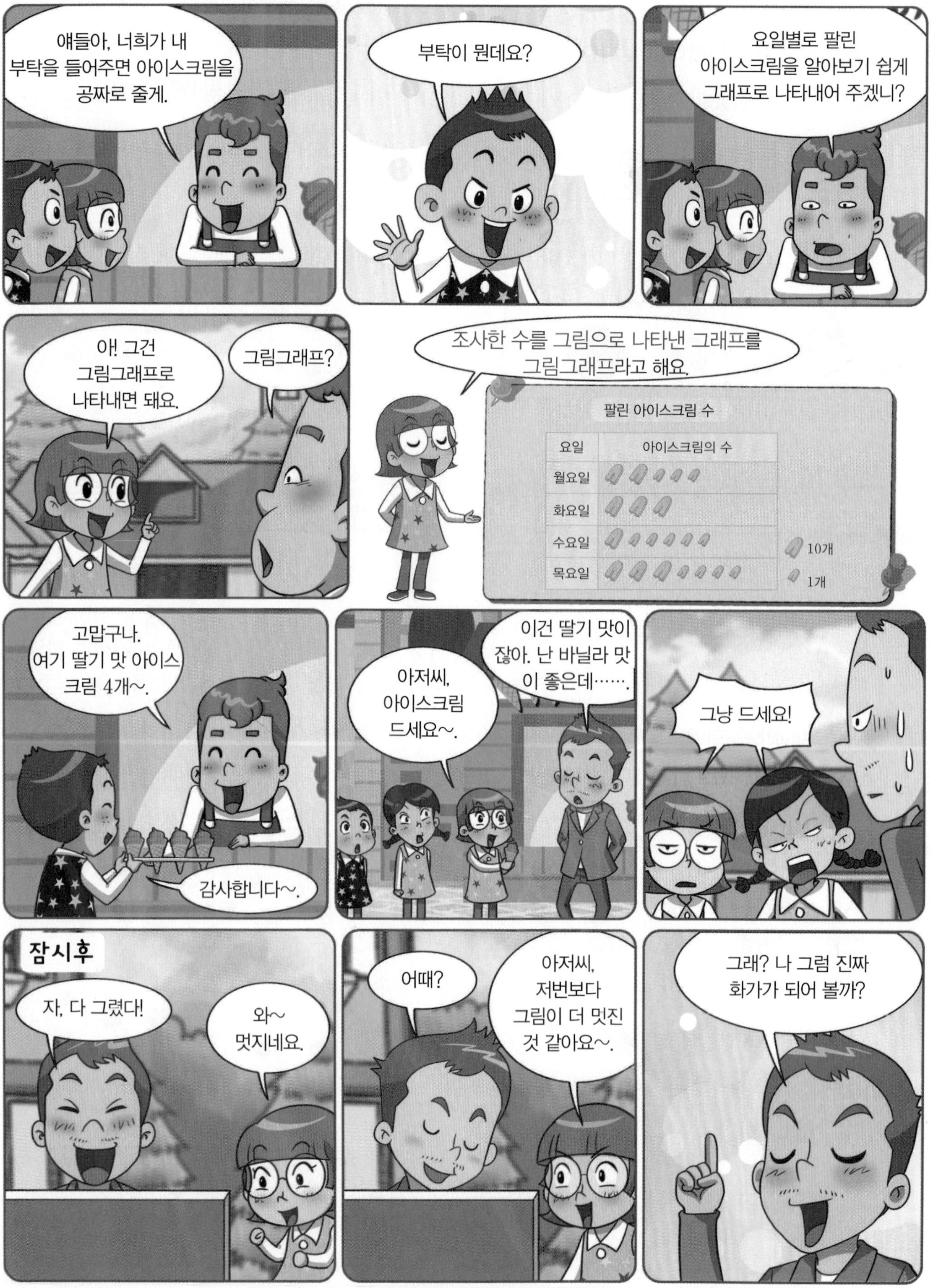

얘들아, 너희가 내 부탁을 들어주면 아이스크림을 공짜로 줄게.
부탁이 뭔데요?
요일별로 팔린 아이스크림을 알아보기 쉽게 그래프로 나타내어 주겠니?
아! 그건 그림그래프로 나타내면 돼요.
그림그래프?
조사한 수를 그림으로 나타낸 그래프를 그림그래프라고 해요.
팔린 아이스크림 수
요일
아이스크림의 수
월요일
화요일
수요일
목요일
10개
1개
고맙구나. 여기 딸기 맛 아이스크림 4개~.
감사합니다~.
아저씨, 아이스크림 드세요~.
이건 딸기 맛이잖아. 난 바닐라 맛이 좋은데…….
그냥 드세요!
잠시후
자, 다 그렸다!
와~ 멋지네요.
어때?
아저씨, 저번보다 그림이 더 멋진 것 같아요~.
그래? 나 그림 진짜 화가가 되어 볼까?

개념 클릭

● **그림그래프 알아보기**

• 그림그래프: 알려고 하는 수(조사한 수)를 그림으로 나타낸 그래프

그림그래프는 요일별 팔린 아이스크림 수를 쉽게 비교할 수 있어요.

팔린 아이스크림 수

요일	아이스크림의 수
월요일	🍦🍦🍦🍦🍦
화요일	🍦🍦🍦
수요일	🍦🍦🍦🍦
목요일	🍦🍦🍦🍦🍦🍦

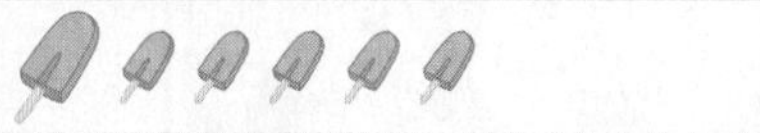

🍦 10개
🍦 1개

• 그림 🍦 은 10개, 🍦 은 ❶☐ 개를 나타냅니다.

• 월요일에 팔린 아이스크림은 23개입니다.

◐ 정답 ❶ 1

[1~3] 유리네 마을 목장에서 기르고 있는 소의 수를 그림그래프로 나타내었습니다. 물음에 답하세요.

목장에서 기르고 있는 소의 수

목장	소의 수
푸른	🐄🐄🐄🐄🐄🐄🐄
상상	🐄🐄🐄🐄🐄🐄
바른	🐄🐄🐄🐄🐄🐄
소통	🐄🐄🐄🐄🐄🐄

🐄 10마리
🐄 1마리

10마리 그림이 많을수록 기르고 있는 소의 수가 많아요.

1 그림 과 🐄은 각각 소 몇 마리를 나타낼까요?

🐄 (   ), 🐄 (   )

2 상상 목장에서 기르고 있는 소는 몇 마리일까요?

(   )

3 가장 많은 소를 기르고 있는 목장은 어디일까요?

(   )

1 단계 교과서 개념

그림그래프로 나타낼 수 있나요?

아저씨, 정말 화가가 되실 거예요?
응~ 그래 볼까해~.
아저씨는 정말 훌륭한 화가가 되실 거예요.
뭘~ 다, 너희 덕분이니 내가 그림을 그려줄게.
그렇다면 저 이것 좀 그려 주시면 안 될까요?
응? 이게 뭐니?
속닥 속닥
그래, 이 표를 보고 그림 그래프를 그려 달라는 거지?
가장 기억에 남는 학교 행사
학교행사 | 운동회 | 학예회 | 독서왕 | 합계
학생 수(명) | 43 | 35 | 18 | 96
10명을 ◎로, 1명을 ○로 하여 학생 수에 맞게 그림그래프를 그리면 돼.
가장 기억에 남는 학교 행사
학교 행사 | 학생 수
운동회 | ◎◎◎◎○○○
학예회 | ◎◎◎○○○○○
독서왕 | ◎○○○○○○○○
◎10 명
○1 명
자, 완성이다!
와~ 아저씨, 감사합니다.
이제 정말 헤어질 시간이네요.
잘 가거라!
크
흡
아저씨, 꼭 훌륭한 화가가 되세요.
저희들이 항상 응원한다는 걸 잊지 마세요!
안녕!!

개념 클릭

• **그림그래프로 나타내기**

가장 기억에 남는 학교 행사

학교 행사	운동회	학예회	독서왕	합계
학생 수(명)	43	35	18	❶

① 그림을 몇 가지로 나타낼 것인지 정합니다.
⇨ 2가지(10명, 1명)

② 어떤 그림으로 나타낼 것인지 정합니다. ⇨ ◎, ○

③ 조사한 수에 맞도록 그림을 그립니다.

④ 그림그래프에 알맞은 제목을 붙입니다.

가장 기억에 남는 학교 행사

학교 행사	학생 수
운동회	◎◎◎◎○○○
학예회	◎◎◎○○○○○
독서왕	◎○○○○○○○○

◎10 명
○ 1 명

운동회는 모두 43명이므로
◎를 4개, ○를
❷ 개 그려요.

정답 ❶ 96 ❷ 3

[1～2] 표를 보고 그림그래프를 완성해 보세요.

1

학생들이 좋아하는 과목

과목	국어	수학	과학	사회	합계
학생 수(명)	35	54	28	27	144

학생들이 좋아하는 과목

과목	학생 수
국어	◎◎◎○○○○○
수학	
과학	
사회	

◎10명
○ 1명

2

농장별 귤 생산량

농장	가	나	다	라	합계
생산량(상자)	34	15	23	41	113

농장별 귤 생산량

농장	귤 생산량
가	□□□△△△△
나	
다	
라	

□10상자
△ 1상자

2단계 개념 집중 연습

그림그래프 알아보기

[01~04] **반별로 화단에 심은 꽃의 수를 조사하여 나타낸 그림그래프입니다. 물음에 답하세요.**

심은 꽃의 수

01 그림 은 꽃 몇 송이를 나타낼까요?

( )

02 그림 은 꽃 몇 송이를 나타낼까요?

( )

03 3반은 꽃을 몇 송이 심었을까요?

( )

04 꽃을 가장 적게 심은 반은 몇 반일까요?

( )

[05~08] **어느 지역의 마을별 사과 생산량을 조사하여 나타낸 그림그래프입니다. 물음에 답하세요.**

마을별 사과 생산량

05 그림 은 사과 몇 상자를 나타낼까요?

( )

06 그림 은 사과 몇 상자를 나타낼까요?

( )

07 초원 마을의 사과 생산량은 몇 상자일까요?

( )

08 사과를 가장 많이 생산한 마을은 어느 마을일까요?

( )

그림그래프로 나타내기

[09~11] 지성이와 친구들이 한 달 동안 읽은 책의 수를 조사하여 나타낸 표입니다. 물음에 답하세요.

읽은 책의 수

이름	지성	기현	현수	재호	합계
책의 수(권)	40	36	43	52	171

09 표를 보고 그림그래프를 그릴 때 그림의 단위로 알맞은 것을 2가지 찾아 ○표 하세요.

(100권 , 10권 , 1권)

10 표를 보고 그림그래프를 완성해 보세요.

읽은 책의 수

이름	책의 수
지성	□□□□
기현	
현수	
재호	

□10권　　□1권

11 책을 가장 많이 읽은 친구의 이름을 쓰세요.

(　　　　　)

[12~13] 표를 보고 그림그래프를 완성해 보세요.

12

마을별 학생 수

마을	달빛	은빛	별빛	햇빛	합계
학생 수(명)	27	36	17	30	110

마을별 학생 수

마을	학생 수
달빛	◎◎○○○○○○○
은빛	
별빛	
햇빛	

◎ 10명　　○1명

13

가게별 음료수 판매량

가게	보람	친절	발랄	소중	합계
판매량(개)	44	50	37	28	159

가게별 음료수 판매량

가게	판매량
보람	△△△△△△△
친절	
발랄	
소중	

△10개　　△1개

6

단계 **익힘책** 익히기

[01~02] 건하네 반 학생들이 좋아하는 민속놀이를 조사하여 표로 나타 내었습니다. 물음에 답하세요.

학생들이 좋아하는 민속놀이

민속놀이	연날리기	제기차기	팽이치기	윷놀이	합계
학생 수(명)		5	9	10	30

01 연날리기를 좋아하는 학생은 몇 명일까요?

( )

연날리기를 좋아하는 학생 수는 합계에서 제기차기, 팽이치기, 윷놀이를 좋아하는 학생 수를 빼요.

02 윷놀이를 좋아하는 학생은 제기차기를 좋아하는 학생보다 몇 명 더 많을까요?

( )

[03~04] 영준이는 교실에 있는 색종이를 색깔별로 몇 장 있는지 조사 하여 표로 나타내었습니다. 물음에 답하세요.

영준이네 교실에는 색종이가 모두 100장 있어요.

색깔별 색종이 수

색깔	빨간색	파란색	노란색	초록색	합계
색종이 수(장)		24	31	26	100

03 빨간색 색종이는 몇 장 있을까요?

( )

04 색종이가 많이 있는 색깔부터 순서대로 쓰세요.

( )

[05~06] 종건이네 반 학생들이 좋아하는 간식을 조사하였습니다. 물음에 답하세요.

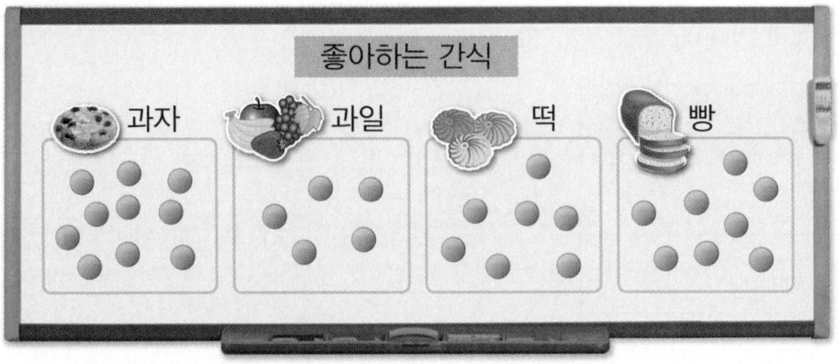

좋아하는 간식

과자   과일   떡   빵

05 조사한 것은 무엇일까요?

(   )

06 조사한 자료를 보고 표로 나타내어 보세요.

학생들이 좋아하는 간식

간식	과자	과일	떡	빵	합계
학생 수(명)					

붙임딱지 한 개는 1명을 나타내요.

[07~08] 도영이네 반 학생들이 도서관에서 빌려 간 책의 수를 그림그래프로 나타내었습니다. 물음에 답하세요.

도서관에서 빌려 간 책의 수

월	책의 수
9월	
10월	
11월	

10권
1권

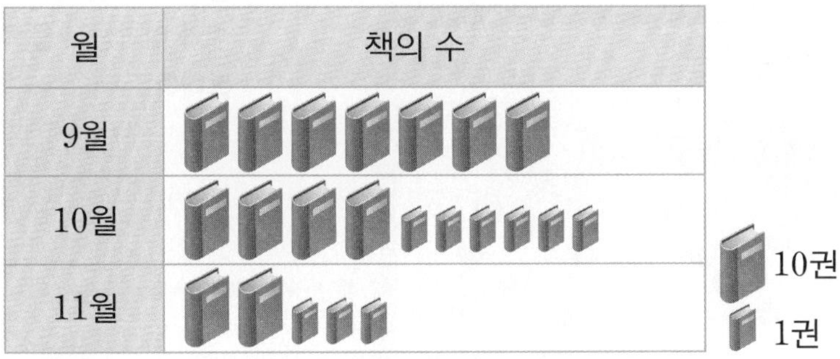

07 그림 📕 과 📗 은 각각 몇 권을 나타낼까요?

📕 (   ), 📗 (   )

08 9월, 10월, 11월에 빌려 간 책의 수를 각각 쓰세요.

9월 (   ), 10월 (   ), 11월 (   )

• 10권 그림과 1권 그림이 각각 몇 개인지 세어 빌려 간 책의 수를 알아봅니다.

[09~10] 꽃가게에서 하루 동안 팔린 꽃의 수를 그림그래프로 나타내었습니다. 물음에 답하세요.

하루 동안 팔린 꽃의 수

종류	꽃의 수
장미	🌻🌻🌼🌼🌼🌼
국화	🌻🌼🌼🌼🌼🌼
수국	🌻🌻🌻🌼
카네이션	🌻🌻🌻🌻

🌻 10송이
🌼 1송이

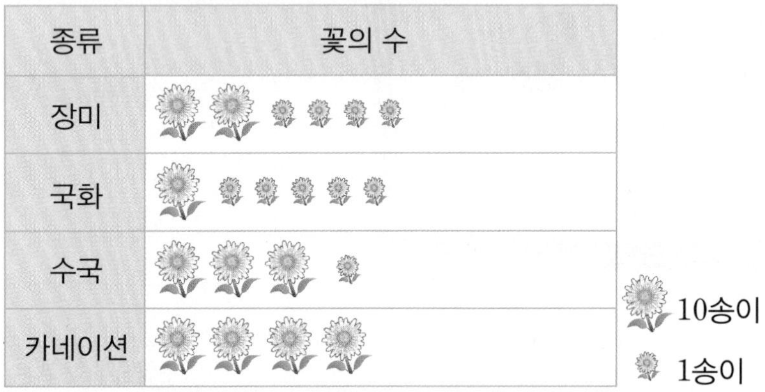

09 가장 적게 팔린 꽃은 무엇이고, 몇 송이일까요?

(   ), (   )

그림그래프의 길이가 짧다고 팔린 꽃이 가장 적은 것은 아니에요.

10 장미와 카네이션 중에서 더 많이 팔린 꽃은 무엇일까요?

(   )

11 서윤이는 반 학생들이 좋아하는 운동을 조사하였습니다. 자료를 보고 표를 완성해 보세요.

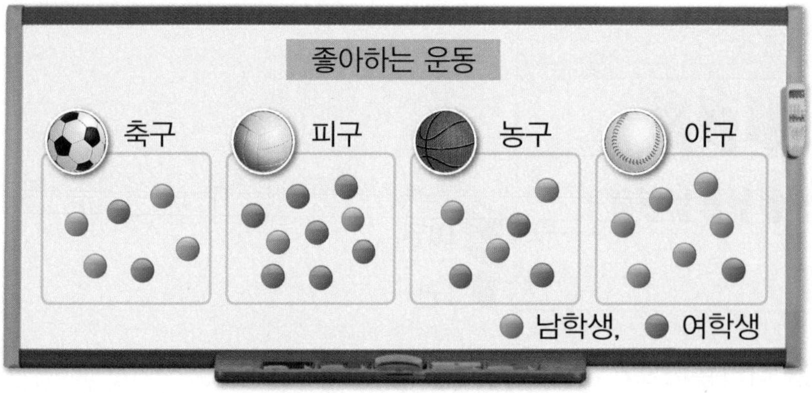

· ●는 남학생을 나타내고, ●는 여학생을 나타내므로 좋아하는 운동별로 남학생 수와 여학생 수를 각각 세어 봅니다.

학생들이 좋아하는 운동

운동	축구	피구	농구	야구	합계
남학생 수(명)					
여학생 수(명)					

[12~14] 승희네 마을의 목장에서 일주일 동안 생산한 우유의 양을 조사하여 표로 나타내었습니다. 물음에 답하세요.

목장별 우유 생산량

목장	가	나	다	라	합계
생산량(kg)	52	41	27	33	153

12 표를 보고 그림그래프를 그릴 때 그림을 몇 가지로 나타내는 것이 좋을지 써 보세요.

_____

_____

_____

13 표를 보고 그림그래프를 완성해 보세요.

목장별 우유 생산량

목장	우유 생산량
가	◎ ◎ ◎ ◎ ◎ ○ ○
나	
다	
라	

◎ 10 kg
○ 1 kg

14 우유 생산량이 많은 목장부터 순서대로 쓰세요.

(   )

Tip

조사한 수에 맞도록 목장별로 그림을 그려요.

6

자료의 정리

· 그림 ◎이 많을수록 우유 생산량이 많습니다.

⇨ ◎의 수를 먼저 비교하고, ○의 수를 비교합니다.

단원 평가

[01~05] 주희네 모둠 학생들이 좋아하는 운동을 조사하였습니다. 물음에 답하세요.

학생들이 좋아하는 운동

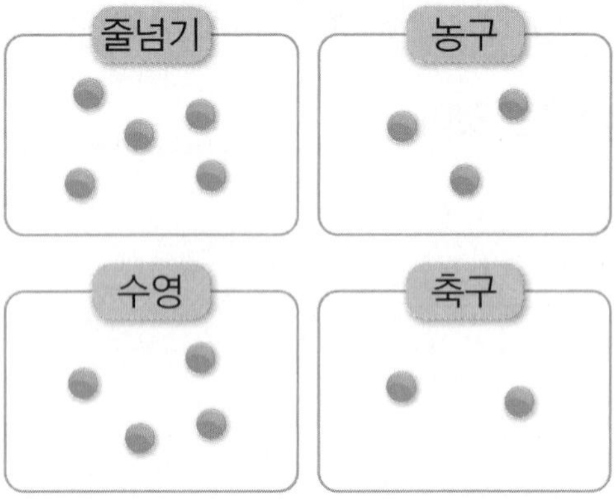

01 줄넘기를 좋아하는 학생은 몇 명일까요?

(　　　　　　　　)

02 조사한 자료를 보고 표로 나타내어 보세요.

학생들이 좋아하는 운동

운동	줄넘기	농구	수영	축구	합계
학생 수(명)					

03 농구를 좋아하는 학생은 몇 명일까요?

(　　　　　　　　)

04 주희네 모둠 학생은 모두 몇 명일까요?

(　　　　　　　　)

05 가장 많은 학생들이 좋아하는 운동은 무엇일까요?

(　　　　　　　　)

[06~08] 재혁이네 학교 3학년 학생들이 이웃 돕기를 위해 가져온 물건을 조사하여 그림그래프로 나타내었습니다. 물음에 답하세요.

학생들이 가져온 물건

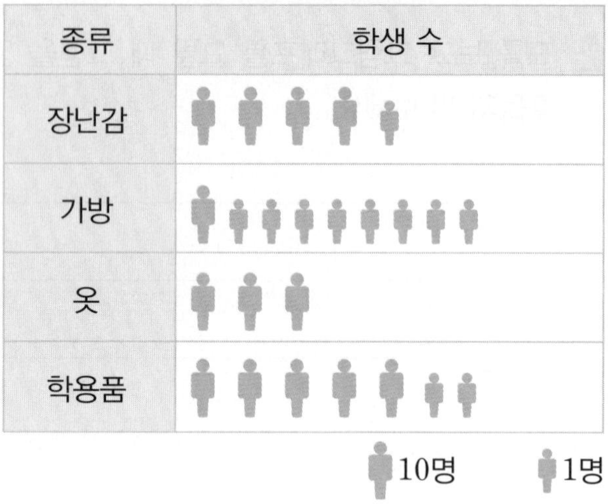

06 그림  과  은 각각 몇 명을 나타낼까요?

 (　　　　　　　　)

 (　　　　　　　　)

07 장난감을 가져온 학생은 몇 명일까요?

(　　　　　　　　)

08 가장 많은 학생들이 가져온 물건의 종류는 무엇일까요?

(　　　　　　　　)

[09~10] 수일이네 반에 있는 물감이 색깔별로 몇 개 있는지 조사하여 표로 나타내었습니다. 표를 보고 알 수 있는 내용이 맞으면 ○표, 틀리면 ×표 하세요.

색깔별 물감의 수

색깔	파란색	초록색	노란색	빨간색	합계
물감의 수(개)	31	24	27	29	111

09 파란색 물감이 가장 많습니다.

( )

10 빨간색 물감이 노란색 물감보다 5개 더 많습니다.

( )

11 수호네 반 학생들이 좋아하는 과목을 붙임딱지를 붙여 조사하였습니다. 자료를 보고 표로 나타내어 보세요.

좋아하는 과목

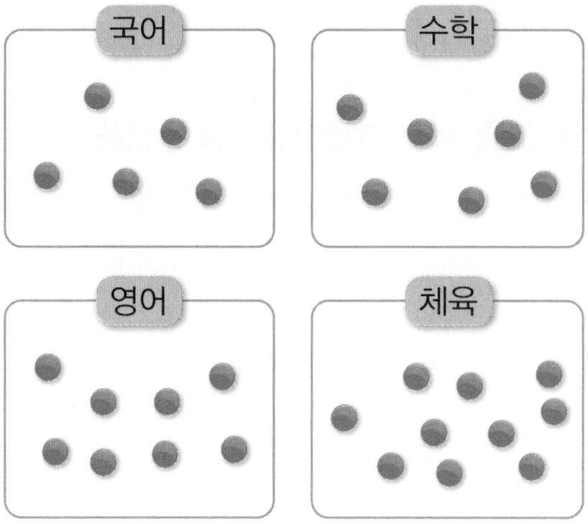

좋아하는 과목

과목	국어	수학	영어	체육	합계
학생 수(명)					

[12~14] 마을별 쌀 생산량을 조사하여 나타낸 표와 그림그래프입니다. 물음에 답하세요.

마을별 쌀 생산량

마을	소리	별빛	은빛	달빛	합계
생산량(가마)	32	24	43	35	

마을별 쌀 생산량

12 각 마을의 쌀 생산량의 합은 모두 몇 가마일까요?

( )

13 쌀 생산량이 가장 많은 마을은 어느 마을일까요?

( )

14 쌀 생산량이 가장 많은 마을과 가장 적은 마을의 생산량의 차는 몇 가마일까요?

( )

6 자료의 정리

[15~17] 과수원별 배나무 수를 조사하여 표로 나타내었습니다. 물음에 답하세요.

배나무 수

과수원	풍성	햇살	신선	금빛	합계
배나무 수(그루)	36	51		42	153

15 신선 과수원에 있는 배나무는 몇 그루일까요?

( )

16 표를 보고 그림그래프를 완성해 보세요.

배나무 수

과수원	배나무 수
풍성	◎ ◎ ◎ ○ ○ ○ ○ ○ ○
햇살	
신선	
금빛	

◎ 10그루   ○ 1그루

17 배나무가 많은 과수원부터 순서대로 쓰세요.

( )

[18~20] 혜정이와 친구들이 1년 동안 읽은 책의 수를 조사하여 나타낸 표를 보고 그림그래프로 나타내려고 합니다. 물음에 답하세요.

1년 동안 읽은 책의 수

이름	혜정	지현	민하	효린	합계
책의 수(권)	130	210	90	170	600

1년 동안 읽은 책의 수

이름	책의 수
혜정	☐ ☐ ☐ ☐
지현	
민하	
효린	

☐ 100권   ☐ ㉠권

18 그림그래프로 나타낼 때 ㉠에 알맞은 수를 구하세요.

( )

19 표를 보고 그림그래프를 완성해 보세요.

20 1년 동안 책을 가장 많이 읽은 학생은 누구일까요?

( )

스스로 학습장

🐾 고흐가 사온 물감을 색깔별로 조사하여 나타내었습니다. 자료를 보고 파이는 표로, 리온이는 그림그래프로 나타내려고 합니다. 친구들의 표와 그래프를 완성해 보세요.

고흐가 사온 물감의 수

빨강　노랑　초록　파랑

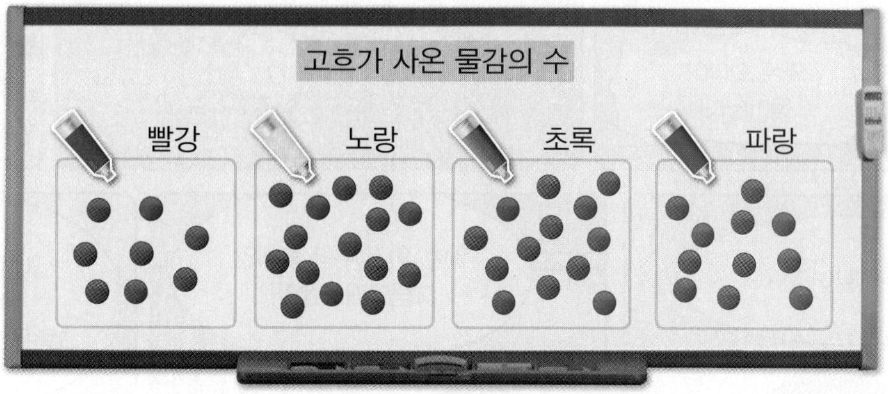

1
조사한 자료를 보고 표로 나타내어 보세요.

사온 물감

색깔	빨강	노랑	초록	파랑	합계
물감의 수(개)					

2
파이가 나타낸 표를 보고 그림그래프로 나타내어 보세요.

사온 물감

색깔	물감의 수
빨강	
노랑	
초록	
파랑	

◎ 10개　○ 1개

6

에필로그
와~ 드디어 돌아왔다!
우리가 처음 떠났을 때랑 똑같은 것 같지?
네! 고흐 아저씨가 진짜 화가가 되었나봐요.
파이야, 고흐 아저씨가 무슨 그림 그려 주신 거야?
아~ 그건 말이죠…….
뭐야, 이건 수학 숙제인 그림그래프잖아!
그건 그렇고, 해바라기 그림은 어디 있지?
나한테는 없는데~.
나도 아닌데…….
파이야, 해바라기 그림 네가 가지고 있어?
해바라기 그림?
아, 맞아 내가 가지고 있었어.
어? 그림이 어디 있지? 어디에 뒀더라…….
뒤적
뒤적
야!! 그 중요한 걸 잃어버리면 어떡해!
버럭
파이, 너 그거 설마?
설마?

하악!! 이게 뭐야!
아…
그림그래프 뒤에 해바라기 그림이 있었어.
에휴~ 그래도 해바라기 그림 안 잃어버렸네.
휴우~
자, 이리 줘! 해바라기로 만들어야지~.
안 돼! 이거 내 수학 숙제란 말이지.
와락
뭐야! 그럼 해바라기는 어쩌고?
아~ 몰라, 몰라~.
척
허걱
쩌직
알라모호라!
파
파
힝~ 숙제 다시 해야 하잖아.
펴엉
얘들아, 너희 청소는 끝났니?
네~
그래, 깨끗이 잘 했구나~.
오늘은 그만 가고 내일 보자! 파이는 숙제 꼭 해오고~.
안녕히 계세요!
근데 사라 언니, 우리에게 부탁할 것이 있다고 하지 않았어요?
아~ 그건 지금부터 생각해 볼게~.
내 수학 숙제~.
울지마, 내가 도와줄게.

빈센트 반 고흐는 1853년 네덜란드에서 태어났습니다.

고흐는 어릴 적 집이 가난하여 15세에 학교를 그만 둘 수 밖에 없었습니다.

고흐는 목사 아버지처럼 목사가 되기로 했습니다.

하지만 신학 대학에 떨어져 결국 목사를 포기하게 되었습니다.

고흐는 이후 그림 그리는 일에 재미를 느끼고 화가가 되기로 했습니다.

고흐는 주로 사람들의 일상적인 모습이 담긴 그림을 그렸습니다. 또한 자신의 모습이 담긴 자화상도 많이 그렸습니다.

대표적인 작품으로는 '별이 빛나는 밤에, 해바라기, 감자 먹는 사람들'이 있습니다.

고흐가 살아있을 때는 그림이 사람들에게 인정받지 못했지만 지금은 많은 사람들에게 널리 알려져 훌륭한 화가로 인정받고 있습니다.

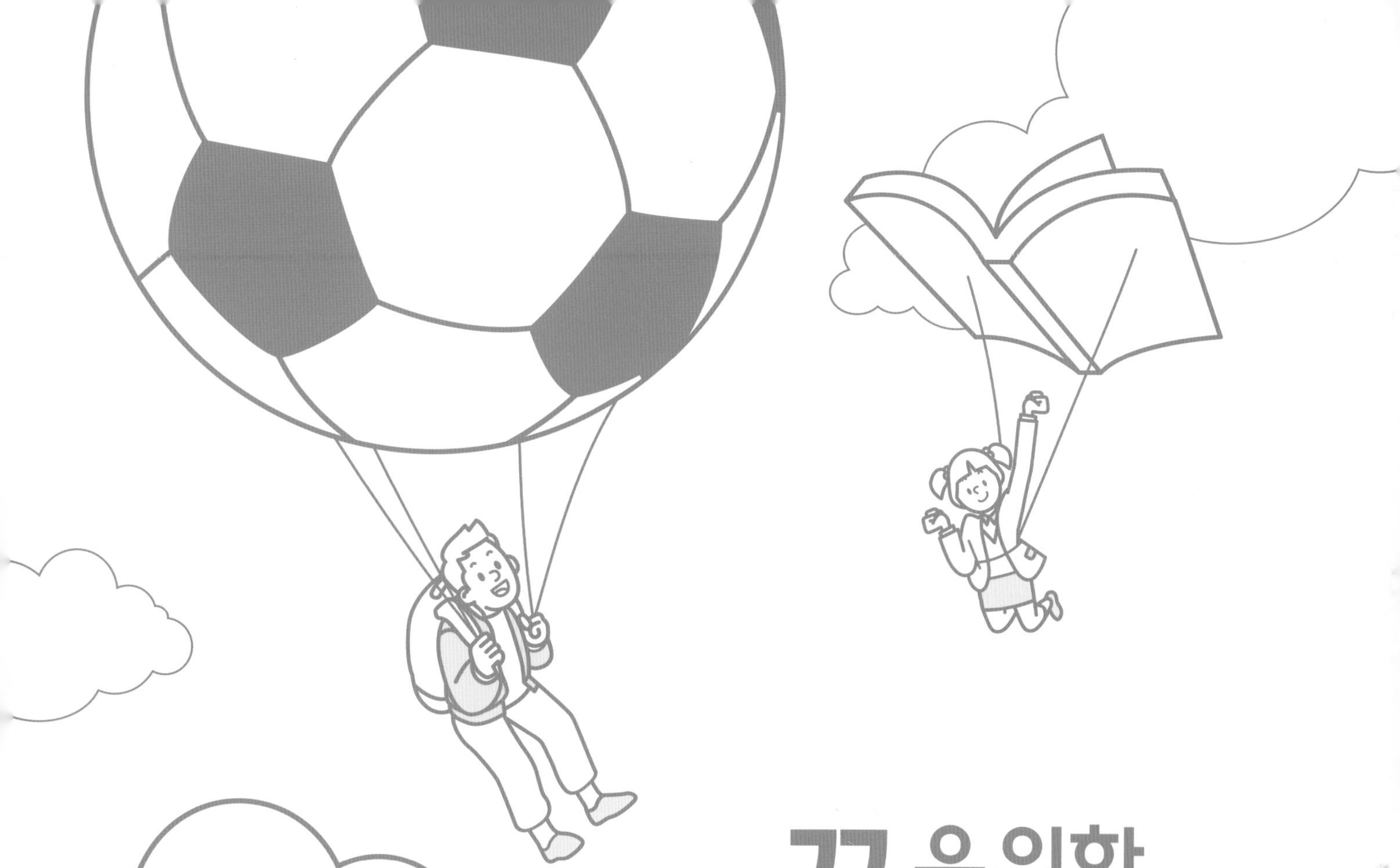

개념클릭

개념클릭

초등 수학 3·2

정답 및 풀이

천재교육

정답 및 풀이
포인트 3가지

▶ 빠르게 정답을 확인하는 스피드 정답표

▶ 혼자서도 이해할 수 있는 친절한 문제 풀이

▶ 문제 해결에 필요한 핵심 내용 또는
틀리기 쉬운 내용을 담은 참고와 주의

스피드 정답표

Speed Answers

1. 곱셈

10~11쪽 준비 학습

1 (1) 3, 90 (2) 4, 80
2 (위부터) 6 ; 4, 6 ; 4
3 (1) 66 (2) 96
4 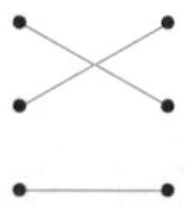
5 (위부터) 72, 54
6 >

13쪽 1단계 | 교과서 개념

1 8, 4, 2
2 686
3 888
4 826
5 666
6 284
7 699

15쪽 1단계 | 교과서 개념

1 (위부터) 60, 300, 372
2 1, 975
3 2, 868
4 4, 590
5 684
6 456
7 957

16~17쪽 2단계 | 개념 집중 연습

01 333
02 426
03 844
04 993
05 862
06 666
07 484
08 806
09 804
10 824
11 (위부터) 20, 400, 432
12 (위부터) 12, 900, 972
13 472
14 858
15 650
16 951
17 384
18 674
19 595
20 (위부터) 378, 252

19쪽 1단계 | 교과서 개념

1 (위부터) 300, 5400, 5706
2 2, 819
3 1, 1926
4 486
5 2387
6 2128

21쪽 1단계 | 교과서 개념

1 510
2 880
3 (위부터) 3000, 100
4 900
5 930
6 2760

22~23쪽 2단계 | 개념 집중 연습

01 60, 2100, 2169
02 2, 1000, 1082
03 1, 4655
04 2, 3448
05 5, 2946
06 348
07 879
08 2448
09 3655
10 1749
11 15, 1500
12 48, 480
13 600
14 630
15 1290
16 1200
17 420
18 1060
19 5600
20 1400

25쪽 1단계 | 교과서 개념

1 (왼쪽부터) 160, 192 ; 3, 192
2 108
3 210
4 216
5 170
6 175
7 144

27쪽 1단계 | 교과서 개념

1 (왼쪽부터) 370 ; 74, 370, 444
2 46, 920, 966
3 78, 260, 338
4 325
5 996
6 378

스피드 정답표

28~29쪽 2단계 | 개념 집중 연습

01 15, 100, 115
02 28, 70, 98
03 2, 224
04 1, 256
05 189
06 258
07 405
08 324
09 280
10 423
11 640, 768
12 52, 260, 312
13 676
14 576
15 210
16 324
17 552
18 945
19 255
20 336

31쪽 1단계 | 교과서 개념

1 (왼쪽부터) 1230 ; 1230, 1558
2 1400, 1610
3 378, 1080, 1458
4 252, 840, 1092
5 1440
6 5624
7 5355

33쪽 1단계 | 교과서 개념

1 (1) 7일 (2) 7, 924
2 30, 1200
3 30, 1950
4 39, 1131

34~35쪽 2단계 | 개념 집중 연습

01 168, 1120, 1288
02 308, 1760, 2068
03 1525
04 2002
05 1575
06 1551
07 1350
08 1472
09 2074
10 (위부터) 1232, 1008
11 30, 900
12 4, 880
13 2, 634
14 3, 2016
15 7, 896
16 6, 828
17 26×14=364 ; 364쪽
18 24×53=1272 ; 1272 cm

36~39쪽 3단계 | 익힘책 익히기

01 648
02 (위부터) 8 ; 30, 10 ; 200 ; 654

03 (1)
$$\begin{array}{r} {\scriptstyle 4} \\ 571 \\ \times6 \\ \hline 3426 \end{array}$$
(2)
$$\begin{array}{r} {\scriptstyle 5} \\ 470 \\ \times8 \\ \hline 3760 \end{array}$$

04 100
05 (1) 324 (2) 584 (3) 552 (4) 1620
06 1800, 1740, 3420
07 (왼쪽부터) 4, 780, 104, 884 ; 104, 780, 884
08 >
09 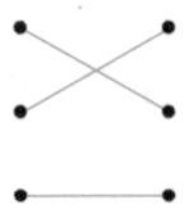

10 ㉠, ㉢, ㉡

11

369	480	306
246	460	946
406	939	486

12
$$\begin{array}{r} 26 \\ \times 57 \\ \hline 182 \\ 1300 \\ \hline 1482 \end{array}$$

13 1020 kg
14 (1) 48개 (2) 672개

40~42쪽 4단계 | 단원 평가

01 456
02 150, 1000, 1150

03
$$\begin{array}{r} {\scriptstyle 1} \\ 324 \\ \times3 \\ \hline 972 \end{array}$$

04 (위부터) 900, 10
05 3688
06 5336
07 2310
08 (위부터) 600, 900 ; 700, 1050

09 (   )
(○)

10 

11 ㉢

12 >

13 864, 2592

14 874×5 ; 4370

15 ㉠, ㉢, ㉡

16
```
     4 9
   × 7 5
   -----
   2 4 5
 3 4 3 0
 -------
 3 6 7 5
```

17 870개

18 7

19 2450번

20 132×4=528 ; 528묶음

43쪽 스스로 학습장

쪽지 시험	이름	파이
곱셈		

계산해 보세요.

(1) 132 × 3 = 396

(2) 228 × 3 = 684

~~3~~ 374 × 2 = 648 / 374 × 2 = 748

(4) 821 × 4 = 3284

(5) 4 × 38 = 152

~~6~~ 18 × 52 : 36, 90, 126 / 18 × 52 : 36, 900, 936

~~7~~ 40×50=200 / 40×50=2000

(8) 24×30=720

2. 나눗셈

46~47쪽 준비 학습

1 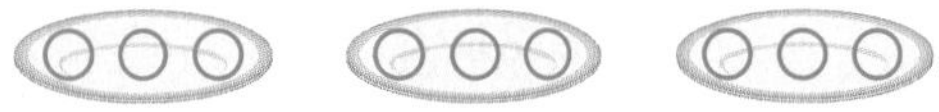, 3

2 4, 4 ; 4

3 3×6=[18] → 18÷3=[6], [18]÷6=[3]

4 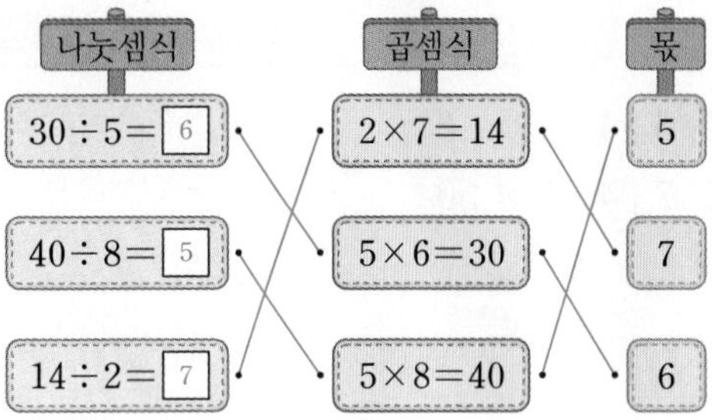

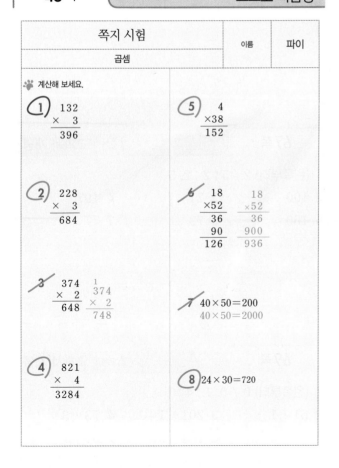

5 (1) 3, 5 (2) 3, 3

49쪽 1단계 | 교과서 개념

1 (1) 2개 (2) 20

2 1, 10

3 4, 40

4 10

5 10

6 30

51쪽 1단계 | 교과서 개념

1 (1) 12묶음 (2) 12

2 35

3 15

4 15

5 15

52~53쪽 2단계 | 개념 집중 연습

01 30

02 10

03 2, 20

04 2, 20

05 1, 10

06 1, 10

07 20

08 10

09 10

10 15

11 15

12 35

13 45

14 25

15 12

16 15

17 16

18 18

55쪽 — 1단계 | 교과서 개념

1 (위부터) 3 ; 3 ; 9 ; 0
2 (위부터) 1 ; 6 ; 2 ; 0
3 23 4 11
5 12 6 21
7 43

57쪽 — 1단계 | 교과서 개념

1 (위부터) 1, 6 ; 4 ; 2, 4 ; 0
2 (위부터) 1, 7 ; 4 ; 1, 4 ; 0
3 13 4 23 5 24
6 28 7 18

58~59쪽 — 2단계 | 개념 집중 연습

01 (위부터) 2, 1 ; 6 ; 3 ; 3
02 (위부터) 3, 4 ; 6 ; 8 ; 8
03 11 04 32 05 14
06 22 07 31 08 21
09 (왼쪽부터) 7 / 9 ; 7 ; 2, 7 ; 0
10 (왼쪽부터) 4 / 7 ; 4 ; 1, 4 ; 0
11 13 12 14 13 14
14 19 15 24
16 (위부터) 48, 24

61쪽 — 1단계 | 교과서 개념

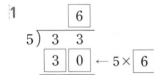

3 8…1 4 4…3
5 9…6 6 7…1
7 7…3

63쪽 — 1단계 | 교과서 개념

1 (왼쪽부터) 4 / 3 ; 4 ; 1, 2 ; 2
2 (왼쪽부터) 3 / 8 ; 3 ; 4, 0 ; 3
3 24…2 4 28…1 5 15…3
6 11…5 7 12…3

64~65쪽 — 2단계 | 개념 집중 연습

01 (위부터) 7 ; 6, 3 ; 5
02 (위부터) 9 ; 7, 2 ; 3
03 9…1 04 9…4
05 5…5 06 9…2
07 7, 2 08 8, 7
09 (왼쪽부터) 5 / 8 ; 5 ; 2, 4 ; 1
10 (왼쪽부터) 8 / 2 ; 8 ; 1, 4 ; 4
11 16…3 12 13…1
13 18…3 14 13…5
15 36, 1 16 13, 4

67쪽 — 1단계 | 교과서 개념

1 (왼쪽부터) 2 / 5 ; 2 ; 2, 5
2 100 3 71 4 197
5 160 6 79 7 77

69쪽 — 1단계 | 교과서 개념

1 (왼쪽부터) 0 / 0, 1 ; 4 ; 1
2 51…1 3 201…1 4 73…3
5 72…5 6 124…3 7 64…1

71쪽 1단계 | 교과서 개념

1 2, 17
2 1, 29
3 13, 3 ; 13, 3
4 14, 1 ; 14, 1
5 15, 2 ; 15, 2

72~73쪽 2단계 | 개념 집중 연습

01 (위부터) 0, 0 ; 9 ; 0
02 (위부터) 5, 3 ; 1, 0 ; 6
03 98
04 91
05 82
06 87
07 (위부터) 3, 5 ; 1, 2 ; 2 ; 2, 0 ; 3
08 (위부터) 1, 0, 0 ; 3 ; 2
09 202 ··· 2
10 69 ··· 5
11 52 ··· 4
12 76 ··· 2
13 104 ··· 3
14 18, 2 ; 18, 2, 56
15 11, 6 ; 11, 6, 83
16 15 ··· 3 ; $6\times15=90$ ⇨ $90+3=93$
17 14 ··· 4 ; $5\times14=70$ ⇨ $70+4=74$

74~77쪽 3단계 | 익힘책 익히기

01 (1) 3개 (2) 30

02
$$\begin{array}{r} \boxed{2}\,\boxed{3} \\ 3\overline{)\,6\ \ 9} \\ 6\ \ 0 \leftarrow 3\times\boxed{20} \\ \hline 9 \\ \boxed{9} \leftarrow 3\times\boxed{3} \\ \hline \boxed{0} \end{array}$$

03 몫, 나머지
04 (1) 32 (2) 11 ··· 3 (3) 35 (4) 16
05 
06 <

07
$$\begin{array}{r} 16 \\ 4\overline{)67} \\ 4 \\ \hline 27 \\ 24 \\ \hline 3 \end{array}$$

08 (1) 130 (2) 199 (3) 200 (4) 155 ··· 2
09 $499\div5$에 ○표
10 (1) 17, 1 ; 17, 1, 35 (2) 10, 2 ; 10, 2, 52
11 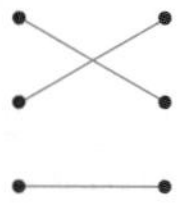
12 $340\div9=37$ ··· 7 ; 37, 7

78~80쪽 4단계 | 단원 평가

01
$$\begin{array}{r} \boxed{1\ 2} \\ \boxed{2}\overline{)\boxed{2\ 4}} \end{array}$$

02 25
03 (위부터) 6, 3 ; 8 ; 3, 6 ; 2 ; 1, 8 ; 5
04 6 ··· 6
05 15
06 10
07 27, 2
08 ⑤
09 28, 14
10 >
11 ②
12 □$\div6$, □$\div7$에 ○표
13 12 ··· 1 ; $6\times12=72$ ⇨ $72+1=73$

14
$$\begin{array}{r} 15 \\ 6\overline{)92} \\ 6 \\ \hline 32 \\ 30 \\ \hline 2 \end{array}$$

15 ㉡
16 14
17 사라
18 $60\div4=15$; 15줄
19 23개, 2개
20 11개

81쪽 스스로 학습장

1 ○ ; ○

2 ×,
$$\begin{array}{r} 15 \\ 4\overline{)62} \\ 4 \\ \hline 22 \\ 20 \\ \hline 2 \end{array}$$
; ○

3 ○ ; ×,
$$\begin{array}{r} 126 \\ 4\overline{)504} \\ 4 \\ \hline 10 \\ 8 \\ \hline 24 \\ 24 \\ \hline 0 \end{array}$$

스피드 정답표

3. 원

84~85쪽 준비 학습

1 (○) (×) (×)
(×) (○) (×)

2 (위부터) 변, 꼭짓점

3 (1) × (2) ○

4 (1) 선분 ㄱㄴ 또는 선분 ㄴㄱ
(2) 직선 ㄷㄹ 또는 직선 ㄹㄷ

5 8 mm, 8 밀리미터

6 (1) 84 (2) 4, 2

87쪽 1단계 | 교과서 개념

1 중심, 반지름

2 점 ㄱ

3 점 ㄴ

4 예

5 예

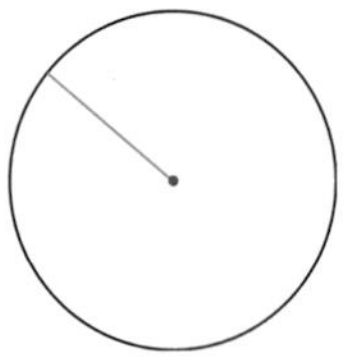

89쪽 1단계 | 교과서 개념

1 (1) ㄷㄹ 또는 ㄹㄷ (2) ㄷㄹ 또는 ㄹㄷ

2 3 cm

3 6 cm

4 2

90~91쪽 2단계 | 개념 집중 연습

01 지름

02 (왼쪽부터) 중심, 반지름

03 9 cm

04 10 cm

05 9, 9

06 11, 11

07 16

08 20

09 예

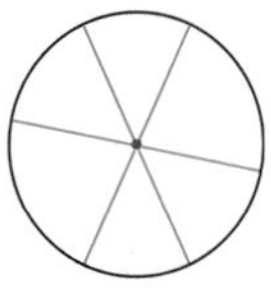

10 예

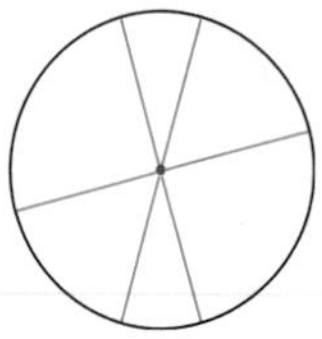

11 선분 ㄷㅂ 또는 선분 ㅂㄷ

12 선분 ㄷㄹ 또는 선분 ㄹㄷ

13 10 cm

14 14 cm

15 9 cm

16 4 cm

93쪽 1단계 | 교과서 개념

1 ① 중심 ② 1 ③ ㅇ

2

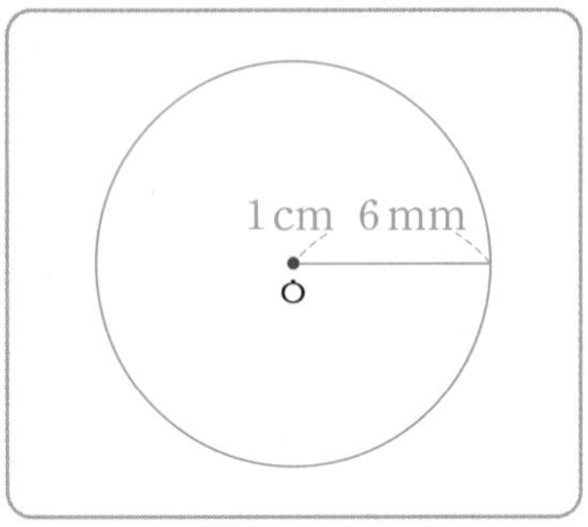

3

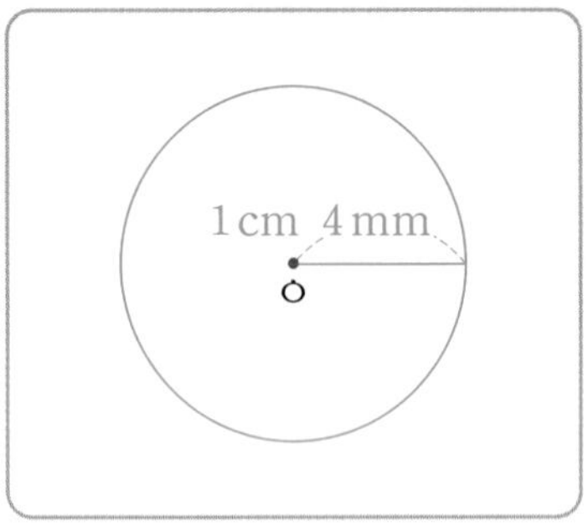

95쪽 1단계 | 교과서 개념

1 1

2

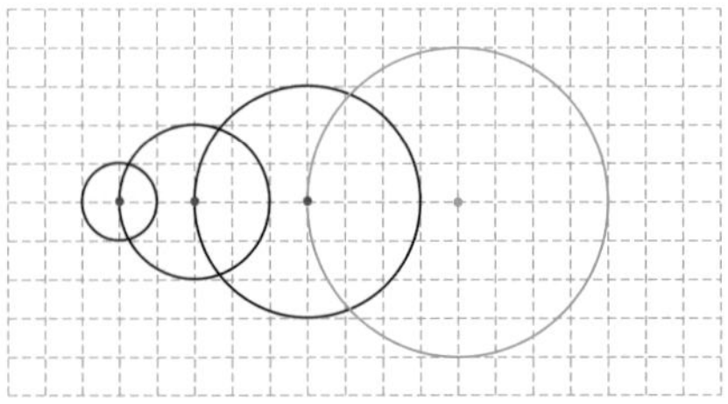

3 4곳

4

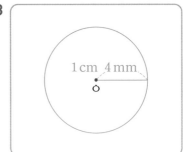

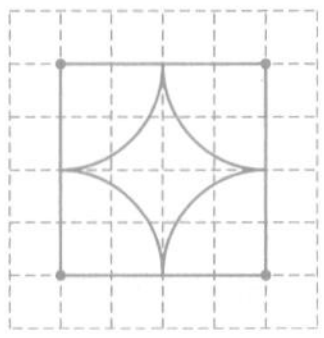

96~97쪽
2단계 | 개념 집중 연습

01 ( )(○)
02 ( )(○)

03

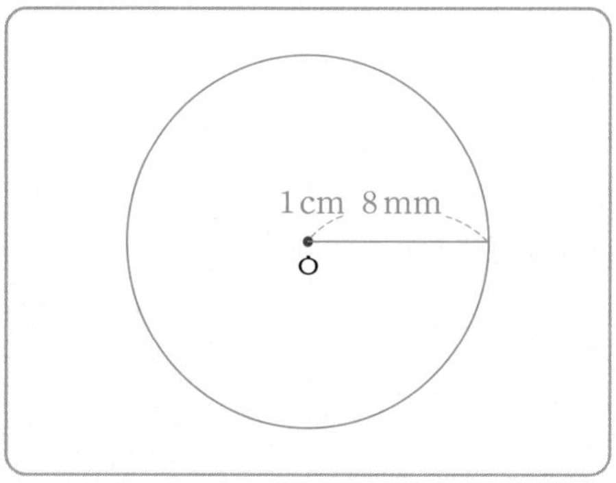

04

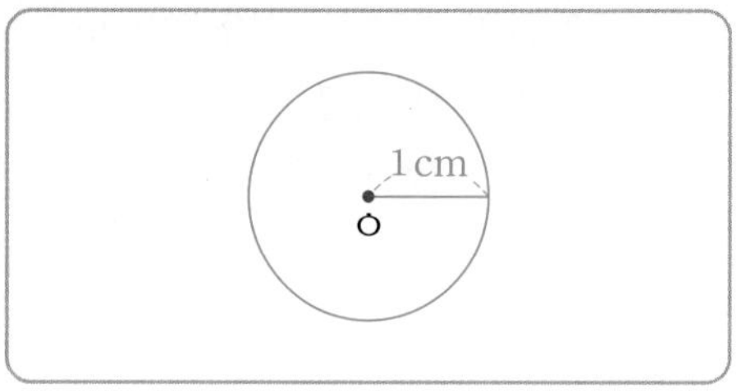

05

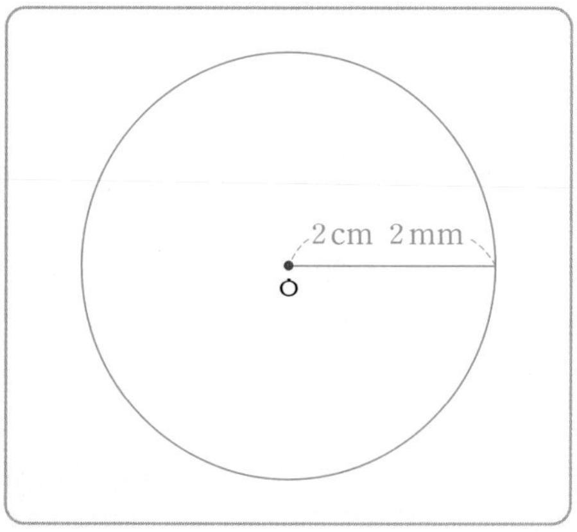

06

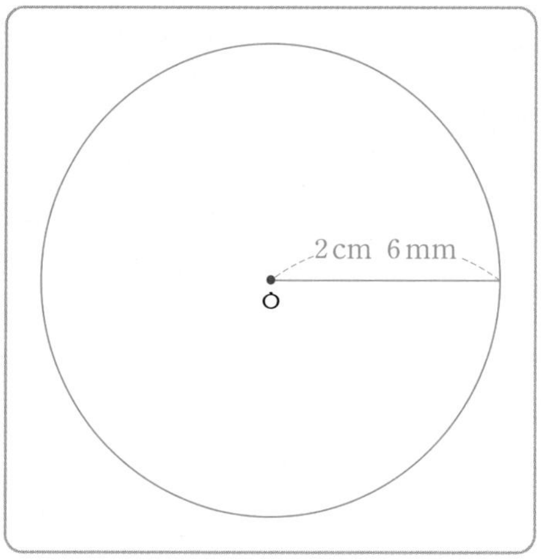

07

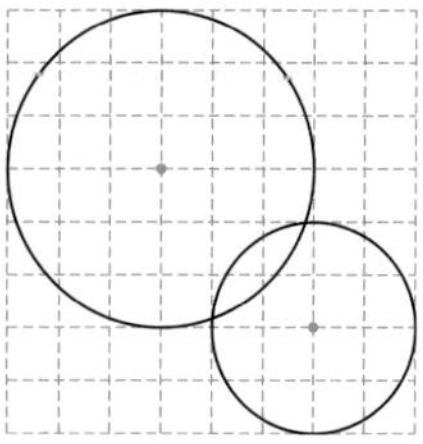

08

09

10

11

12

13

14

98~101쪽
3단계 | 익힘책 익히기

01

02
원의 지름
원의 반지름
원의 중심

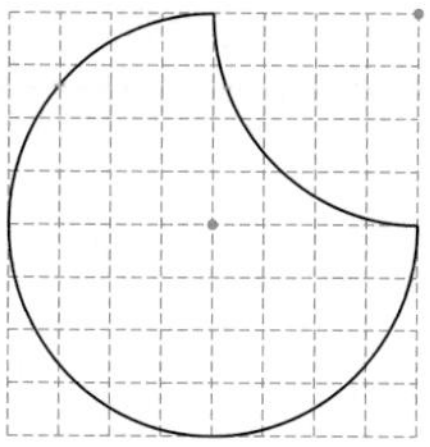

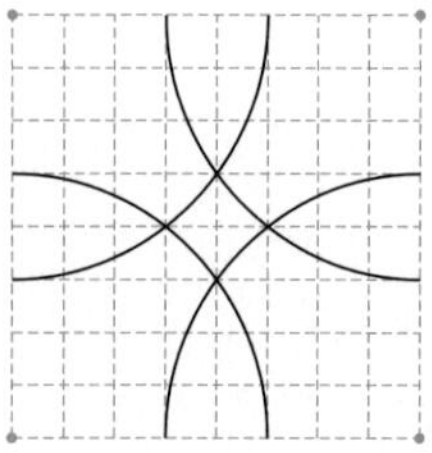

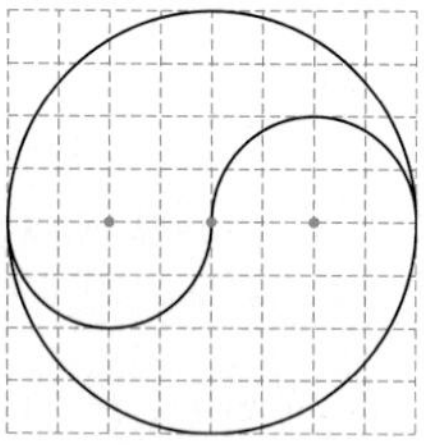

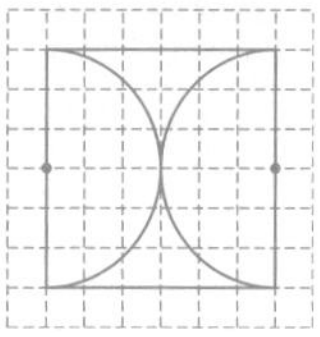

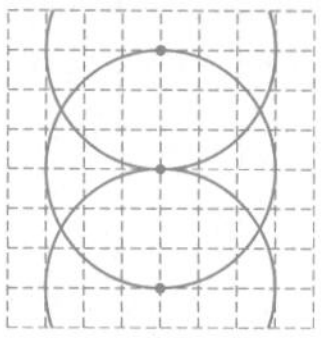

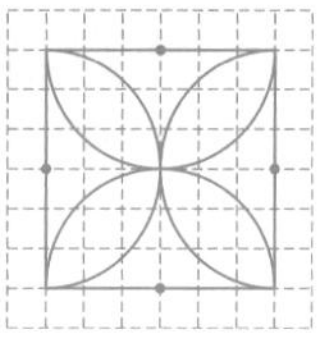

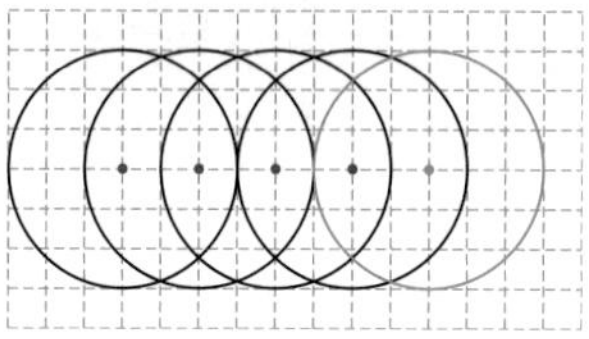

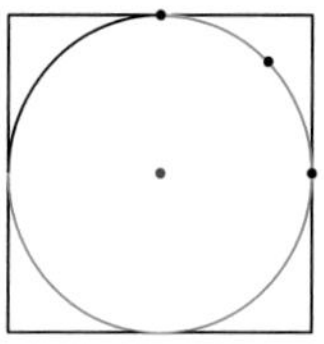

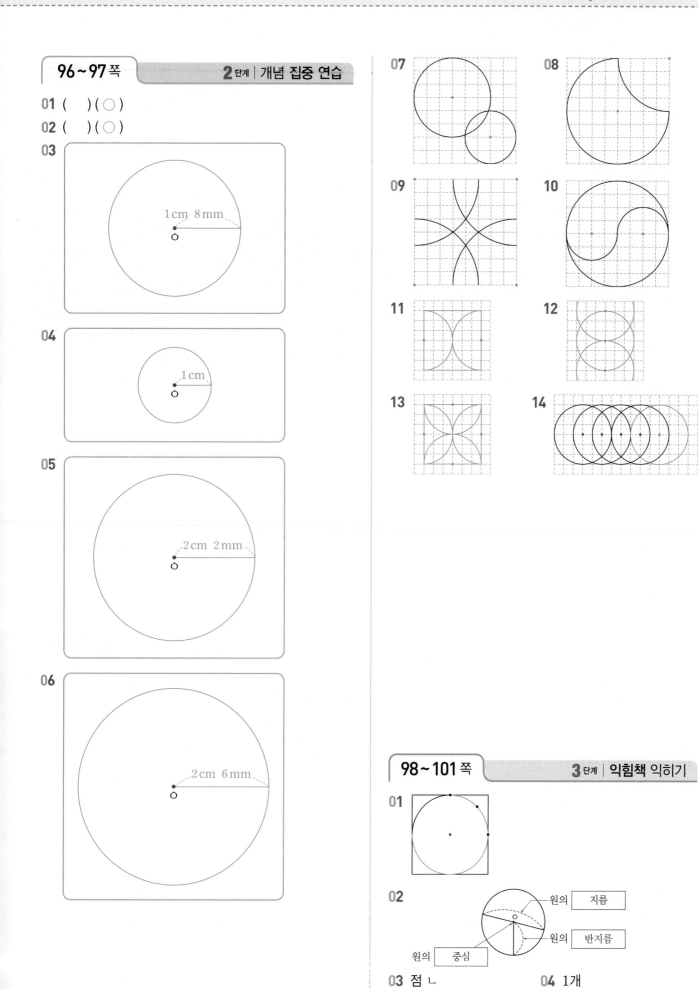

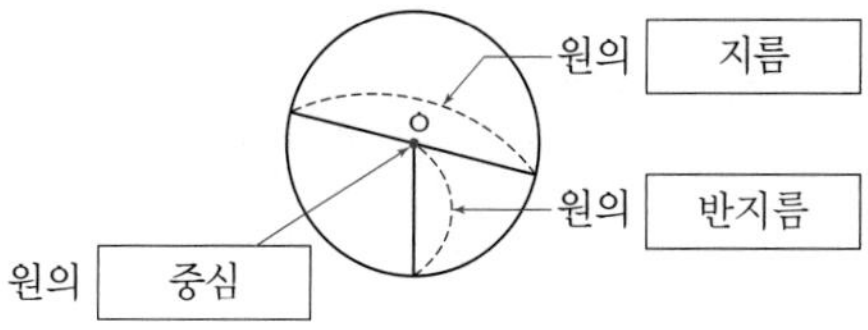

03 점 ㄴ

04 1개

05 예 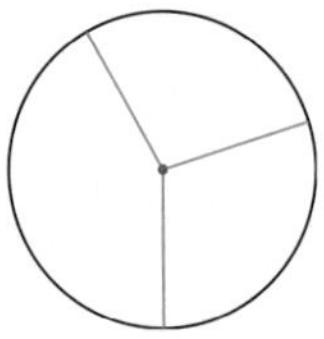

06 예 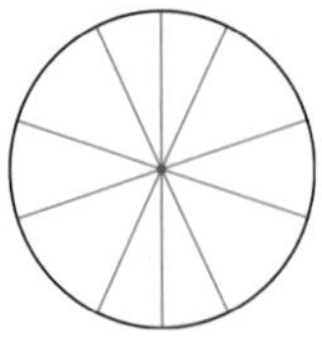

07 (1) 선분 ㅁㅂ 또는 선분 ㅂㅁ
(2) 선분 ㅁㅂ 또는 선분 ㅂㅁ

08 (　)(　)(○)(　)

09 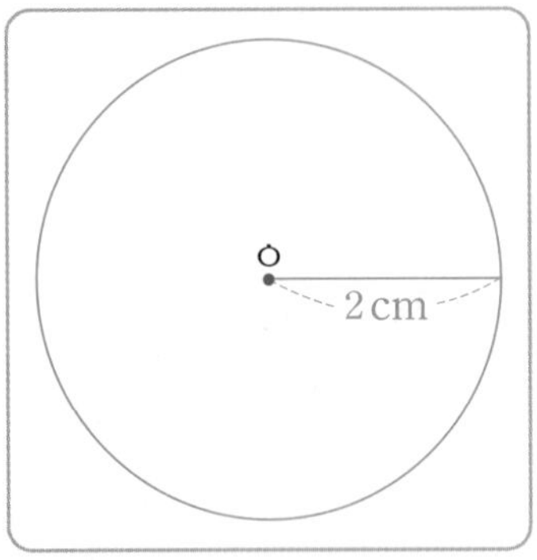

10 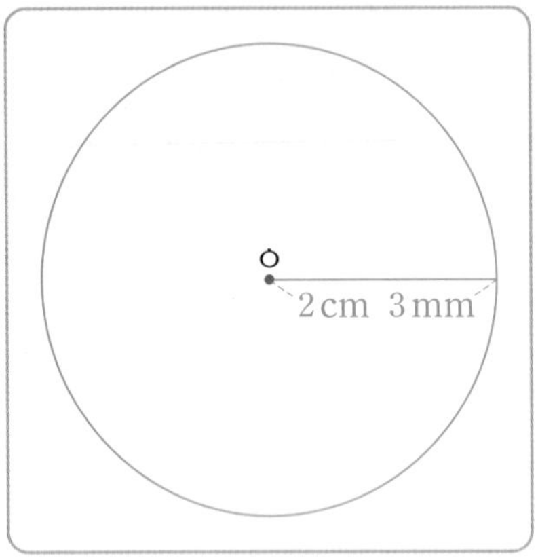

11 (위부터) 2, 4

12 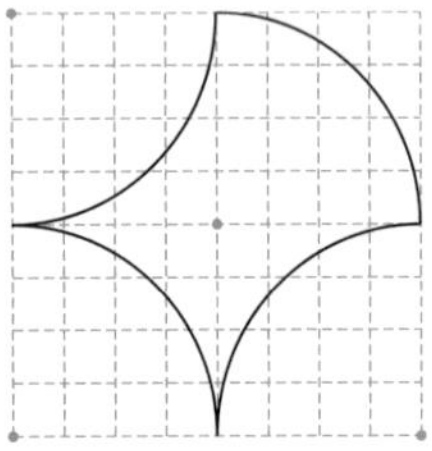

13 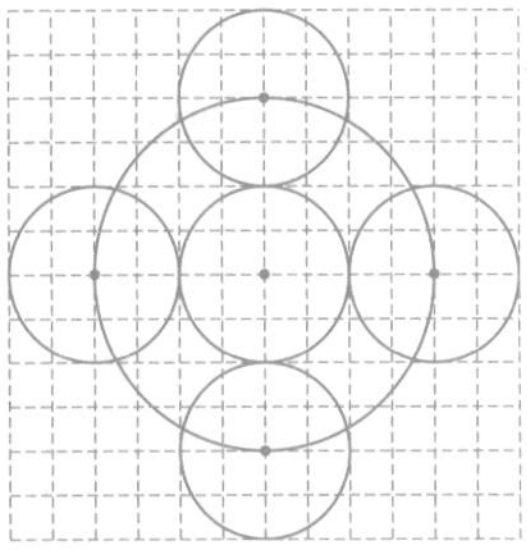

14 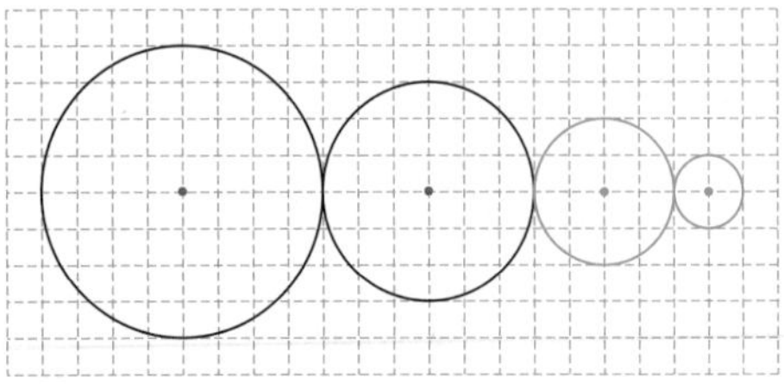

102~104쪽 　4단계 | 단원 평가

01 점 ㄷ　　02 ㉡

03 5 cm　　04 8 cm

05 (1)(3)(2)　　06 5

07 ②　　08 ⑤

09 예 

10 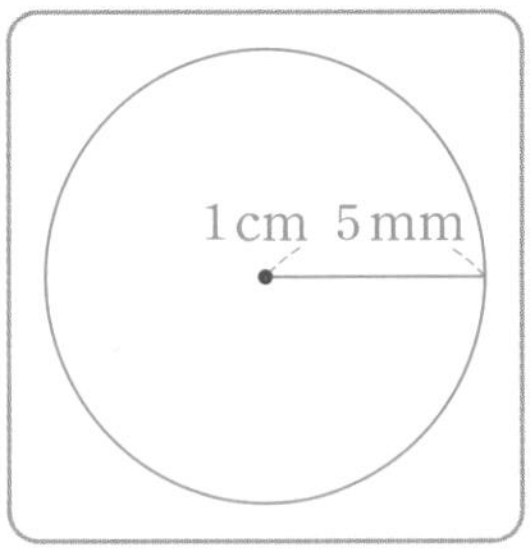

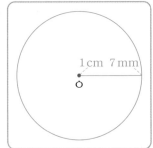

11 ㉡　　12 혜민　　13 32 cm

14 12 cm　　15 3곳

16 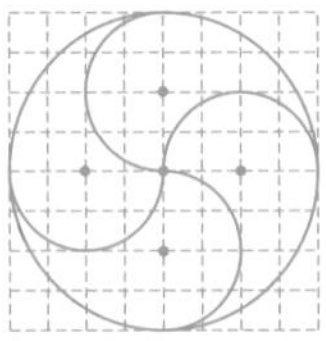

17 ㉢, ㉠, ㉡

18 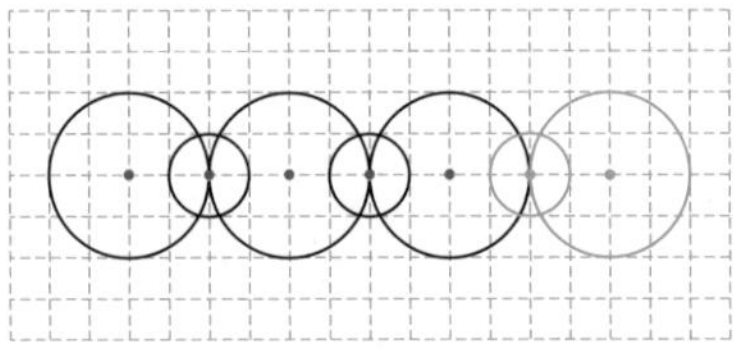

19 13 cm　　20 4 cm

105쪽 　스스로 학습장

1 8 cm

2 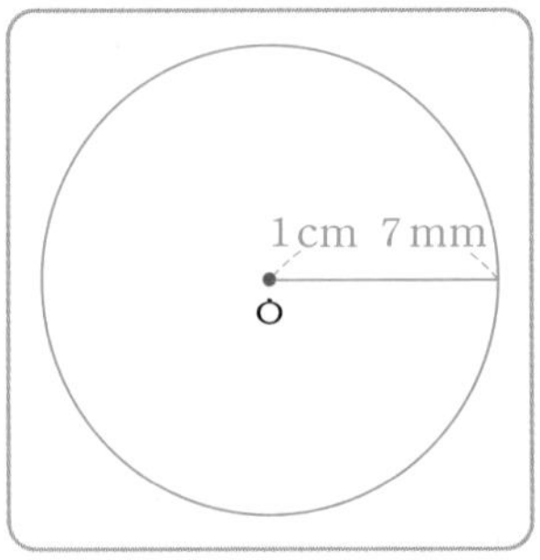

3 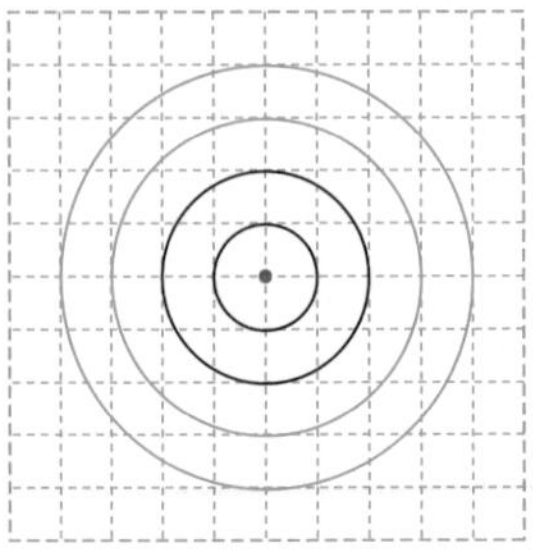

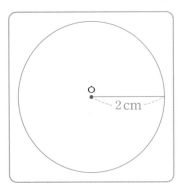

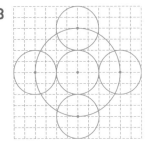

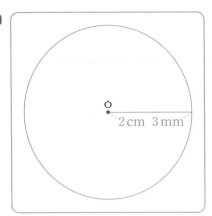

4. 분수

108~109쪽 준비 학습

1 (×)(○)(×)(○)

2 (1) $\frac{1}{4}$, 4분의 1 (2) $\frac{2}{3}$, 3분의 2　3 3, 2

4 (1) > (2) <　5 단위분수

6 $\frac{1}{3}$에 ○표, $\frac{1}{9}$에 △표

111쪽 1단계 | 교과서 개념

1 예 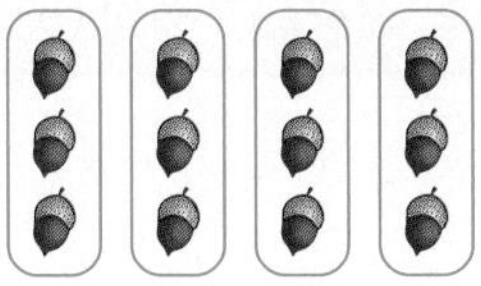

2 3

3 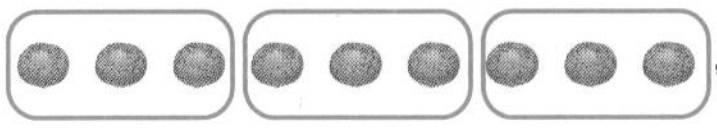, 2

113쪽 1단계 | 교과서 개념

1 $\frac{\boxed{2}}{\boxed{5}}$　2 3　3 4

4 $\frac{\boxed{2}}{\boxed{3}}$　5 $\frac{\boxed{2}}{\boxed{4}}$

114~115쪽 2단계 | 개념 집중 연습

01 1　02 2　03 1　04 2

05 5, 4　06 $\frac{\boxed{1}}{\boxed{5}}$　07 $\frac{\boxed{5}}{\boxed{6}}$　08 $\frac{\boxed{3}}{\boxed{7}}$

09 $\frac{1}{5}$　10 $\frac{1}{2}$　11 $\frac{3}{4}$　12 $\frac{4}{5}$

117쪽 1단계 | 교과서 개념

1 예 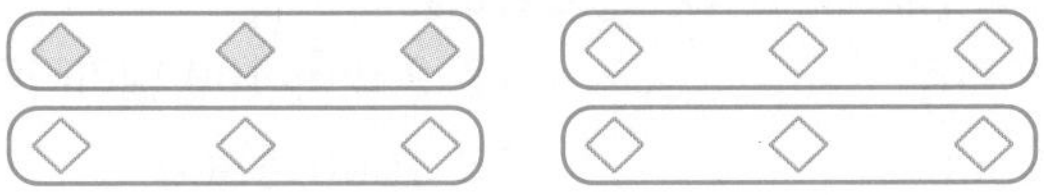

2 3　3 2

4 8

119쪽 1단계 | 교과서 개념

1 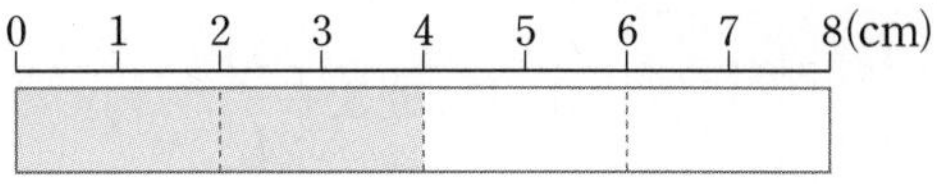

2 4　3 4 cm　4 6　5 12

120~121쪽 2단계 | 개념 집중 연습

01 2　02 6　03 4　04 8

05 3　06 6　07 4　08 12

09 2　10 4　11 6　12 18

13 3　14 12　15 4　16 20

123쪽 1단계 | 교과서 개념

1 진　2 가　3 가

4 진　5 진　6 가

7 $\frac{1}{2}$, $\frac{3}{5}$에 ○표

125쪽 1단계 | 교과서 개념

1 $2\frac{1}{4}$　2 7, 7　3 $\frac{5}{3}$　4 $1\frac{1}{6}$

127쪽 1단계 | 교과서 개념

1 (1) $2\frac{1}{5}$ 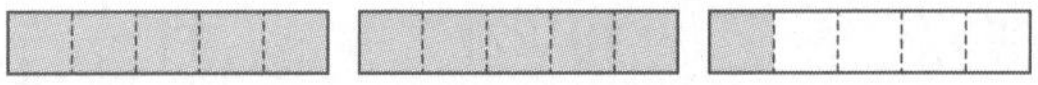

$2\frac{3}{5}$ 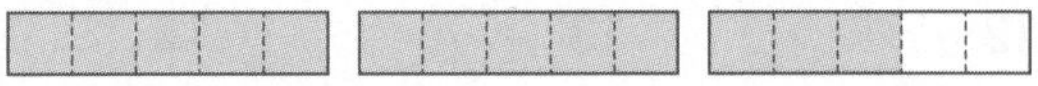

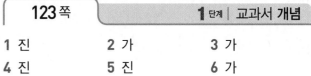

(2) 작으므로에 ○표, <

2 <　3 <　4 >　5 <

128~129쪽 2단계 | 개념 집중 연습

01 $\frac{5}{4}$　02 진　03 가　04 진

05 가　06 $2\frac{1}{6}$　07 $\frac{9}{5}$　08 $\frac{11}{9}$

09 $\frac{8}{7}$　10 $\frac{19}{8}$　11 $1\frac{1}{5}$　12 $1\frac{3}{7}$

13 $2\frac{1}{6}$　14 >　15 <　16 >

17 >　18 <　19 <　20 >

스피드 정답표

130~133쪽 — 3단계 | 익힘책 익히기

01 예 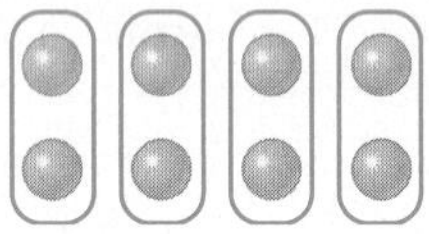 (1) 3 (3) 3, $\frac{\boxed{3}}{\boxed{4}}$

02 6, $\frac{\boxed{5}}{\boxed{6}}$ 03 6 04 $\frac{\boxed{5}}{\boxed{3}}$

05 (1) 6 (2) 24 06 $\frac{\boxed{4}}{\boxed{6}}, \frac{\boxed{5}}{\boxed{6}}, \frac{\boxed{7}}{\boxed{6}}, \frac{\boxed{8}}{\boxed{6}}$

07

$2\frac{4}{5}$	$\frac{9}{8}$	$\frac{3}{7}$	$4\frac{1}{3}$	$1\frac{4}{10}$	$\frac{8}{6}$

08 $1\frac{1}{3}$ 09 $<$

10 (○) (×) (×) (○)

11 $>$, 큽니다에 ○표 12 (1) 40 (2) 60

13 (1) $\frac{7}{6}$ (2) $\frac{8}{5}$ (3) $1\frac{2}{7}$ (4) $1\frac{4}{6}$

14 (1) $>$ (2) $>$ (3) $=$ (4) $<$

134~136쪽 — 4단계 | 단원 평가

01 1 02 $\frac{5}{7}$ 03 4

04 3, 2 05 4 06 16

07 (○) (△) (○) (△) 08 $2\frac{3}{5}$

09 $\frac{5}{2}$ 10 2개 11 $\frac{1}{4}, \frac{2}{4}, \frac{3}{4}$

12  13 $>$ 14 $<$

15 (위부터) $1\frac{5}{8}, \frac{13}{9}$ 16 $\frac{5}{9}$에 ○표

17 $\frac{8}{8}$ 18 ㉢

19 15 cm 20 30분

137쪽 — 스스로 학습장

1 6개 2 3개

3 (왼쪽부터) $\frac{14}{10}, 1\frac{3}{9}$ 4 $\frac{14}{8}$

5. 들이와 무게

140~141쪽 — 준비 학습

1 (   ) (○) 2 정현, 주원

3 (   ) (○) (   ) 4 (2) (3) (1)

5 (1) 3, 72 (2) 8, 34

6 (1) 2, 45 (2) 4, 25

7 예 약 5 cm 4 mm, 5 cm 4 mm

143쪽 — 1단계 | 교과서 개념

1 ㉯ 2 ㉮

3 (1) 5 (2) 2 (3) 3

145쪽 — 1단계 | 교과서 개념

1 2 L, 2 리터

2 30 mL, 30 밀리리터

3 6000 4 5600 5 3, 200

146~147쪽 — 2단계 | 개념 집중 연습

01 물병 02 우유병

03 ㉮ 04 ㉯

05 8, 6 06 주전자

07 (○) (   ) (   ) 08 (○) (   ) (   )

09 4 L 10 200 mL

11 1 L 70 mL

12 5 리터 13 2 리터 400 밀리리터

14 8000 15 1000, 1800

16 1000, 1 17 1600

18 2, 400

149쪽 1단계 | 교과서 개념

1 mL에 ○표 2 L에 ○표
3 1600 mL 4 2400 mL

151쪽 1단계 | 교과서 개념

1 5, 500 2 6, 900
3 4, 200 4 6, 600
5 7, 900 6 3800, 3, 800
7 2700, 2, 700

152~153쪽 2단계 | 개념 집중 연습

01 ( ) (○) 02 (○) ( )
03 (○) ( ) 04 ( ) (○)
05 mL에 ○표 06 L에 ○표
07 L에 ○표 08 L에 ○표
09 1400 mL 10 1200 mL
11 5, 600 12 11, 800
13 8, 900 14 7, 500
15 6400, 6, 400 16 2, 500
17 3, 100 18 5, 100
19 5, 300 20 4300, 4, 300

155쪽 1단계 | 교과서 개념

1 ㉡, ㉢, ㉠ 2 풀 3 가위

157쪽 1단계 | 교과서 개념

1 3 kg, 3 킬로그램
2 40 g, 40 그램
3 2 t, 2 톤
4 4000 5 9000
6 3, 700 7 5040

158~159쪽 2단계 | 개념 집중 연습

01 (○) ( ) 02 ( ) (○)
03 딸기 04 양파
05 감자 06 7개
07 3개 08 초콜릿
09 4개
10 40 kg, 40 킬로그램
11 200 g, 200 그램
12 5 t, 5 톤
13 4 kg 14 700 g
15 5000 16 8000
17 9, 800 18 2008

161쪽 1단계 | 교과서 개념

1 kg에 ○표 2 g에 ○표
3 t에 ○표 4 g
5 kg

163쪽 1단계 | 교과서 개념

1 7, 700 2 5, 500
3 6, 300 4 5, 500
5 5, 600 6 6, 600
7 6, 100

164~165쪽 2단계 | 개념 집중 연습

01 (○) ( ) 02 (○) ( )
03 ( ) (○) 04 ( ) (○)
05 g에 ○표 06 kg에 ○표
07 kg에 ○표 08 t에 ○표
09 의자 10 코끼리
11 7, 600 12 8, 800
13 9, 500 14 14, 950
15 20, 700 16 3, 100
17 2, 500 18 6, 200
19 7, 300 20 2, 500

166~169쪽 3단계 | 익힘책 익히기

01 ㉣, ㉡, ㉢, ㉠
02 (1)(2)(3)
03 ㉮, ㉯, 2
04 (1) 2 (2) 400
05 (1) 1, 400 (2) 1
06 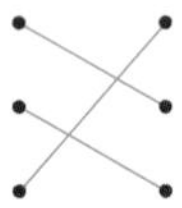
07 2500 mL
08 (1) L (2) mL
09 ㉡, ㉣
10 (1) 소방차 (2) 바둑돌
11 3, 900
12 2, 300
13 1, 400
14 1 kg 500 g
15 ㉾ 사과와 배 중에 사과가 더 가볍고, 배와 귤 중에 귤이 더 가벼우므로 사과와 귤의 무게를 저울을 사용하여 비교합니다.

170~172쪽 4단계 | 단원 평가

01 10 톤
02 물병
03 3
04 600 g
05 350, 8, 350
06 750, 3750
07 g
08 우유갑
09 7, 750
10 2, 600
11 6 kg 380 g
12 9 kg 300 g
13 사과, 키위, 6
14 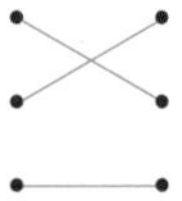
15 >
16 2600 mL
17 ㉠
18 ㉾ 종이컵의 들이는 약 180 mL입니다.
19 2900 g
20 4800 mL

173쪽 스스로 학습장

1 ×
2 ○
3 ○
4 ×
5 ×
6 ×
7 ○
8 ×
9 ○

6. 자료의 정리

176~177쪽 준비 학습

1

악기	피아노	바이올린	드럼	기타	합계
학생 수(명)	4	1	3	2	10

2

4		○		
3		○		○
2	○	○		○
1	○	○	○	○
학생 수(명) / 간식	김밥	떡볶이	빵	과자

3

곤충	나비	잠자리	무당벌레	사슴벌레	합계
학생 수(명)	3	4	1	2	10

4		○		
3	○	○		
2	○	○		○
1	○	○	○	○
학생 수(명) / 곤충	나비	잠자리	무당벌레	사슴벌레

4 표

179쪽 1단계 | 교과서 개념

1 20명
2 3명
3 짜장면
4 4명

181쪽 1단계 | 교과서 개념

1 ㉾ 재혁이네 반 학생들이 좋아하는 과일
2 사과, 포도, 바나나, 딸기
3 5명
4

과일	사과	포도	바나나	딸기	합계
학생 수(명)	5	5	8	9	27

182~183 쪽 | **2**단계 | 개념 **집중 연습**

01 4명 02 14명 03 의사

04 선생님 05 20명 06 로봇

07 로봇, 블록, 책, 인형 08 1명

09
종류	축구공	농구공	야구공	배구공	합계
개수(개)	5	3	6	2	16

10
혈액형	A형	B형	AB형	O형	합계
학생 수(명)	5	7	5	3	20

11
색깔	빨강	파랑	노랑	초록	합계
학생 수(명)	5	8	7	4	24

12
간식	피자	치킨	햄버거	떡볶이	합계
학생 수(명)	9	7	4	5	25

185 쪽 | **1**단계 | 교과서 **개념**

1 10마리, 1마리 2 34마리

3 바른 목장

187 쪽 | **1**단계 | 교과서 **개념**

1
과목	학생 수
국어	◎◎◎○○○○○
수학	◎◎◎◎◎○○○○
과학	◎◎○○○○○○○
사회	◎◎◎○○○○○○

◎10명 ○1명

2
농장	귤 생산량
가	□□□△△△△
나	□△△△△△
다	□□△△△
라	□□□□△

□10상자 △1상자

188~189 쪽 | **2**단계 | 개념 **집중 연습**

01 10송이 02 1송이

03 32송이 04 2반

05 100상자 06 10상자

07 220상자

08 풍성 마을

09 10권, 1권에 ○표

10
이름	책의 수
지성	□□□□
기현	□□□□□□□□
현수	□□□□□□
재호	□□□□□□□

□10권 □1권

11 재호

12
마을	학생 수
달빛	◎◎◎○○○○○○
은빛	◎◎◎○○○○
별빛	◎○○○○○○○
햇빛	◎◎◎

◎10명 ○1명

13
가게	판매량
보람	▲▲▲▲△△△△
친절	△△△△△△
발랄	△△△△△△△△△
소중	△△△△△△△△△△

▲10개 △1개

190~193쪽 3단계 | 익힘책 익히기

01 6명 02 5명 03 19장

04 노란색, 초록색, 파란색, 빨간색

05 예 종건이네 반 학생들이 좋아하는 간식

06

간식	과자	과일	떡	빵	합계
학생 수(명)	10	5	7	8	30

07 10권, 1권

08 70권, 46권, 23권

09 국화, 15송이

10 카네이션

11

운동	축구	피구	농구	야구	합계
남학생 수(명)	4	2	3	6	15
여학생 수(명)	2	7	3	1	13

12 예 10 kg과 1 kg인 2가지로 나타내는 것이 좋을 것 같습니다.

13

목장	우유 생산량
가	◎◎◎◎◎○○
나	◎◎◎◎○
다	◎◎○○○○○○○○
라	◎◎◎○○○

◎10 kg ○1 kg

14 가 목장, 나 목장, 라 목장, 다 목장

194~196쪽 4단계 | 단원 평가

01 5명

02

운동	줄넘기	농구	수영	축구	합계
학생 수(명)	5	3	4	2	14

03 3명 04 14명

05 줄넘기 06 10명, 1명

07 41명 08 학용품

09 ○ 10 ×

11

과목	국어	수학	영어	체육	합계
학생 수(명)	5	7	8	10	30

12 134가마 13 은빛 마을

14 19가마 15 24그루

16

과수원	배나무 수
풍성	◎◎◎○○○○○○○
햇살	◎◎◎◎◎○
신선	◎◎○○○○
금빛	◎◎◎◎○○

◎10그루 ○1그루

17 햇살 과수원, 금빛 과수원, 풍성 과수원, 신선 과수원

18 10

19

이름	책의 수
혜정	▣□□□
지현	▣▣□
민하	□□□□□□□□□
효린	▣□□□□□□□□

▣100권 □㉠권

20 지현

197쪽 스스로 학습장

1

색깔	빨강	노랑	초록	파랑	합계
물감의 수(개)	8	15	13	11	47

2

색깔	물감의 수
빨강	○○○○○○○○
노랑	◎○○○○○
초록	◎○○○
파랑	◎○

◎10개 ○1개

정답 및 풀이

1. 곱셈

학부모 지도 가이드

학생들은 일상 생활에서 배열이나 묶음과 같은 다양한 곱셈 상황을 경험할 수 있습니다. 이 단원에서는 여러 가지 곱셈을 수 모형을 통해 계산 원리 방법을 익히고 다양한 곱셈의 활용을 통하여 일상 생활에서 곱셈과 관련된 문제를 해결할 수 있도록 지도합니다.

10~11쪽 준비 학습

1 (1) 3, 90 (2) 4, 80 **2** (위부터) 6 ; 4, 6 ; 4

3 (1) 66 (2) 96 **4** 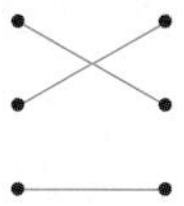

5 (위부터) 72, 54 **6** >

1 (1) 십 모형이 9개이므로 30×3=90입니다.
(2) 십 모형이 8개이므로 20×4=80입니다.

4 $\begin{array}{r} 21 \\ \times\ \ 7 \\ \hline 147 \end{array}$, $\begin{array}{r} 52 \\ \times\ \ 2 \\ \hline 104 \end{array}$, $\begin{array}{r} 62 \\ \times\ \ 3 \\ \hline 186 \end{array}$

5 $\begin{array}{r} {}^{3}\ \\ 18 \\ \times\ \ 4 \\ \hline 72 \end{array}$, $\begin{array}{r} {}^{2}\ \\ 18 \\ \times\ \ 3 \\ \hline 54 \end{array}$

6 24×6=144, 45×3=135
⇨ 144>135

13쪽 1단계 | 교과서 개념

1 8, 4, 2 **2** 686 **3** 888
4 826 **5** 666 **6** 284
7 699

1 4와 2를 곱하여 일의 자리에, 2와 2를 곱하여 십의 자리에, 1과 2를 곱하여 백의 자리에 씁니다.

5 $\begin{array}{r} 111 \\ \times\ \ 6 \\ \hline 666 \end{array}$ **6** $\begin{array}{r} 142 \\ \times\ \ 2 \\ \hline 284 \end{array}$

7 $\begin{array}{r} 233 \\ \times\ \ 3 \\ \hline 699 \end{array}$

15쪽 1단계 | 교과서 개념

1 (위부터) 60, 300, 372 **2** 1, 975
3 2, 868 **4** 4, 590 **5** 684
6 456 **7** 957

5 $\begin{array}{r} {}^{2}\ \\ 114 \\ \times\ \ 6 \\ \hline 684 \end{array}$ **6** $\begin{array}{r} {}^{1}\ \ \\ 228 \\ \times\ \ 2 \\ \hline 456 \end{array}$

7 $\begin{array}{r} {}^{2}\ \\ 319 \\ \times\ \ 3 \\ \hline 957 \end{array}$

주의
일의 자리에서 올림한 수는 잊지 말고 십의 자리 계산에 더해야 합니다.

16~17쪽 2단계 | 개념 집중 연습

01 333 **02** 426
03 844 **04** 993
05 862 **06** 666
07 484 **08** 806
09 804 **10** 824
11 (위부터) 20, 400, 432 **12** (위부터) 12, 900, 972
13 472 **14** 858
15 650 **16** 951
17 384 **18** 674
19 595 **20** (위부터) 378, 252

09 $201 \times 4 = 804$

10 $412 \times 2 = 824$

18 $$\begin{array}{r} \scriptstyle 1 \\ 3\,3\,7 \\ \times \quad 2 \\ \hline 6\,7\,4 \end{array}$$

19 $$\begin{array}{r} \scriptstyle 4 \\ 1\,1\,9 \\ \times \quad 5 \\ \hline 5\,9\,5 \end{array}$$

20 $$\begin{array}{r} \scriptstyle 1 \\ 1\,2\,6 \\ \times \quad 3 \\ \hline 3\,7\,8 \end{array}, \quad \begin{array}{r} \scriptstyle 1 \\ 1\,2\,6 \\ \times \quad 2 \\ \hline 2\,5\,2 \end{array}$$

19쪽 1단계 | 교과서 개념

1 (위부터) 300, 5400, 5706
2 2, 819
3 1, 1926
4 486
5 2387
6 2128

1 951×6은 1×6, 50×6, 900×6을 계산하여 더합니다.

4 $$\begin{array}{r} \scriptstyle 1 \\ 1\,6\,2 \\ \times \quad 3 \\ \hline 4\,8\,6 \end{array}$$

5 $$\begin{array}{r} \scriptstyle 2 \\ 3\,4\,1 \\ \times \quad 7 \\ \hline 2\,3\,8\,7 \end{array}$$

6 $$\begin{array}{r} \scriptstyle 1 \\ 5\,3\,2 \\ \times \quad 4 \\ \hline 2\,1\,2\,8 \end{array}$$

21쪽 1단계 | 교과서 개념

1 510
2 880
3 (위부터) 3000, 100
4 900
5 930
6 2760

1 17×30은 17×3의 10배입니다.

2 22×40은 22×4의 10배입니다.

3 50×60은 5×6의 100배입니다.

5 $31 \times 3 = \underline{93}$ ⇨ $31 \times 30 = \underline{930}$
10배

6 $92 \times 3 = \underline{276}$ ⇨ $92 \times 30 = \underline{2760}$
10배

22~23쪽 2단계 | 개념 집중 연습

01 60, 2100, 2169
02 2, 1000, 1082
03 1, 4655
04 2, 3448
05 5, 2946
06 348
07 879
08 2448
09 3655
10 1749
11 15, 1500
12 48, 480
13 600
14 630
15 1290
16 1200
17 420
18 1060
19 5600
20 1400

14 $$\begin{array}{r} 2\,1 \\ \times \quad 3 \\ \hline 6\,3 \end{array} ⇨ \begin{array}{r} 2\,1 \\ \times\,3\,0 \\ \hline 6\,3\,0 \end{array}$$

15 $$\begin{array}{r} 4\,3 \\ \times \quad 3 \\ \hline 1\,2\,9 \end{array} ⇨ \begin{array}{r} 4\,3 \\ \times\,3\,0 \\ \hline 1\,2\,9\,0 \end{array}$$

17 $14 \times 3 = 42$ ⇨ $14 \times 30 = 420$

18 $53 \times 2 = 106$ ⇨ $53 \times 20 = 1060$

19 $70 \times 80 = 5600$

20 $35 \times 40 = 1400$

25쪽 1단계 | 교과서 개념

1 (왼쪽부터) 160, 192 ; 3, 192
2 108
3 210
4 216
5 170
6 175
7 144

1 8×24는 8×4와 8×20을 계산하여 더합니다.

4 $$\begin{array}{r} \scriptstyle 3 \\ 9 \\ \times\,2\,4 \\ \hline 2\,1\,6 \end{array}$$

5 $$\begin{array}{r} \scriptstyle 2 \\ 5 \\ \times\,3\,4 \\ \hline 1\,7\,0 \end{array}$$

6 $$\begin{array}{r} \scriptstyle 3 \\ 7 \\ \times\,2\,5 \\ \hline 1\,7\,5 \end{array}$$

7 $$\begin{array}{r} \scriptstyle 6 \\ 8 \\ \times\,1\,8 \\ \hline 1\,4\,4 \end{array}$$

27쪽 | **1** 단계 | 교과서 개념

1 (왼쪽부터) 370 ; 74, 370, 444

2 46, 920, 966   **3** 78, 260, 338

4 325   **5** 996

6 378

---

1 37×12는 37×2와 37×10을 계산하여 더합니다.

2 23×2와 23×40을 계산하여 더합니다.

3 26×3과 26×10을 계산하여 더합니다.

4
```
    1 3
  × 2 5
    6 5
  2 6 0
  3 2 5
```

5
```
    8 3
  × 1 2
  1 6 6
  8 3 0
  9 9 6
```

6
```
    1 4
  × 2 7
    9 8
  2 8 0
  3 7 8
```

13
```
    5 2
  × 1 3
  1 5 6
  5 2 0
  6 7 6
```

14
```
    2 4
  × 2 4
    9 6
  4 8 0
  5 7 6
```

15
```
    1 4
  × 1 5
    7 0
  1 4 0
  2 1 0
```

16
```
    1 2
  × 2 7
    8 4
  2 4 0
  3 2 4
```

17
```
    4 6
  × 1 2
    9 2
  4 6 0
  5 5 2
```

18
```
    4 5
  × 2 1
    4 5
  9 0 0
  9 4 5
```

19
```
    1 7
  × 1 5
    8 5
  1 7 0
  2 5 5
```

20
```
    2 4
  × 1 4
    9 6
  2 4 0
  3 3 6
```

28~29쪽 | **2** 단계 | 개념 집중 연습

01 15, 100, 115   **02** 28, 70, 98

03 2, 224   **04** 1, 256

05 189   **06** 258

07 405   **08** 324

09 280   **10** 423

11 640, 768   **12** 52, 260, 312

13 676   **14** 576

15 210   **16** 324

17 552   **18** 945

19 255   **20** 336

09
```
   4
    8
  × 3 5
  2 8 0
```

10
```
     6
      9
  × 4 7
  4 2 3
```

31쪽 | **1** 단계 | 교과서 개념

1 (왼쪽부터) 1230 ; 1230, 1558

2 1400, 1610   **3** 378, 1080, 1458

4 252, 840, 1092   **5** 1440

6 5624   **7** 5355

5
```
    4 5
  × 3 2
    9 0
  1 3 5 0
  1 4 4 0
```

6
```
    7 6
  × 7 4
  3 0 4
  5 3 2 0
  5 6 2 4
```

7
```
    6 3
  × 8 5
  3 1 5
  5 0 4 0
  5 3 5 5
```

33쪽 | 1 단계 | 교과서 개념

1 (1) 7일 (2) 7, 924   **2** 30, 1200
3 30, 1950   **4** 39, 1131

---

1 (2) (3학년 학생 수)×7=132×7=924(개)

> **참고**
> 일주일은 7일이므로 일주일 동안 마신 우유는 3학년 학생 수에 7을 곱하여 구할 수 있습니다.

2 (한 상자에 담은 감의 수)×(상자의 수)
=40×30=1200(개)

3 (한 명이 캔 고구마의 수)×(학생 수)
=65×30=1950(개)

4 (한 통에 들어 있는 구슬의 수)×(통 수)
=29×39=1131(개)

34~35쪽 | 2 단계 | 개념 집중 연습

01 168, 1120, 1288   **02** 308, 1760, 2068
03 1525   **04** 2002
05 1575   **06** 1551
07 1350   **08** 1472
09 2074   **10** (위부터) 1232, 1008
11 30, 900   **12** 4, 880
13 2, 634   **14** 3, 2016
15 7, 896   **16** 6, 828
17 26×14=364 ; 364쪽
18 24×53=1272 ; 1272 cm

04
$$
\begin{array}{r}
2\ 6 \\
\times\ 7\ 7 \\
\hline
1\ 8\ 2 \\
1\ 8\ 2\ 0 \\
\hline
2\ 0\ 0\ 2
\end{array}
$$

05
$$
\begin{array}{r}
3\ 5 \\
\times\ 4\ 5 \\
\hline
1\ 7\ 5 \\
1\ 4\ 0\ 0 \\
\hline
1\ 5\ 7\ 5
\end{array}
$$

06
$$
\begin{array}{r}
3\ 3 \\
\times\ 4\ 7 \\
\hline
2\ 3\ 1 \\
1\ 3\ 2\ 0 \\
\hline
1\ 5\ 5\ 1
\end{array}
$$

07
$$
\begin{array}{r}
5\ 4 \\
\times\ 2\ 5 \\
\hline
2\ 7\ 0 \\
1\ 0\ 8\ 0 \\
\hline
1\ 3\ 5\ 0
\end{array}
$$

08
$$
\begin{array}{r}
4\ 6 \\
\times\ 3\ 2 \\
\hline
9\ 2 \\
1\ 3\ 8\ 0 \\
\hline
1\ 4\ 7\ 2
\end{array}
$$

09
$$
\begin{array}{r}
6\ 1 \\
\times\ 3\ 4 \\
\hline
2\ 4\ 4 \\
1\ 8\ 3\ 0 \\
\hline
2\ 0\ 7\ 4
\end{array}
$$

10
$$
\begin{array}{r}
5\ 6 \\
\times\ 2\ 2 \\
\hline
1\ 1\ 2 \\
1\ 1\ 2\ 0 \\
\hline
1\ 2\ 3\ 2
\end{array}
\qquad
\begin{array}{r}
5\ 6 \\
\times\ 1\ 8 \\
\hline
4\ 4\ 8 \\
5\ 6\ 0 \\
\hline
1\ 0\ 0\ 8
\end{array}
$$

11 (사탕 한 개의 값)×(산 사탕의 수)
=30×30=900(원)

12 (과자 한 봉지의 값)×(산 과자의 수)
=220×4=880(원)

13 (음료수 한 캔의 값)×(산 음료수의 수)
=317×2=634(원)

14 (컵라면 한 개의 값)×(산 컵라면의 수)
=672×3=2016(원)

15 (선물 한 개를 포장하는 데 필요한 리본의 길이)
×(선물 수)
=128×7=896 (cm)

16 (한 상자에 들어 있는 귤의 수)×(상자의 수)
=138×6=828(개)

17 (하루에 읽는 동화책 쪽수)×14
=26×14=364(쪽)

18 (꽃 한 송이를 만드는 데 필요한 색 테이프의 길이)
×(만들려는 꽃 수)
=24×53=1272 (cm)

36~39쪽 | 3 단계 | 익힘책 익히기

01 648   **02** (위부터) 8 ; 30, 10 ; 200 ; 654

03 (1)
```
      4
    5 7 1
  ×     6
  3 4 2 6
```
(2)
```
      5
    4 7 0
  ×     8
  3 7 6 0
```

04 100

05 (1) 324   (2) 584   (3) 552   (4) 1620

06 1800, 1740, 3420

07 (왼쪽부터) 4, 780, 104, 884 ; 104, 780, 884

08 >   **09**

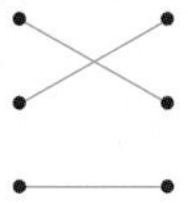

10 ㉠, ㉢, ㉡

11

369	480	306
246	460	946
406	939	486

12
```
      2 6
  ×   5 7
    1 8 2
  1 3 0 0
  1 4 8 2
```

13 1020 kg

14 (1) 48개   (2) 672개

---

01 백 모형은 3×2=6(개), 십 모형은 2×2=4(개),
일 모형은 4×2=8(개)이므로 600+40+8=648
입니다.

04 [참고]
곱하는 수와 곱해지는 수가 10배씩 커지면 두 수의
곱은 100배 커집니다.

05 (1)
```
      5
        9
  ×   3 6
    3 2 4
```
(2)
```
      2
        8
  ×   7 3
    5 8 4
```
(3)
```
    2 3
  ×  2 4
      9 2
    4 6 0
    5 5 2
```
(4)
```
      3 6
  ×   4 5
    1 8 0
  1 4 4 0
  1 6 2 0
```

06 30×60=1800, 29×60=1740, 57×60=3420

08 349×2=698, 209×3=627 ⇨ 698>627

09 25×60=1500, 70×60=4200
60×70=4200, 30×50=1500
24×20=480, 12×40=480

10 ㉠ 284 ㉡ 252 ㉢ 256
⇨ ㉠ 284>㉢ 256>㉡ 252

11 102×3=306, 313×3=939,
243×2=486, 230×2=460

12 26×50=1300이므로 바르게 쓰고 계산합니다.

13 68×15=1020 (kg)

14 (1) 좌석이 4개씩 12줄이므로 4×12=48(개)입니다.
(2) 48×14=672(개)

40~42쪽 | 4 단계 | 단원 평가

01 456   **02** 150, 1000, 1150

03
```
      1
    3 2 4
  ×     3
    9 7 2
```
04 (위부터) 900, 10

05 3688   **06** 5336

07 2310

08 (위부터) 600, 900 ; 700, 1050

09 ( )
(○)
10

11 ㉢   **12** >

13 864, 2592   **14** 874×5 ; 4370

15 ㉠, ㉢, ㉡   **16**
```
      4 9
  ×   7 5
    2 4 5
  3 4 3 0
  3 6 7 5
```

17 870개   **18** 7

19 2450번   **20** 132×4=528 ; 528묶음

01 백 모형은 $1×4=4$(개), 십 모형은 $1×4=4$(개), 일 모형은 $4×4=16$(개)이므로 $400+40+16=456$ 입니다.

02 $25×6$과 $25×40$을 계산하여 더합니다.

03 일의 자리에서 올림한 수를 십의 자리 수 위에 작게 쓰고 계산합니다.

> **참고**
> 보기 와 같이 일의 자리에서 올림한 수를 십의 자리 수 위에 작게 쓰고 십의 자리 계산에 더합니다.

04 $45×20$은 $45×2$의 10배입니다.

05
$$\begin{array}{r} {}^{4} \\ 4\,6\,1 \\ \times8 \\ \hline 3\,6\,8\,8 \end{array}$$

06
$$\begin{array}{r} 9\,2 \\ \times\,5\,8 \\ \hline 7\,3\,6 \\ 4\,6\,0\,0 \\ \hline 5\,3\,3\,6 \end{array}$$

07 $33×70=2310$

08 $30×20=600$, $30×30=900$,
$35×20=700$, $35×30=1050$

09 $7×32=224$

10 $315×4=1260$, $164×8=1312$

11 ㉠ $25×60=1500$ ㉡ $30×50=1500$
㉢ $22×70=1540$ ㉣ $375×4=1500$

12 $42×36=1512$, $54×27=1458$
⇨ $1512>1458$

13 $54×16=864$, $864×3=2592$

14 874를 5번 더한 것은 874의 5배와 같습니다.
⇨ $874×5=4370$

> **참고**
> ▲를 ●번 더한 것 ⇨ ▲ × ●

15 ㉠ $80×50=4000$ ㉡ $53×70=3710$
㉢ $564×7=3948$
⇨ ㉠>㉢>㉡

16 $49×70=3430$이므로 3430을 쓰고 바르게 계산합니다.

17 $30×29=870$(개)

18 □$×3$의 일의 자리가 1인데 $7×3=21$이므로 □ 안에 알맞은 수는 7입니다.

19 일주일은 7일이므로 $350×7=2450$(번) 합니다.

20 3학년 전체 학생은
$25+30+25+28+24=132$(명)입니다.
⇨ 색종이는 모두 $132×4=528$(묶음) 필요합니다.

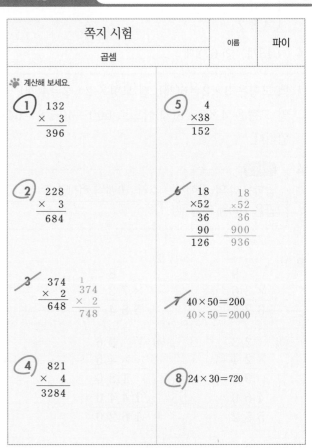

43쪽   스스로 학습장

쪽지 시험		이름	파이
곱셈			

🐾 계산해 보세요.

① $\begin{array}{r} 1\,3\,2 \\ \times\,3 \\ \hline 3\,9\,6 \end{array}$

② $\begin{array}{r} 2\,2\,8 \\ \times\,3 \\ \hline 6\,8\,4 \end{array}$

③ $\begin{array}{r} 3\,7\,4 \\ \times\,2 \\ \hline 6\,4\,8 \end{array}$ $\begin{array}{r} {}^{1} \\ 3\,7\,4 \\ \times\,2 \\ \hline 7\,4\,8 \end{array}$

④ $\begin{array}{r} 8\,2\,1 \\ \times\,4 \\ \hline 3\,2\,8\,4 \end{array}$

⑤ $\begin{array}{r} 4 \\ \times\,3\,8 \\ \hline 1\,5\,2 \end{array}$

⑥ $\begin{array}{r} 1\,8 \\ \times\,5\,2 \\ \hline 3\,6 \\ 9\,0 \\ \hline 1\,2\,6 \end{array}$ $\begin{array}{r} 1\,8 \\ \times\,5\,2 \\ \hline 3\,6 \\ 9\,0\,0 \\ \hline 9\,3\,6 \end{array}$

⑦ $40×50=200$
$40×50=2000$

⑧ $24×30=720$

2. 나눗셈

📖 **학부모 지도 가이드**

학생들은 일상 생활 속에서 많은 양의 물건을 몇 개의 그릇에 나누어 담거나 일정한 양을 몇 사람에게 똑같이 나누어 주어야 하는 나눗셈이 필요한 경우를 경험하게 됩니다. 이 단원에서는 이러한 나눗셈 상황의 문제를 해결하기 위해 나눗셈의 몫과 나머지의 의미를 바르게 이해하고 구하는 과정을 학습합니다. 나눗셈을 단순히 계산하는 것뿐만 아니라 일상 생활의 문제 상황을 적절히 도입하여 곱셈과 나눗셈의 학습이 자연스럽게 이루어지도록 지도합니다.

46~47쪽   준비 학습

1 ◯◯◯ ◯◯◯ ◯◯◯ ; 3

2 4, 4 ; 4

3 $3 \times 6 = \boxed{18}$ $\nearrow 18 \div 3 = \boxed{6}$ $\searrow \boxed{18} \div 6 = \boxed{3}$

4

나눗셈식	곱셈식	몫
$30 \div 5 = \boxed{6}$	$2 \times 7 = 14$	5
$40 \div 8 = \boxed{5}$	$5 \times 6 = 30$	7
$14 \div 2 = \boxed{7}$	$5 \times 8 = 40$	6

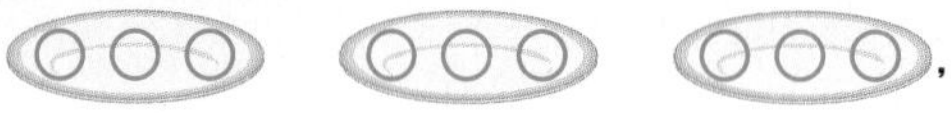

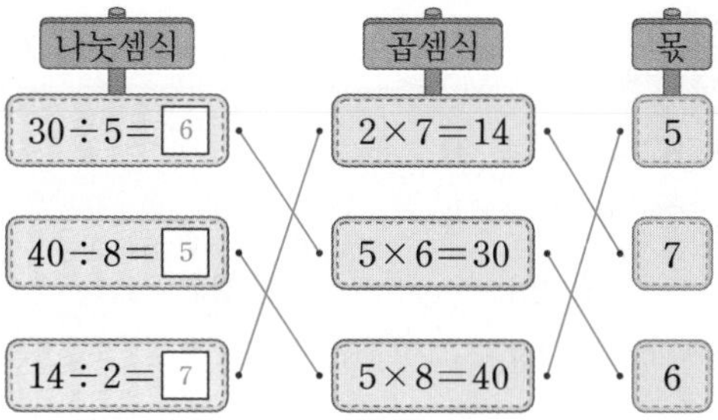

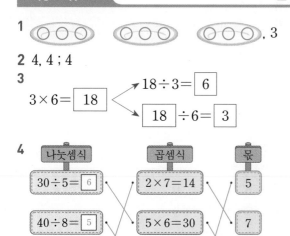

5 (1) 3, 5   (2) 3, 3

1 귤 9개를 접시 3개에 똑같이 나누어 담으려면 접시 1개에 3개씩 담아야 합니다. ⇨ $9 \div 3 = 3$(개)

2 사탕 16개에서 4개씩 4번 덜어 내면 0이 됩니다.
$16 - 4 - 4 - 4 - 4 = 0 \Rightarrow 16 \div 4 = 4$

3 $3 \times 6 = 18$ $3 \times 6 = 18$
$18 \div 3 = 6$ $18 \div 6 = 3$

4 나눗셈의 몫을 곱셈식으로 구할 수 있습니다.
$30 \div 5 = \boxed{6}$ $5 \times \boxed{6} = 30$,
$40 \div 8 = \boxed{5}$ $\boxed{5} \times 8 = 40$
$14 \div 2 = \boxed{7}$ $2 \times \boxed{7} = 14$

49쪽   **1**단계 | 교과서 개념

1 (1) 2개   (2) 20   **2** 1, 10
3 4, 40   **4** 10
5 10   **6** 30

1 (1) 십 모형 4개를 2묶음으로 똑같이 나누면 십 모형이 한 묶음에 2개씩입니다.
  (2) 십 모형이 한 묶음에 2개씩이므로 $40 \div 2 = 20$입니다.

4 $3 \div 3 = 1 \Rightarrow 30 \div 3 = 10$

5 $7 \div 7 = 1 \Rightarrow 70 \div 7 = 10$

6 $6 \div 2 = 3 \Rightarrow 60 \div 2 = 30$

51쪽   **1**단계 | 교과서 개념

1 (1) 12묶음   (2) 12   **2** 35
3 15   **4** 15
5 15

1 (1) 일 모형 60개를 5개씩 묶으면 12묶음이 됩니다.
  (2) 일 모형 60개를 5개씩 묶으면 12묶음이므로
    $60 \div 5 = 12$입니다.

52~53쪽   **2**단계 | 개념 집중 연습

01 30   **02** 10
03 2, 20   **04** 2, 20
05 1, 10   **06** 1, 10
07 20   **08** 10
09 10   **10** 15
11 15   **12** 35
13 45   **14** 25
15 12   **16** 15
17 16   **18** 18

01 십 모형 9개를 3묶음으로 똑같이 나누면 한 묶음에 십 모형이 3개씩이므로 90÷3＝30입니다.

02 십 모형 3개를 3묶음으로 똑같이 나누면 한 묶음에 십 모형이 1개씩이므로 30÷3＝10입니다.

07 6÷3＝2 ⇨ 60÷3＝20

08 4÷4＝1 ⇨ 40÷4＝10

09 8÷8＝1 ⇨ 80÷8＝10

> **참고**
> 나누어지는 수가 10배가 되면 몫도 10배가 됩니다.
>
> $$8 \div 8 = 1 \Rightarrow 80 \div 8 = 10$$
> 10배 / 10배

10 십 모형 3개를 2묶음으로 똑같이 나누면 한 묶음에 십 모형이 1개, 일 모형이 5개씩이므로 30÷2＝15 입니다.

11 십 모형 6개를 4묶음으로 똑같이 나누면 한 묶음에 십 모형이 1개, 일 모형이 5개씩이므로 60÷4＝15 입니다.

17 80÷5＝16

18 90÷5＝18

55쪽 1단계 | 교과서 개념

1 (위부터) 3 ; 3 ; 9 ; 0

2 (위부터) 1 ; 6 ; 2 ; 0

3 23   **4** 11

5 12   **6** 21

7 43

---

1 십의 자리 숫자 3에 3이 1번 들어가므로 몫의 십의 자리에 1을 쓰고, 내려 쓴 일의 자리 숫자 9에 3이 3번 들어가므로 몫의 일의 자리에 3을 씁니다.

2 십의 자리 숫자 6에 2가 3번 들어가므로 몫의 십의 자리에 3을 쓰고, 내려 쓴 일의 자리 숫자 2에 2가 1번 들어가므로 몫의 일의 자리에 1을 씁니다.

3
```
   2 3
3)6 9
  6
  ─────
    9
    9
  ─────
    0
```

4
```
   1 1
5)5 5
  5
  ─────
    5
    5
  ─────
    0
```

5
```
   1 2
4)4 8
  4
  ─────
    8
    8
  ─────
    0
```

6
```
   2 1
2)4 2
  4
  ─────
    2
    2
  ─────
    0
```

7
```
   4 3
2)8 6
  8
  ─────
    6
    6
  ─────
    0
```

57쪽 1단계 | 교과서 개념

1 (위부터) 1, 6 ; 4 ; 2, 4 ; 0

2 (위부터) 1, 7 ; 4 ; 1, 4 ; 0

3 13   **4** 23   **5** 24

6 28   **7** 18

3
```
   1 3
6)7 8
  6
  ─────
  1 8
  1 8
  ─────
    0
```

4
```
   2 3
4)9 2
  8
  ─────
  1 2
  1 2
  ─────
    0
```

5
```
   2 4
3)7 2
  6
  ─────
  1 2
  1 2
  ─────
    0
```

6
```
   2 8
2)5 6
  4
  ─────
  1 6
  1 6
  ─────
    0
```

7
```
   1 8
3)5 4
  3
  ─────
  2 4
  2 4
  ─────
```

01 (위부터) 2, 1 ; 6 ; 3 ; 3
02 (위부터) 3, 4 ; 6 ; 8 ; 8
03 11　　04 32　　05 14
06 22　　07 31　　08 21
09 (왼쪽부터) 7 / 9 ; 7 ; 2, 7 ; 0
10 (왼쪽부터) 4 / 7 ; 4 ; 1, 4 ; 0
11 13　　12 14　　13 14
14 19　　15 24
16 (위부터) 48, 24

03
```
    1 1
 4)4 4
   4
   ─
     4
     4
   ───
     0
```

04
```
    3 2
 3)9 6
   9
   ─
     6
     6
   ───
     0
```

05
```
    1 4
 2)2 8
   2
   ─
     8
     8
   ───
     0
```

06
```
    2 2
 4)8 8
   8
   ─
     8
     8
   ───
     0
```

07
```
    3 1
 3)9 3
   9
   ─
     3
     3
   ───
     0
```

08
```
    2 1
 4)8 4
   8
   ─
     4
     4
   ───
     0
```

11
```
    1 3
 7)9 1
   7
   ─
   2 1
   2 1
   ───
     0
```

12
```
    1 4
 6)8 4
   6
   ─
   2 4
   2 4
   ───
     0
```

13
```
    1 4
 4)5 6
   4
   ─
   1 6
   1 6
   ───
     0
```

14
```
    1 9
 2)3 8
   2
   ─
   1 8
   1 8
   ───
     0
```

15
```
    2 4
 3)7 2
   6
   ─
   1 2
   1 2
   ───
     0
```

16
```
    4 8            2 4
 2)9 6          4)9 6
   8              8
   ─              ─
   1 6            1 6
   1 6            1 6
   ───            ───
     0   ,          0
```

1
```
      6
 5)3 3
   3 0 ←5×6
   ───
     3
```

2
```
      8
 7)5 8
   5 6 ←7×8
   ───
     2
```

3 8…1　　4 4…3
5 9…6　　6 7…1
7 7…3

3
```
      8
 6)4 9
   4 8
   ───
     1
```

4
```
      4
 8)3 5
   3 2
   ───
     3
```

5
```
      9
 9)8 7
   8 1
   ───
     6
```

6
```
      7
 8)5 7
   5 6
   ───
     1
```

7
```
      7
 6)4 5
   4 2
   ───
     3
```

1 (왼쪽부터) 4 / 3 ; 4 ; 1, 2 ; 2
2 (왼쪽부터) 3 / 8 ; 3 ; 4, 0 ; 3
3 24…2　　4 28…1　　5 15…3
6 11…5　　7 12…3

1 • 5÷4의 몫은 1, 5−4=1이므로 십의 자리에는 1
을, 일의 자리에는 4를 내려 씁니다.
• 14÷4의 몫은 3, 4×3=12, 14−12=2이므로
가장 아래에 2를 씁니다.

2 • 9÷5의 몫은 1, 9−5=4이므로 십의 자리에는 4
를, 일의 자리에는 3을 내려 씁니다.
• 43÷5의 몫은 8, 5×8=40, 43−40=3이므로
가장 아래에 3을 씁니다.

3
```
    2 4
3)7 4
  6
  1 4
  1 2
    2
```

4
```
    2 8
2)5 7
  4
  1 7
  1 6
    1
```

5
```
    1 5
4)6 3
  4
  2 3
  2 0
    3
```

6
```
    1 1
7)8 2
  7
  1 2
    7
    5
```

7
```
    1 2
6)7 5
  6
  1 5
  1 2
    3
```

참고
나머지는 항상 나누는 수보다 작아야 합니다.

64~65쪽 2단계 | 개념 집중 연습

01 (위부터) 7 ; 6, 3 ; 5
02 (위부터) 9 ; 7, 2 ; 3
03 9…1　　04 9…4
05 5…5　　06 9…2
07 7, 2　　08 8, 7
09 (왼쪽부터) 5 / 8 ; 5 ; 2, 4 ; 1
10 (왼쪽부터) 8 / 2 ; 8 ; 1, 4 ; 4
11 16…3　　12 13…1
13 18…3　　14 13…5
15 36, 1　　16 13, 4

03
```
      9
4)3 7
  3 6
    1
```

04
```
      9
7)6 7
  6 3
    4
```

05
```
      5
8)4 5
  4 0
    5
```

06
```
      9
5)4 7
  4 5
    2
```

07
```
      7
8)5 8
  5 6
    2
```

08
```
      8
9)7 9
  7 2
    7
```

11
```
    1 6
4)6 7
  4
  2 7
  2 4
    3
```

12
```
    1 3
6)7 9
  6
  1 9
  1 8
    1
```

13
```
    1 8
4)7 5
  4
  3 5
  3 2
    3
```

14
```
    1 3
6)8 3
  6
  2 3
  1 8
    5
```

15
```
    3 6
2)7 3
  6
  1 3
  1 2
    1
```

16
```
    1 3
5)6 9
  5
  1 9
  1 5
    4
```

67쪽 1단계 | 교과서 개념

1 (왼쪽부터) 2 / 5 ; 2 ; 2, 5
2 100　　3 71　　4 197
5 160　　6 79　　7 77

2
```
    1 0 0
5)5 0 0
  5
        0
```

3
```
      7 1
4)2 8 4
  2 8
        4
        4
        0
```

4
```
    1 9 7
3)5 9 1
  3
  2 9
  2 7
    2 1
    2 1
      0
```

5
```
    1 6 0
4)6 4 0
  4
  2 4
  2 4
      0
```

6
```
      7 9
5)3 9 5
  3 5
    4 5
    4 5
      0
```

7
```
      7 7
4)3 0 8
  2 8
    2 8
    2 8
      0
```

69쪽 　1단계 | 교과서 개념

1 (왼쪽부터) 0 / 0, 1 ; 4 ; 1

2 51 ⋯ 1　　3 201 ⋯ 1　　4 73 ⋯ 3

5 72 ⋯ 5　　6 124 ⋯ 3　　7 64 ⋯ 1

2
```
    5 1
3)1 5 4
  1 5
      4
      3
      1
```

3
```
   2 0 1
2)4 0 3
  4
      3
      2
      1
```

4
```
    7 3
5)3 6 8
  3 5
    1 8
    1 5
      3
```

5
```
    7 2
6)4 3 7
  4 2
    1 7
    1 2
      5
```

6
```
  1 2 4
6)7 4 7
  6
  1 4
  1 2
    2 7
    2 4
      3
```

7
```
    6 4
3)1 9 3
  1 8
    1 3
    1 2
      1
```

71쪽 　1단계 | 교과서 개념

1 2, 17　　2 1, 29

3 13, 3 ; 13, 3　　4 14, 1 ; 14, 1

5 15, 2 ; 15, 2

---

1 **참고**

나눗셈을 하고 계산이 맞는지 나누는 수와 몫의 곱에 나머지를 더해 나누어지는 수가 되는지 확인합니다.

72~73쪽 　2단계 | 개념 집중 연습

01 (위부터) 0, 0 ; 9 ; 0

02 (위부터) 5, 3 ; 1, 0 ; 6

03 98　　04 91

05 82　　06 87

07 (위부터) 3, 5 ; 1, 2 ; 2 ; 2, 0 ; 3

08 (위부터) 1, 0, 0 ; 3 ; 2

09 202 ⋯ 2　　10 69 ⋯ 5

11 52 ⋯ 4　　12 76 ⋯ 2

13 104 ⋯ 3　　14 18, 2 ; 18, 2, 56

15 11, 6 ; 11, 6, 83

16 15 ⋯ 3 ; $6 \times 15 = 90$ ⇨ $90 + 3 = 93$

17 14 ⋯ 4 ; $5 \times 14 = 70$ ⇨ $70 + 4 = 74$

03
```
    9 8
5)4 9 0
  4 5
    4 0
    4 0
      0
```

04
```
    9 1
8)7 2 8
  7 2
      8
      8
      0
```

05
```
    8 2
9)7 3 8
  7 2
    1 8
    1 8
      0
```

06
```
    8 7
6)5 2 2
  4 8
    4 2
    4 2
      0
```

09
```
  2 0 2
3)6 0 8
  6
      8
      6
      2
```

10
```
    6 9
8)5 5 7
  4 8
    7 7
    7 2
      5
```

11
```
    5 2
8)4 2 0
  4 0
    2 0
    1 6
      4
```

12
```
    7 6
7)5 3 4
  4 9
    4 4
    4 2
      2
```

13
```
  1 0 4
9)9 3 9
  9
    3 9
    3 6
      3
```

14 나누는 수와 몫의 곱에 나머지를 더하면 나누어지는 수가 되는지 확인합니다.

16
```
   1 5
6)9 3
  6
  3 3
  3 0
    3
```

17
```
   1 4
5)7 4
  5
  2 4
  2 0
    4
```

74~77쪽 3단계 | 익힘책 익히기

01 (1) 3개 (2) 30

02
```
    [2][3]
3)  6  9
    6  0  ← 3×[20]
       9
      [9] ← 3×[3]
      [0]
```

03 몫, 나머지

04 (1) 32 (2) 11 ⋯ 3 (3) 35 (4) 16

05 

06 <

07
```
   1 6
4)6 7
  4
  2 7
  2 4
    3
```

08 (1) 130 (2) 199 (3) 200 (4) 155 ⋯ 2

09 499÷5에 ○표

10 (1) 17, 1 ; 17, 1, 35 (2) 10, 2 ; 10, 2, 52

11 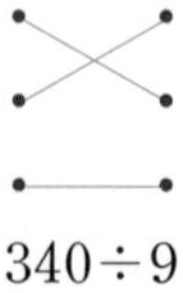

12 340÷9=37 ⋯ 7 ; 37, 7

01 (2) 십 모형 6개를 2묶음으로 똑같이 나누면, 한 묶음에 십 모형이 3개씩이므로 60÷2=30입니다.

04 (1)
```
   3 2
2)6 4
  6
    4
    4
    0
```
(2)
```
   1 1
4)4 7
  4
    7
    4
    3
```

05 56÷4=14, 52÷4=13, 78÷6=13, 57÷3=19, 42÷3=14

06 70÷5=14, 90÷6=15 ⇨ 14<15

07 나머지는 항상 나누는 수보다 작아야 합니다.

08 (1)
```
   1 3 0
6)7 8 0
  6
  1 8
  1 8
    0
```
(2)
```
   1 9 9
2)3 9 8
  2
  1 9
  1 8
    1 8
    1 8
      0
```
(3)
```
   2 0 0
3)6 0 0
  6
    0
```
(4)
```
   1 5 5
3)4 6 7
  3
  1 6
  1 5
    1 7
    1 5
      2
```

09 491÷3=163 ⋯ 2, 489÷4=122 ⋯ 1, 499÷5=99 ⋯ 4

11 49÷4=12 ⋯ 1 → 4×12=48 ⇨ 48+1=49
68÷6=11 ⋯ 2 → 6×11=66 ⇨ 66+2=68
93÷6=15 ⋯ 3 → 6×15=90 ⇨ 90+3=93

> **참고**
> ▲÷■=몫 ⋯ 나머지
> → ■×몫=● ⇨ ●+나머지=▲

12 340÷9=37 ⋯ 7
⇨ 한 명에게 37장씩 줄 수 있고 7장이 남습니다.

$$\begin{array}{r} 1\ 2 \\ 2\ )\overline{\ 2\ 4} \end{array}$$

02 25

03 (위부터) 6, 3 ; 8 ; 3, 6 ; 2 ; 1, 8 ; 5

04 6…6   **05** 15

06 10   **07** 27, 2

08 ⑤   **09** 28, 14

10 >   **11** ②

12 □÷6, □÷7에 ○표

13 12…1 ; 6×12=72 ⇨ 72+1=73

14
$$\begin{array}{r} 1\ 5 \\ 6\ )\overline{\ 9\ 2} \\ \underline{6} \\ 3\ 2 \\ \underline{3\ 0} \\ 2 \end{array}$$

15 ㉢

16 14

17 사라

18 60÷4=15 ; 15줄

19 23개, 2개   **20** 11개

---

01 나누어지는 수 24는)‾‾‾ 의 아래쪽, 나누는 수 2는)‾‾‾ 의 왼쪽, 몫 12는)‾‾‾ 의 위쪽에 씁니다.

02 십 모형 5개를 2묶음으로 똑같이 나누면 한 묶음에 십 모형 2개, 일 모형 5개씩이므로 50÷2=25입니다.

04
$$\begin{array}{r} 6 \\ 7\ )\overline{\ 4\ 8} \\ \underline{4\ 2} \\ 6 \end{array}$$

05
$$\begin{array}{r} 1\ 5 \\ 5\ )\overline{\ 7\ 5} \\ \underline{5} \\ 2\ 5 \\ \underline{2\ 5} \\ 0 \end{array}$$

06 80÷8=10

08 나머지는 항상 나누는 수보다 작아야 하므로 8과 같거나 8보다 큰 수는 나머지가 될 수 없습니다.

09 84÷3=28, 28÷2=14

10 148÷2=74, 168÷3=56 ⇨ 74>56

11 ① 84÷5=16…4   ② 56÷4=14
     ③ 47÷3=15…2   ④ 75÷7=10…5
     ⑤ 33÷2=16…1

12 나머지가 5가 되려면 나누는 수가 5보다 커야 합니다.

14 나머지는 나누는 수보다 작아야 하므로 몫을 1 크게 하여 바르게 계산합니다.

15 ㉠ 149÷3=49…2 ㉡ 254÷5=50…4
     ㉢ 274÷7=39…1 ㉣ 177÷6=29…3

16 98>73>25>9>7
     ⇨ 98÷7=14

17 55÷3=18…1
         ↑   ↑
        몫   나머지

18 (전체 학생 수)=34+26=60(명)
     ⇨ 60÷4=15(줄)

19 140÷6=23…2
     ⇨ 23개씩 담고 2개가 남습니다.

20 (나누어 담은 전체 감자 수)=57-2=55(개)
     ⇨ 55÷5=11이므로 감자를 담은 바구니는 11개입니다.

81쪽   **스스로 학습장**

1 ○ ; ○

2 × ,
$$\begin{array}{r} 1\ 5 \\ 4\ )\overline{\ 6\ 2} \\ \underline{4} \\ 2\ 2 \\ \underline{2\ 0} \\ 2 \end{array}$$
; ○

3 ○ ; × ,
$$\begin{array}{r} 1\ 2\ 6 \\ 4\ )\overline{\ 5\ 0\ 4} \\ \underline{4} \\ 1\ 0 \\ \underline{8} \\ 2\ 4 \\ \underline{2\ 4} \\ 0 \end{array}$$

정답 및 풀이

3. 원

학부모 지도 가이드

2학년 1학기에서는 원을 알고 원 모양을 본 뜨고 그리는 방법을 학습하였습니다. 이 단원에서는 원의 중심과 반지름, 지름을 알고 원의 지름과 반지름의 성질을 학습합니다. 또 원을 이용하여 여러 가지 모양을 만들고 원이 일상 생활에 사용되는 경우도 생각해 볼 수 있도록 지도합니다.

84~85쪽 준비 학습

1 (○) (×) (×)
(×) (○) (×)

2 (위부터) 변, 꼭짓점

3 (1) × (2) ○

4 (1) 선분 ㄱㄴ 또는 선분 ㄴㄱ
(2) 직선 ㄷㄹ 또는 직선 ㄹㄷ

5 8 mm, 8 밀리미터

6 (1) 84 (2) 4, 2

1 원은 어느 쪽에서 보아도 똑같이 동그란 모양입니다.

2 사각형에서 곧은 선을 변이라 하고, 두 곧은 선이 만나는 점을 꼭짓점이라고 합니다.

3 (1) 원은 곧은 선이 없고 굽은 선으로만 둘러싸여 있습니다.

4 (1) 두 점을 곧게 이은 선이므로 선분입니다.
(2) 선분을 양쪽으로 끝없이 늘인 곧은 선이므로 직선입니다.

6 (1) $8\text{ cm }4\text{ mm}=8\text{ cm}+4\text{ mm}$
$=80\text{ mm}+4\text{ mm}=84\text{ mm}$
(2) $42\text{ mm}=40\text{ mm}+2\text{ mm}$
$=4\text{ cm}+2\text{ mm}=4\text{ cm }2\text{ mm}$

87쪽 1단계 | 교과서 개념

1 중심, 반지름

2 점 ㄱ

3 점 ㄴ

4 예

5 예
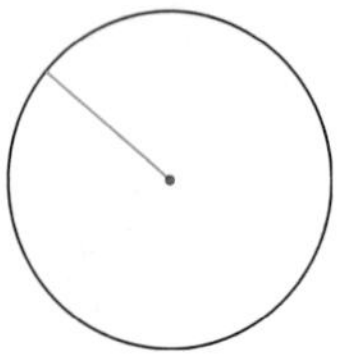

1 점 ㅇ을 원의 중심이라 하고 원의 중심과 원 위의 한 점을 이은 선분 ㅇㄱ을 원의 반지름이라고 합니다.

2 점 ㄱ이 원의 중심입니다.

3 점 ㄴ이 원의 중심입니다.

4 원의 중심과 원 위의 한 점을 이어 반지름을 1개 그립니다.

89쪽 1단계 | 교과서 개념

1 (1) ㄷㄹ 또는 ㄹㄷ (2) ㄷㄹ 또는 ㄹㄷ

2 3 cm

3 6 cm

4 2

1 (2) 원에서 길이가 가장 긴 선분 ㄷㄹ이 원의 지름입니다.

2 원의 반지름은 모눈 3칸의 길이와 같으므로 3 cm입니다.

3 원의 지름은 모눈 6칸의 길이와 같으므로 6 cm입니다.

4 원의 지름: 6 cm, 원의 반지름: 3 cm
⇨ $6=3\times2$이므로 지름은 반지름의 2배입니다.

90~91쪽 2단계 | 개념 집중 연습

01 지름

02 (왼쪽부터) 중심, 반지름

03 9 cm

04 10 cm

05 9, 9

06 11, 11

07 16

08 20

09 예
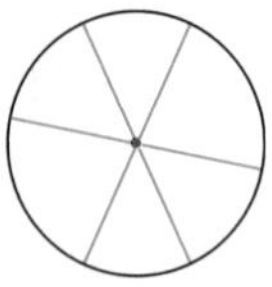

10 예
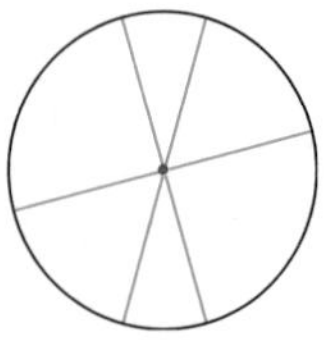

11 선분 ㄷㅂ 또는 선분 ㅂㄷ

12 선분 ㄷㄹ 또는 선분 ㄹㄷ

13 10 cm

14 14 cm

15 9 cm

16 4 cm

05 한 원에서 반지름은 모두 같습니다.

07 한 원에서 지름은 모두 같습니다.

09 원 위의 두 점을 이은 선분이 원의 중심을 지나도록 그립니다.

> **참고**
> 한 원에 원의 지름은 무수히 많이 그을 수 있습니다.

11 원의 지름은 원 안에 그을 수 있는 가장 긴 선분입니다.

13 한 원에서 지름은 반지름의 2배이므로
$5 \times 2 = 10$ (cm)입니다.

14 $7 \times 2 = 14$ (cm)

15 한 원에서 반지름은 지름의 반이므로
$18 \div 2 = 9$ (cm)입니다.

16 $8 \div 2 = 4$ (cm)

93쪽   **1** 단계 | 교과서 **개념**

1 ① 중심   ② 1   ③ ㅇ

2

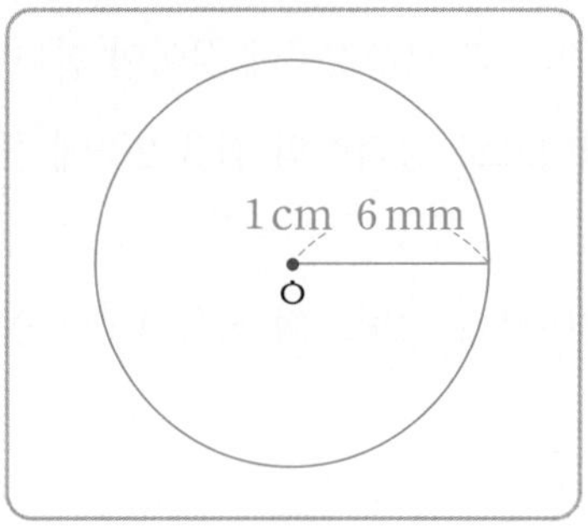

3

95쪽   **1** 단계 | 교과서 **개념**

1 1

2   **3** 4곳

4

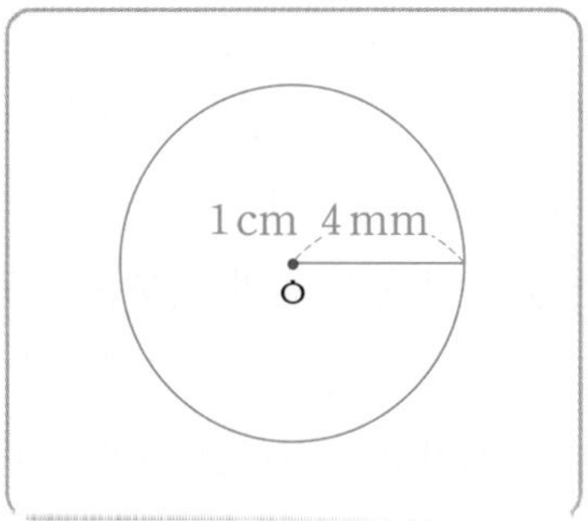

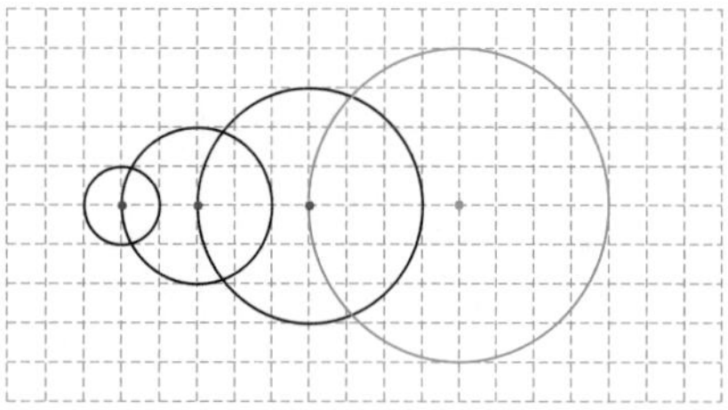

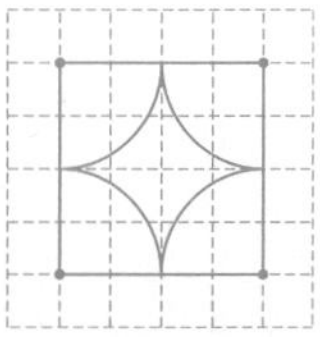

1 반지름이 모눈 1칸, 2칸, 3칸으로 1칸씩 늘어났습니다.

2 원의 중심을 오른쪽으로 모눈 4칸 이동하여 반지름이 모눈 4칸인 원을 1개 그립니다.

3 정사각형의 네 꼭짓점을 원의 중심으로 하는 원의 일부분을 4개 그려야 하므로 컴퍼스의 침을 꽂아야 할 곳은 모두 4곳입니다.

4 한 변이 모눈 4칸인 정사각형을 그리고 정사각형의 네 꼭짓점을 원의 중심으로 하고 반지름이 모눈 2칸인 원의 일부분을 그립니다.

---

1 컴퍼스의 침과 연필심 사이를 원의 반지름인 1 cm 만큼 벌려 원을 그립니다.

2 컴퍼스를 1 cm 6 mm만큼 벌려 컴퍼스의 침을 점 ㅇ에 꽂고 원을 그립니다.

3 컴퍼스를 1 cm 4 mm만큼 벌려 컴퍼스의 침을 점 ㅇ에 꽂고 원을 그립니다.

01 (   )(○)

02 (   )(○)

03

04

05

06

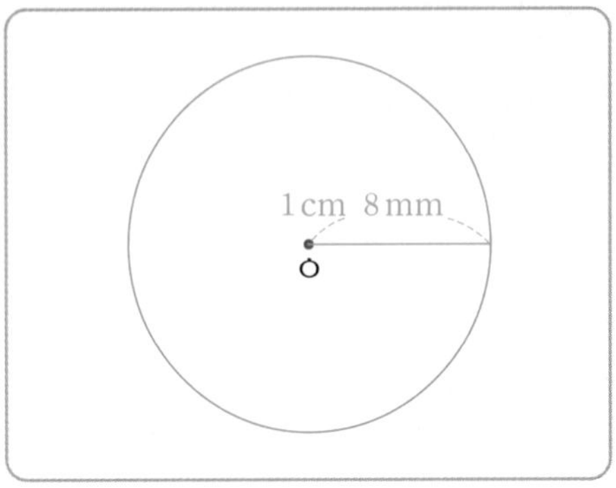

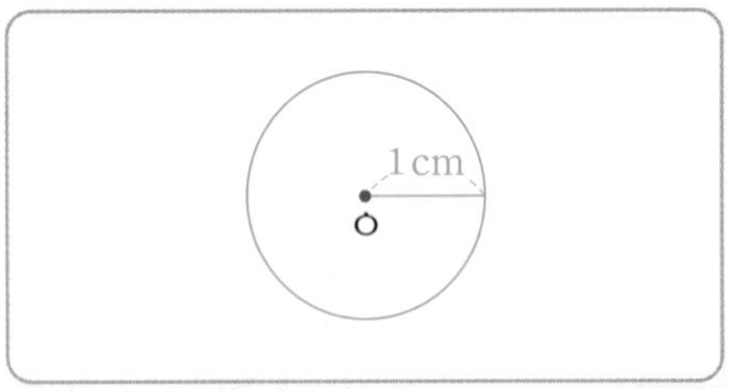

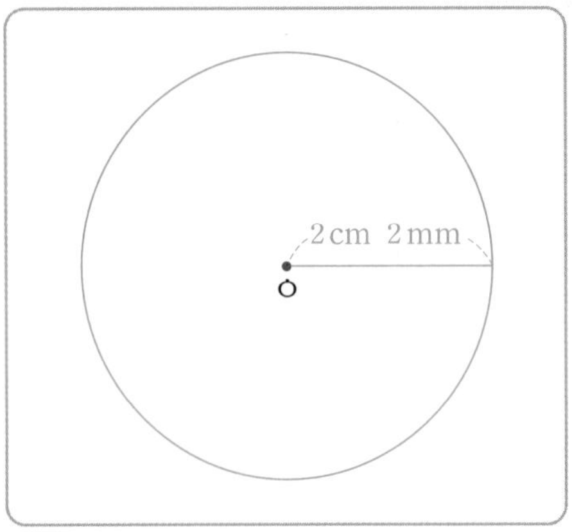

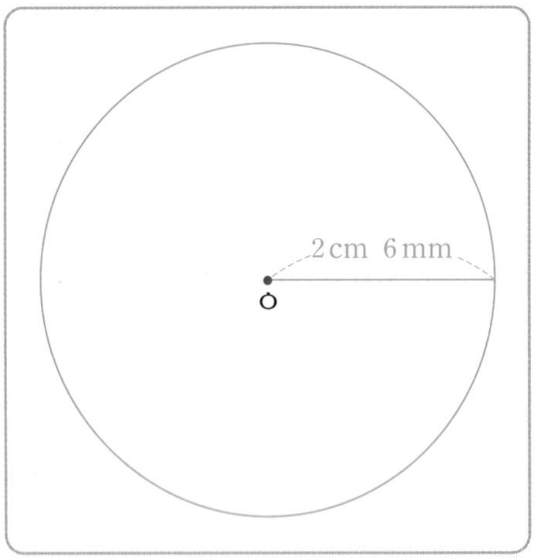

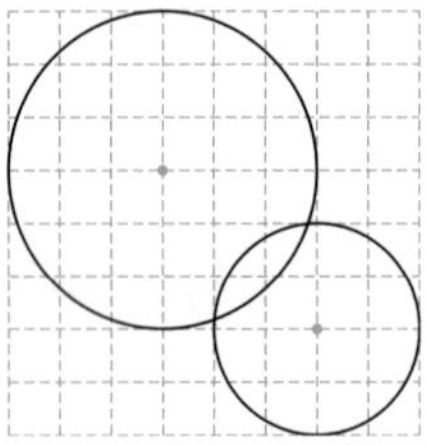

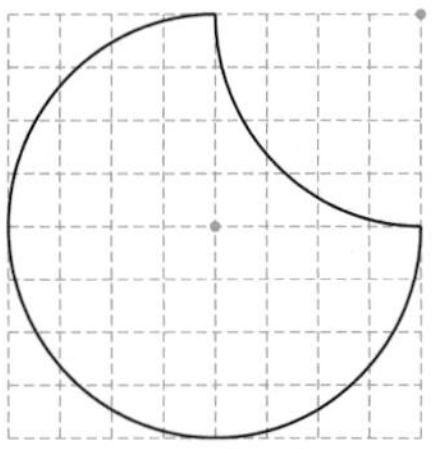

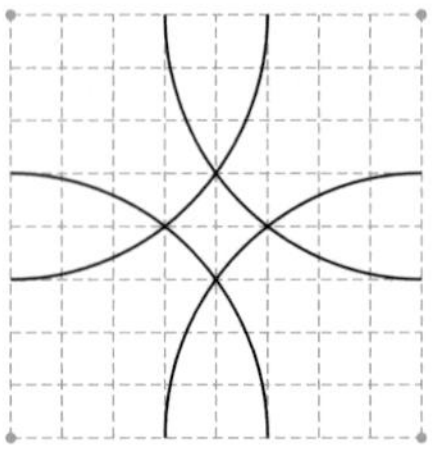

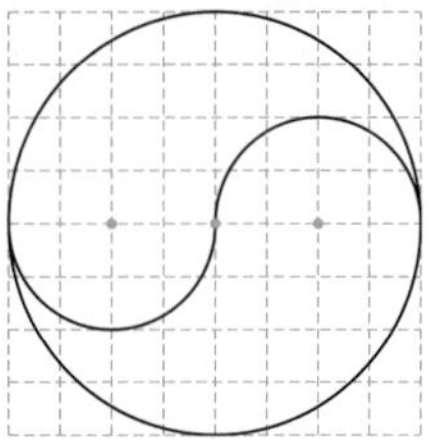

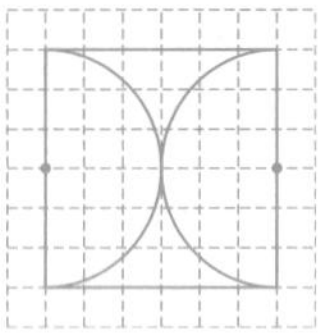

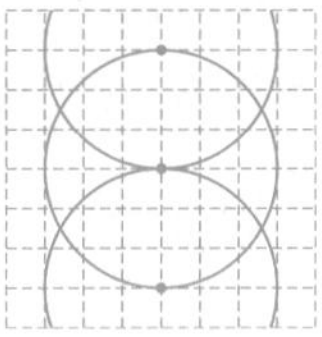

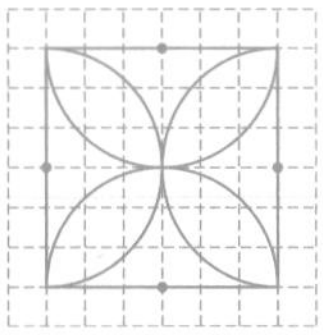

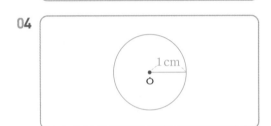

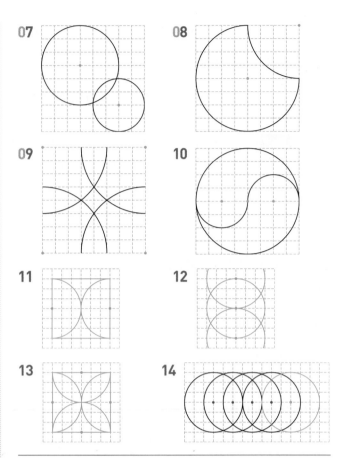

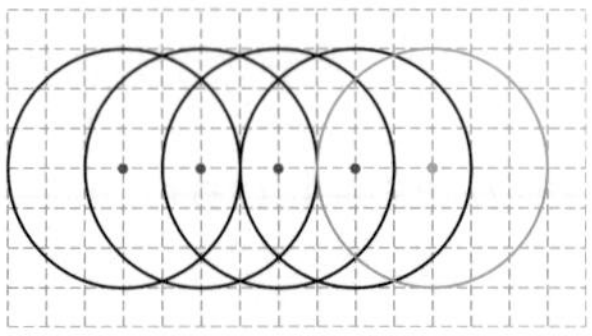

04 컴퍼스를 1 cm만큼 벌려 컴퍼스의 침을 점 ㅇ에 꽂고 원을 그립니다.

05 컴퍼스를 2 cm 2 mm만큼 벌려 컴퍼스의 침을 점 ㅇ에 꽂고 원을 그립니다.

06 컴퍼스를 2 cm 6 mm만큼 벌려 컴퍼스의 침을 점 ㅇ에 꽂고 원을 그립니다.

07 원이 2개이므로 컴퍼스의 침을 2곳에 꽂아야 합니다.

08 원의 일부분이 2개이므로 컴퍼스의 침을 2곳에 꽂아야 합니다.

09 원의 일부분이 4개이므로 컴퍼스의 침을 4곳에 꽂아야 합니다.

10 원이 1개, 원의 일부분이 2개이므로 컴퍼스의 침을 3곳에 꽂아야 합니다.

11 한 변이 모눈 6칸인 정사각형을 그리고 반지름이 모눈 3칸인 원의 일부분을 2개 그립니다.

12 반지름이 모눈 3칸인 원 1개와 원의 일부분을 2개 그립니다.

13 한 변이 모눈 6칸인 정사각형을 그리고 반지름이 모눈 3칸인 원의 일부분을 4개 그립니다.

14 원의 중심을 오른쪽으로 모눈 2칸씩 이동하며 반지름이 모눈 3칸인 원을 그리는 규칙입니다.

12

13

14

98~101 쪽　　　**3 단계** | **익힘책 익히기**

01

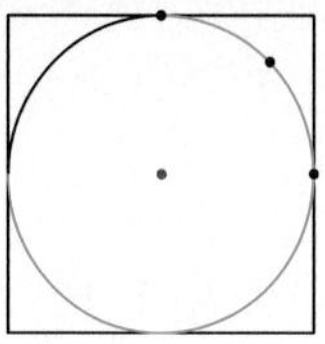

02
원의 [지름]
원의 [반지름]
원의 [중심]

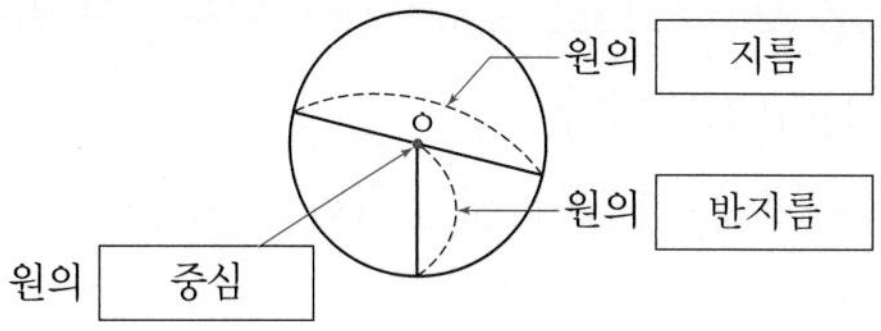

03 점 ㄴ　　　**04** 1개

05 〈예〉　　　**06** 〈예〉

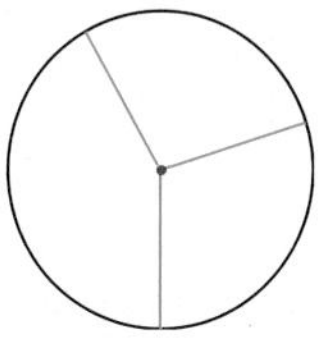

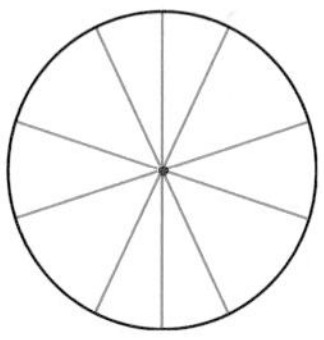

07 (1) 선분 ㅁㅂ 또는 선분 ㅂㅁ

　　(2) 선분 ㅁㅂ 또는 선분 ㅂㅁ

08 (　)(　)(○)(　)

09

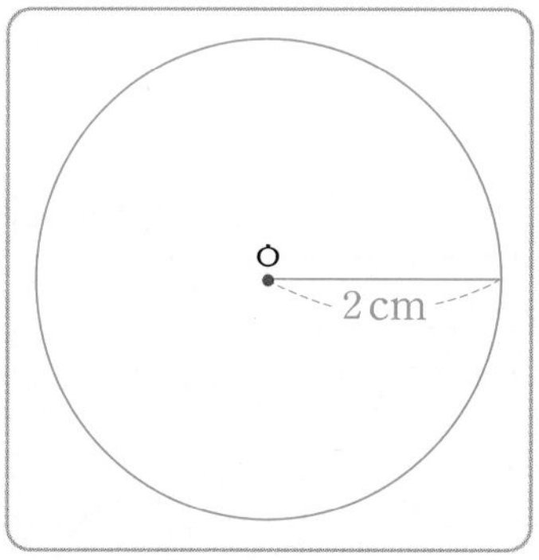

2 cm

10

2 cm 3 mm

11 (위부터)
2, 4

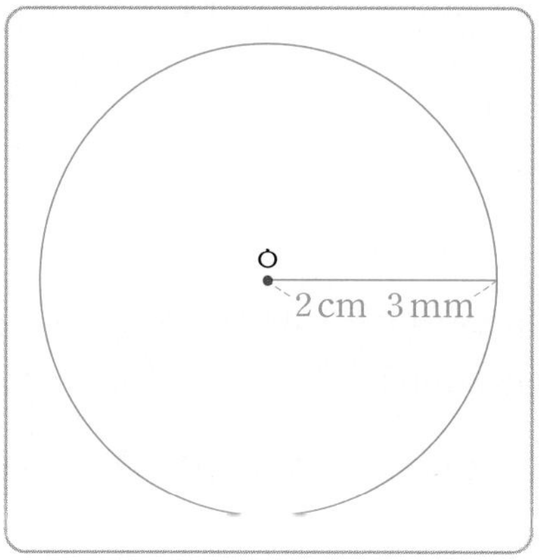

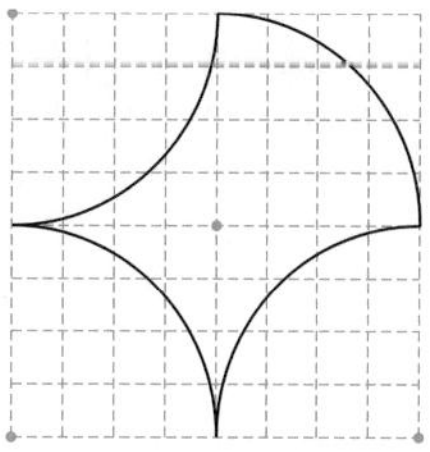

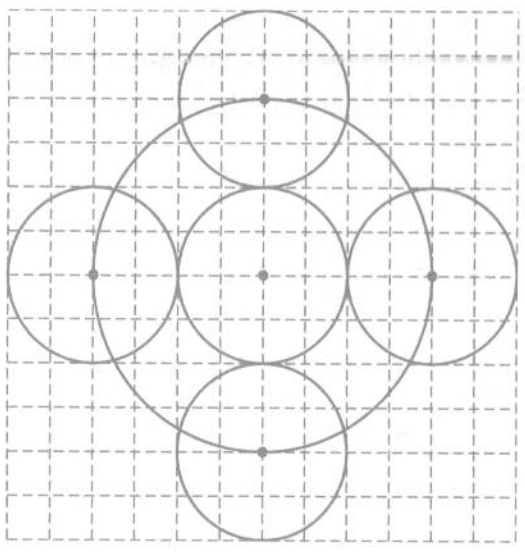

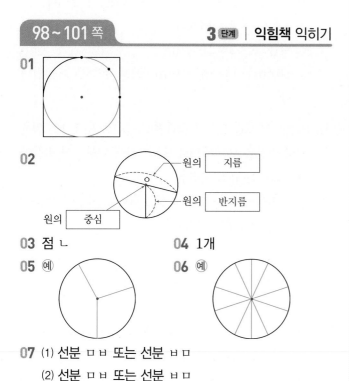

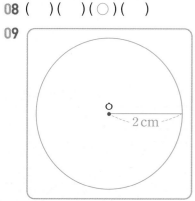

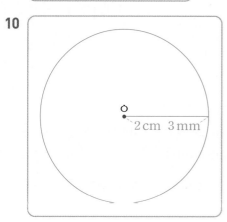

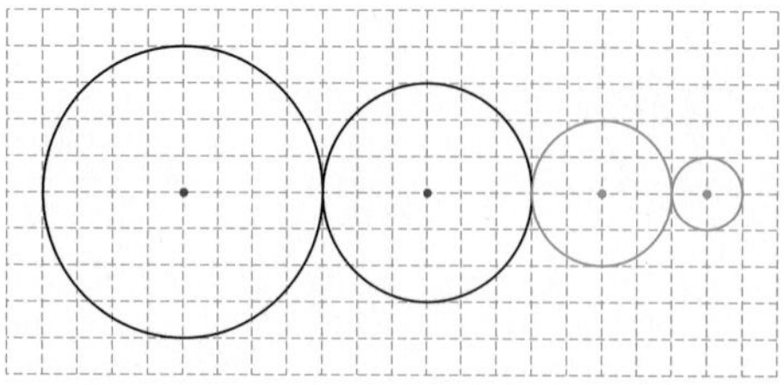

01 중심점부터 표시된 한 점 사이의 길이를 자로 재어 중심점부터 그 길이만큼 떨어진 곳에 여러 개의 점을 찍어 원을 완성합니다.

02 • 원의 중심: 원을 그릴 때에 누름 못이 꽂혔던 점
　• 원의 반지름: 원의 중심과 원 위의 한 점을 이은 선분
　• 원의 지름: 원 위의 두 점을 이은 선분이 원의 중심을 지날 때의 선분

03 점 ㄴ이 원의 중심입니다.

04 한 원에는 원의 중심이 1개 있습니다.

07 (2) 원 위의 두 점을 이은 선분 중 가장 긴 선분이 원의 지름입니다.

08 컴퍼스의 침과 연필심 사이를 3 cm가 되도록 벌린 것을 찾습니다.

10 컴퍼스의 침과 연필심 사이를 주어진 선분만큼 벌려 컴퍼스의 침을 점 ㅇ에 꽂고 원을 그립니다.

11 원의 지름과 반지름을 각각 재어 봅니다.

> **참고**
> (원의 지름)＝(원의 반지름)×2

12 원의 일부분이 4개이므로 컴퍼스의 침을 4곳에 꽂아야 합니다.

13 반지름이 모눈 4칸인 원 1개와 반지름이 모눈 2칸인 크기가 같은 원 5개를 그립니다.

14 반지름이 모눈 2칸, 1칸인 원을 각각 1개씩 서로 맞닿도록 그립니다.

102~104쪽 4단계 | 단원 평가

01 점 ㄷ
02 ㉡
03 5 cm
04 8 cm
05 (1) (3) (2)
06 5
07 ②
08 ⑤
09 예

10
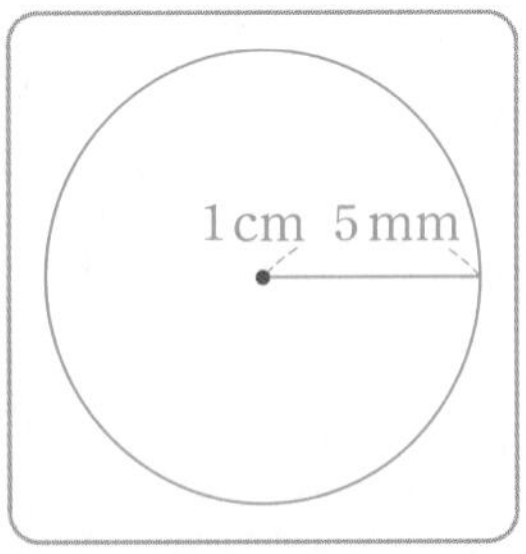

11 ㉡
12 혜민
13 32 cm
14 12 cm
15 3곳
16
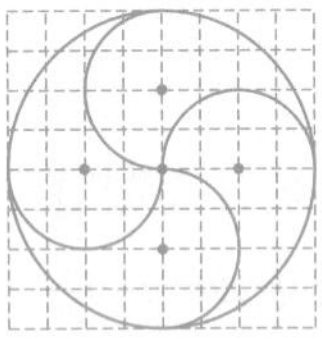
17 ㉢, ㉠, ㉡
18
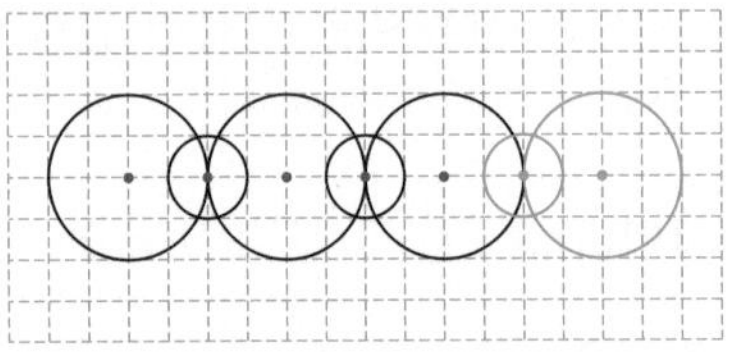
19 13 cm
20 4 cm

---

07 ① 지름이 1 cm인 원, ④ 반지름이 2 cm인 원

08 ⑤ 선분 ㄱㄷ은 원의 지름입니다.

09 원의 반지름: 원의 중심과 원 위의 한 점을 이은 선분
원의 지름: 원 위의 두 점을 이은 선분이 원의 중심을 지날 때의 선분

10 원의 중심을 정하고 컴퍼스를 1 cm 5 mm만큼 벌려 컴퍼스의 침을 원의 중심에 꽂고 원을 그립니다.

11 반지름이 6 cm이므로 컴퍼스의 침과 연필심 사이를 6 cm만큼 벌려야 합니다.

12 지름은 반지름의 2배입니다.

13 (가 원의 지름)$=$18 cm
(나 원의 지름)$=7\times2=14$ (cm)
⇨ $18+14=32$ (cm)

14 컴퍼스를 원의 반지름만큼 벌려야 하므로
$24\div2=12$ (cm)가 되도록 벌려야 합니다.

15 큰 원 1개와 원의 일부분이 2개이므로 컴퍼스의 침을 꽂아야 할 곳은 모두 3곳입니다.

16 반지름이 모눈 4칸인 큰 원을 1개 그리고 반지름이 모눈 2칸인 원의 일부분을 4개 그립니다.

17 지름을 구했을 때 지름이 길수록 원은 더 큽니다.
㉠ 지름: $7\times2=14$ (cm)
㉢ 지름: $8\times2=16$ (cm)
⇨ 16 cm$>$14 cm$>$9 cm이므로 ㉢$>$㉠$>$㉡입니다.

18 반지름이 모눈 2칸인 원과 반지름이 모눈 1칸인 원을 원의 중심을 오른쪽으로 모눈 2칸씩 이동하여 번갈아 가며 그리는 규칙입니다.
⇨ 반지름이 모눈 1칸인 원 1개와 반지름이 모눈 2칸인 원 1개를 그립니다.

19 (선분 ㄱㄴ의 길이)
$=$(큰 원의 반지름)$+$(작은 원의 반지름)
$=8+5=13$ (cm)

20 작은 원의 지름은 큰 원의 반지름과 같으므로
$16\div2=8$ (cm)입니다.
⇨ (선분 ㄱㄴ의 길이)$=$(작은 원의 반지름)
$=8\div2=4$ (cm)

105쪽 스스로 학습장

1 8 cm
2
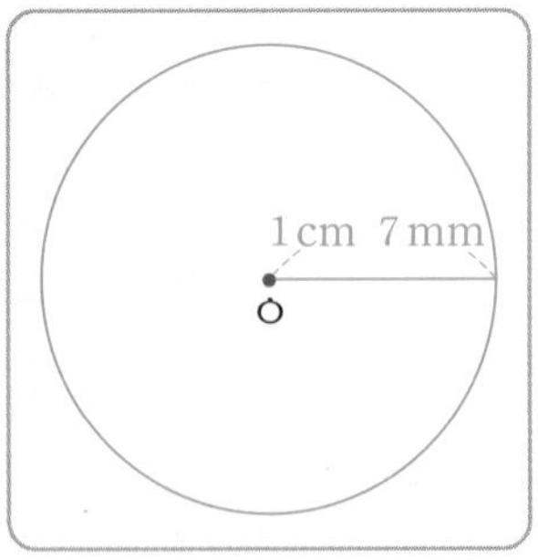

3
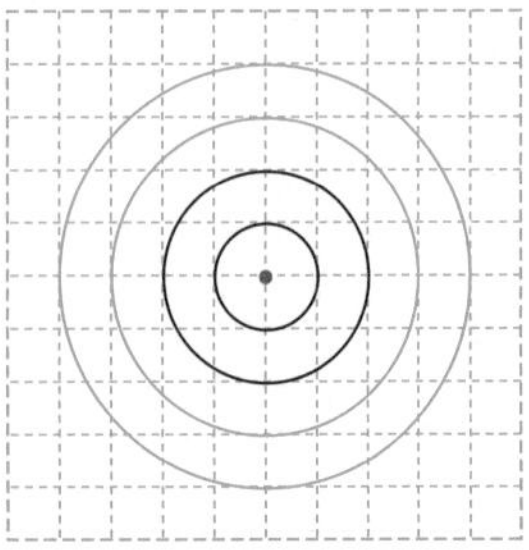

---

1 나이테의 지름이 16 cm이므로 반지름은
$16\div2=8$ (cm)입니다.

3 원의 중심이 같고 반지름이 모눈 3칸, 4칸인 원을 각각 1개씩 그립니다.

4. 분수

108~109쪽   준비 학습

1 (×) (○) (×) (○)

2 (1) $\frac{1}{4}$, 4분의 1 (2) $\frac{2}{3}$, 3분의 2   3 3, 2

4 (1) > (2) <   5 단위분수

6 $\frac{1}{3}$에 ○표, $\frac{1}{9}$에 △표

---

4 (1) 분모가 같은 분수는 분자가 클수록 큰 수입니다.

⇨ 4>2이므로 $\frac{4}{5}$>$\frac{2}{5}$입니다.

(2) 3<4이므로 $\frac{3}{6}$<$\frac{4}{6}$입니다.

6 단위분수는 분모가 작을수록 더 큰 수입니다.

⇨ $\frac{1}{3}$>$\frac{1}{4}$>$\frac{1}{6}$>$\frac{1}{9}$

111쪽   1단계 | 교과서 개념

1 예   2 3

3 ⬭⬭⬭ ⬭⬭⬭ ⬭⬭⬭ , 2

---

1 도토리 12개를 똑같이 4부분으로 나누면 한 부분은 3개입니다.

2 부분(9)은 전체(12)를 똑같이 4부분으로 나눈 것 중의 3입니다.

3 부분(6)은 전체(9)를 똑같이 3부분으로 나눈 것 중의 2입니다.

113쪽   1단계 | 교과서 개념

1 $\frac{2}{5}$ 2 3   3 4

4 $\frac{2}{3}$ 5 $\frac{2}{4}$

2 전체 4묶음 중의 3묶음입니다. ⇨ $\frac{3}{4}$

3 전체 5묶음 중의 4묶음입니다. ⇨ $\frac{4}{5}$

4 전체 3묶음 중의 2묶음입니다. ⇨ $\frac{2}{3}$

5 전체 4묶음 중의 2묶음입니다. ⇨ $\frac{2}{4}$

114~115쪽   2단계 | 개념 집중 연습

01 1   02 2   03 1   04 2

05 5, 4   06 $\frac{1}{5}$ 07 $\frac{5}{6}$ 08 $\frac{3}{7}$

09 $\frac{1}{5}$ 10 $\frac{1}{2}$ 11 $\frac{3}{4}$ 12 $\frac{4}{5}$

01 부분(3)은 전체(6)를 똑같이 2부분으로 나눈 것 중의 1입니다.

02 부분(4)은 전체(6)를 똑같이 3부분으로 나눈 것 중의 2입니다.

09 전체 5묶음 중의 1묶음입니다. ⇨ $\frac{1}{5}$

10 전체 2묶음 중의 1묶음입니다. ⇨ $\frac{1}{2}$

11 전체 4묶음 중의 3묶음입니다. ⇨ $\frac{3}{4}$

12 전체 5묶음 중의 4묶음입니다. ⇨ $\frac{4}{5}$

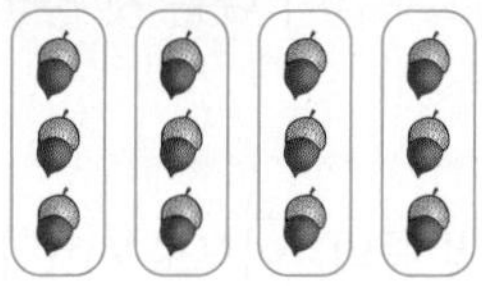

정답 및 풀이

117쪽 — 1단계 | 교과서 개념

1 예 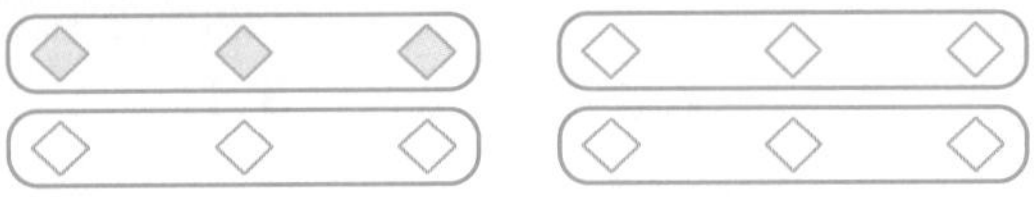

2 3 3 2

4 8

1 ◇ 12개를 3개씩 4묶음으로 똑같이 나누고 그중 1묶음을 색칠합니다.

2 12의 $\frac{1}{4}$은 12를 4묶음으로 똑같이 나눈 것 중의 1묶음이므로 12를 4묶음으로 나누면 1묶음은 3입니다.

3 14의 $\frac{1}{7}$은 14를 7묶음으로 똑같이 나눈 것 중의 1묶음이므로 2입니다.

4 14의 $\frac{4}{7}$는 14를 7묶음으로 똑같이 나눈 것 중의 4묶음이므로 8입니다.

119쪽 — 1단계 | 교과서 개념

1 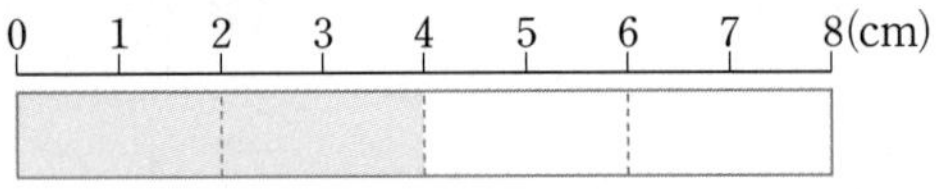

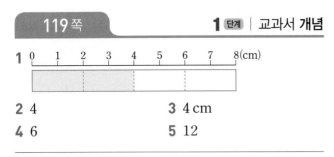

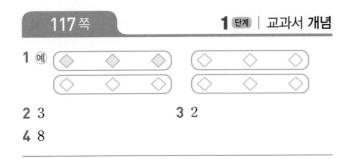

2 4 3 4 cm

4 6 5 12

1 종이띠를 똑같이 4로 나눈 것 중 2칸을 색칠합니다.

2 8의 $\frac{2}{4}$는 8을 똑같이 4로 나눈 것 중의 2이므로 4입니다.

3 8의 $\frac{2}{4}$는 4이므로 4 cm입니다.

4 15 cm를 똑같이 5로 나눈 것 중의 2이므로 6 cm입니다.

5 15 cm를 똑같이 5로 나눈 것 중의 4이므로 12 cm입니다.

120~121쪽 — 2단계 | 개념 집중 연습

01 2	02 6	03 4	04 8
05 3	06 6	07 4	08 12
09 2	10 4	11 6	12 18
13 3	14 12	15 4	16 20

01 8의 $\frac{1}{4}$은 8을 4묶음으로 똑같이 나눈 것 중의 1묶음이므로 2입니다.

02 8의 $\frac{3}{4}$은 8을 4묶음이므로 똑같이 나눈 것 중의 3묶음이므로 6입니다.

03 16의 $\frac{1}{4}$은 16을 4묶음으로 똑같이 나눈 것 중의 1묶음이므로 4입니다.

04 16의 $\frac{2}{4}$는 16을 4묶음으로 똑같이 나눈 것 중의 2묶음이므로 8입니다.

05 9의 $\frac{1}{3}$은 9를 3묶음으로 똑같이 나눈 것 중의 1묶음이므로 3입니다.

06 9의 $\frac{2}{3}$는 9를 3묶음으로 똑같이 나눈 것 중의 2묶음이므로 6입니다.

07 20의 $\frac{1}{5}$은 20을 5묶음으로 똑같이 나눈 것 중의 1묶음이므로 4입니다.

08 20의 $\frac{3}{5}$은 20을 5묶음으로 똑같이 나눈 것 중의 3묶음이므로 12입니다.

09 6 m를 똑같이 3으로 나눈 것 중의 1이므로 2 m입니다.

10 6 m를 똑같이 3으로 나눈 것 중의 2이므로 4 m입니다.

11 24 cm를 똑같이 4로 나눈 것 중의 1이므로 6 cm입니다.

12 24 cm를 똑같이 4로 나눈 것 중의 3이므로 18 cm입니다.

13 18 m를 똑같이 6으로 나눈 것 중의 1이므로 3 m입니다.

14 18 m를 똑같이 6으로 나눈 것 중의 4이므로 12 m입니다.

15 32 cm를 똑같이 8로 나눈 것 중의 1이므로 4 cm입니다.

16 32 cm를 똑같이 8로 나눈 것 중의 5이므로 20 cm입니다.

123쪽 1단계 | 교과서 개념

1 진 2 가 3 가
4 진 5 진 6 가
7 $\frac{1}{2}$, $\frac{3}{5}$에 ○표

1 분자가 분모보다 작은 분수이므로 진분수입니다.

2 분자가 분모보다 큰 분수이므로 가분수입니다.

3 분자가 분모와 같은 분수이므로 가분수입니다.

7 분자가 분모보다 작은 분수를 모두 찾습니다.
⇨ $\frac{1}{2}$, $\frac{3}{5}$

125쪽 1단계 | 교과서 개념

1 $2\frac{1}{4}$ 2 7, 7
3 $\frac{5}{3}$ 4 $1\frac{1}{6}$

2 $2\frac{1}{3}$은 $\frac{1}{3}$이 7개이므로 $2\frac{1}{3}=\frac{7}{3}$입니다.

3 자연수 1은 $\frac{3}{3}$과 같으므로 $\frac{3}{3}$과 $\frac{2}{3}$는 $\frac{1}{3}$이 5개인 $\frac{5}{3}$입니다.

참고
$1\frac{2}{3}$ → $1=\frac{3}{3}$, $\frac{2}{3}$ ⇨ $\frac{5}{3}$

4 가분수 $\frac{6}{6}$은 1이므로 1과 $\frac{1}{6}$은 $1\frac{1}{6}$입니다.

참고
$\frac{7}{6}$ → $\frac{6}{6}=1$, $\frac{1}{6}$ ⇨ $1\frac{1}{6}$

127쪽 1단계 | 교과서 개념

1 (1) $2\frac{1}{5}$ 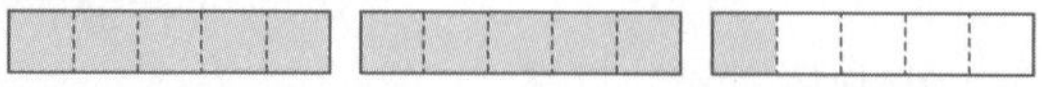

$2\frac{3}{5}$ 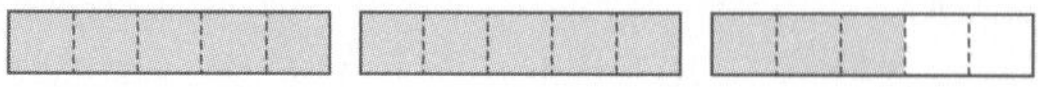

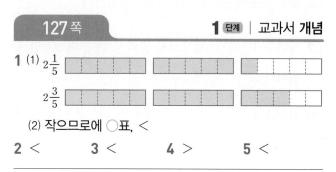

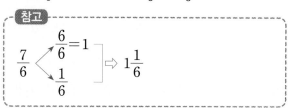

(2) 작으므로에 ○표, <

2 < 3 < 4 > 5 <

2 분자의 크기를 비교하면 $9<10$이므로 $\frac{9}{8}<\frac{10}{8}$입니다.

3 자연수의 크기를 비교하면 $1<3$이므로 $1\frac{4}{7}<3\frac{1}{7}$입니다.

4 자연수가 같으므로 분자의 크기를 비교하면 $3>2$이므로 $1\frac{3}{5}>1\frac{2}{5}$입니다.

5 $2\frac{1}{4}=\frac{9}{4}$ ⇨ $2\frac{1}{4}(=\frac{9}{4})<\frac{10}{4}$

다른 풀이
$\frac{10}{4}=2\frac{2}{4}$ ⇨ $2\frac{1}{4}<\frac{10}{4}(=2\frac{2}{4})$

128~129쪽 2단계 | 개념 집중 연습

01 $\frac{5}{4}$ 02 진 03 가 04 진
05 가 06 $2\frac{1}{6}$ 07 $\frac{9}{5}$ 08 $\frac{11}{9}$
09 $\frac{8}{7}$ 10 $\frac{19}{8}$ 11 $1\frac{1}{5}$ 12 $1\frac{3}{7}$
13 $2\frac{1}{6}$ 14 > 15 < 16 >
17 > 18 < 19 < 20 >

01 $\frac{1}{4}$이 5개이므로 가분수로 나타내면 $\frac{5}{4}$입니다.

02 분자가 분모보다 작은 분수이므로 진분수입니다.

03 분자가 분모와 같은 분수이므로 가분수입니다.

04 분자가 분모보다 작은 분수이므로 진분수입니다.

05 분자가 분모보다 큰 분수이므로 가분수입니다.

06 2와 $\frac{1}{6}$을 대분수로 나타내면 $2\frac{1}{6}$입니다.

07 자연수 1은 $\frac{5}{5}$와 같으므로 $\frac{5}{5}$와 $\frac{4}{5}$는 $\frac{1}{5}$이 9개인 $\frac{9}{5}$입니다.

08 자연수 1은 $\frac{9}{9}$와 같으므로 $\frac{9}{9}$와 $\frac{2}{9}$는 $\frac{1}{9}$이 11개인 $\frac{11}{9}$입니다.

09 자연수 1은 $\frac{7}{7}$과 같으므로 $\frac{7}{7}$과 $\frac{1}{7}$은 $\frac{1}{7}$이 8개인 $\frac{8}{7}$입니다.

10 자연수 2는 $\frac{16}{8}$과 같으므로 $\frac{16}{8}$과 $\frac{3}{8}$은 $\frac{1}{8}$이 19개인 $\frac{19}{8}$입니다.

11 가분수 $\frac{5}{5}$는 1이므로 1과 $\frac{1}{5}$은 $1\frac{1}{5}$입니다.

12 가분수 $\frac{7}{7}$은 1이므로 1과 $\frac{3}{7}$은 $1\frac{3}{7}$입니다.

13 가분수 $\frac{12}{6}$는 2이므로 2와 $\frac{1}{6}$은 $2\frac{1}{6}$입니다.

참고

$\frac{13}{6}$ → $\frac{12}{6}=2$, $\frac{1}{6}$ ⇨ $2\frac{1}{6}$

14 분자의 크기를 비교하면 $8>5$이므로 $\frac{8}{6}>\frac{5}{6}$입니다.

15 자연수의 크기를 비교하면 $1<2$이므로 $1\frac{2}{9}<2\frac{1}{9}$입니다.

16 자연수의 크기를 비교하면 $3>2$이므로 $3\frac{2}{7}>2\frac{4}{7}$입니다.

17 자연수가 같으므로 분자의 크기를 비교하면 $5>3$이므로 $2\frac{5}{8}>2\frac{3}{8}$입니다.

18 자연수가 같으므로 분자의 크기를 비교하면 $1<5$이므로 $1\frac{1}{9}<1\frac{5}{9}$입니다.

19 $\frac{15}{8}=1\frac{7}{8}$ ⇨ $\frac{15}{8}(=1\frac{7}{8})<2\frac{1}{8}$

20 $\frac{12}{7}=1\frac{5}{7}$ ⇨ $\frac{12}{7}(=1\frac{5}{7})>1\frac{3}{7}$

130~133쪽 3단계 | 익힘책 익히기

01 예 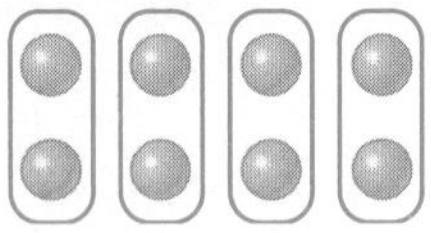 (1) 3 (3) 3, $\frac{3}{4}$

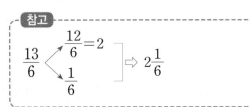

02 6, $\frac{5}{6}$ 03 6 04 $\frac{5}{3}$

05 (1) 6 (2) 24 06 $\frac{4}{6}$, $\frac{5}{6}$, $\frac{7}{6}$, $\frac{8}{6}$

07

$2\frac{4}{5}$	$\frac{9}{8}$	$\frac{3}{7}$	$4\frac{1}{3}$	$1\frac{4}{10}$	$\frac{8}{6}$

08 $1\frac{1}{3}$ 09 $<$

10 (○) (×) (×) (○)

11 $>$, 큽니다에 ○표 12 (1) 40 (2) 60

13 (1) $\frac{7}{6}$ (2) $\frac{8}{5}$ (3) $1\frac{2}{7}$ (4) $1\frac{4}{6}$

14 (1) $>$ (2) $>$ (3) $=$ (4) $<$

01 구슬 8개를 2개씩 4부분으로 똑같이 나눕니다.

02 10은 전체 6묶음 중의 5묶음이므로 $\frac{5}{6}$입니다.

03 10의 $\frac{3}{5}$은 10을 5묶음으로 똑같이 나눈 것 중의 3묶음이므로 6입니다.

04 $\frac{1}{3}$이 5개이므로 $\frac{5}{3}$입니다.

05 (1) 30 cm를 똑같이 5로 나눈 것 중의 1이므로 6 cm입니다.

(2) 30 cm를 똑같이 5로 나눈 것 중의 4이므로 24 cm 입니다.

07 가분수: $\frac{9}{8}$, $\frac{8}{6}$, 대분수: $2\frac{4}{5}$, $4\frac{1}{3}$, $1\frac{4}{10}$, 진분수: $\frac{3}{7}$

09 색칠된 부분이 더 넓은 $1\frac{3}{4}$이 $1\frac{1}{4}$보다 더 큽니다.

10 $\frac{4}{7}$: 진분수, $\frac{3}{11}$: 진분수, $\frac{5}{2}$: 가분수, $\frac{8}{8}$: 가분수

12 (1) 1 m=100 cm이므로 100 cm를 똑같이 5로 나눈 것 중의 2는 40 cm입니다.

(2) 100 cm를 똑같이 5로 나눈 것 중의 3은 60 cm 입니다.

13 (1) 자연수 1은 $\frac{6}{6}$과 같으므로 $\frac{6}{6}$과 $\frac{1}{6}$은 $\frac{1}{6}$이 7개인 $\frac{7}{6}$입니다.

(2) 자연수 1은 $\frac{5}{5}$와 같으므로 $\frac{5}{5}$와 $\frac{3}{5}$은 $\frac{1}{5}$이 8개인 $\frac{8}{5}$입니다.

(3) 가분수 $\frac{7}{7}$은 1이므로 1과 $\frac{2}{7}$는 $1\frac{2}{7}$입니다.

(4) 가분수 $\frac{6}{6}$은 1이므로 1과 $\frac{4}{6}$는 $1\frac{4}{6}$입니다.

14 (1) 분자의 크기를 비교하면 15>13이므로 $\frac{15}{4}>\frac{13}{4}$ 입니다.

(2) 자연수가 같으므로 분자의 크기를 비교하면 5>3 이므로 $2\frac{5}{6}>2\frac{3}{6}$입니다.

(3) $1\frac{8}{11}=\frac{19}{11}$ ⇨ $1\frac{8}{11}=\frac{19}{11}$

(4) $\frac{16}{12}=1\frac{4}{12}$ ⇨ $\frac{16}{12}<1\frac{7}{12}$

134~136쪽 4단계 | 단원 평가

01 1	**02** $\frac{5}{7}$	**03** 4
04 3, 2	**05** 4	**06** 16
07 (○)(△)(○)(△)		**08** $2\frac{3}{5}$
09 $\frac{5}{2}$	**10** 2개	**11** $\frac{1}{4}$, $\frac{2}{4}$, $\frac{3}{4}$

12 

13 >

14 <

15 (위부터) $1\frac{5}{8}$, $\frac{13}{9}$

16 $\frac{5}{9}$에 ○표

17 $\frac{8}{8}$

18 ㉢

19 15 cm

20 30분

01 부분(3)은 전체(9)를 똑같이 3부분으로 나눈 것 중의 1입니다.

02 전체 7묶음 중의 5묶음입니다. ⇨ $\frac{5}{7}$

03 6의 $\frac{2}{3}$는 6을 똑같이 3묶음으로 나눈 것 중의 2묶음이므로 4입니다.

04 9를 3씩 묶으면 3묶음이고 한 묶음은 3입니다. 6은 2묶음이므로 6은 9의 $\frac{2}{3}$입니다.

05 28의 $\frac{1}{7}$은 28을 7묶음으로 똑같이 나눈 것 중의 1묶음이므로 4입니다.

06 28의 $\frac{4}{7}$는 28을 7묶음으로 똑같이 나눈 것 중의 4묶음이므로 16입니다.

07 분자가 분모보다 작으면 진분수, 분자가 분모와 같거나 분모보다 크면 가분수입니다.

08 2와 $\frac{3}{5}$을 대분수로 나타내면 $2\frac{3}{5}$입니다.

09 $2\frac{1}{2}$은 $\frac{1}{2}$이 5개이므로 $\frac{5}{2}$입니다.

10 자연수와 진분수로 이루어진 분수를 모두 찾습니다.
⇨ $5\frac{2}{7}$, $5\frac{3}{8}$

> **참고**
> $1\frac{3}{2}$과 같이 자연수와 가분수로 이루어진 분수는 대분수가 아닙니다.

11 $\frac{■}{4}$가 진분수가 되려면 ■가 4보다 작아야 합니다.
⇨ $\frac{1}{4}$, $\frac{2}{4}$, $\frac{3}{4}$

12 54의 $\frac{1}{9}$: 6, 56의 $\frac{1}{8}$: 7, 48의 $\frac{1}{6}$: 8

13 자연수의 크기가 같으므로 분자의 크기를 비교합니다.

⇨ $4>1$이므로 $2\frac{4}{5}>2\frac{1}{5}$입니다.

14 $1\frac{3}{6}=\frac{9}{6}$ ⇨ $1\frac{3}{6}<\frac{11}{6}$

15 $1\frac{4}{9}$ → $1=\frac{9}{9}$, $\frac{4}{9}$ ⇨ $\frac{13}{9}$

$\frac{13}{8}$ → $\frac{8}{8}=1$, $\frac{5}{8}$ ⇨ $1\frac{5}{8}$

16 분모와 분자의 합이 14인 분수는 $\frac{5}{9}$, $\frac{8}{6}$이고 이 중 진분수는 $\frac{5}{9}$입니다.

17 분모가 8인 가분수를 $\frac{\square}{8}$라 하면 □는 8과 같거나 8보다 커야 합니다. □=8, 9, 10……

이 중 가장 작은 수는 8이므로 가장 작은 가분수는 $\frac{8}{8}$입니다.

18 ㉠ 54의 $\frac{1}{9}$이 6이므로 54의 $\frac{3}{9}$은 18입니다.

㉡ 72의 $\frac{1}{8}$이 9이므로 72의 $\frac{2}{8}$는 18입니다.

㉢ 48의 $\frac{1}{6}$이 8이므로 48의 $\frac{2}{6}$는 16입니다.

19 30 cm의 $\frac{1}{6}$은 5 cm이므로 30 cm의 $\frac{3}{6}$은 15 cm입니다.

20 1시간은 60분이므로 윤한이가 숙제를 한 시간은 60분의 $\frac{1}{2}$인 30분입니다.

137쪽 스스로 학습장

1 6개
2 3개
3 (왼쪽부터) $\frac{14}{10}$, $1\frac{3}{9}$
4 $\frac{14}{8}$

5. 들이와 무게

학부모 지도 가이드

학생들은 일상 생활에서 L, mL와 kg, g, t 등의 들이와 무게의 단위를 쉽게 접하며 여러 측정 상황을 경험하게 됩니다. 이 단원에서는 들이와 무게를 비교하는 다양한 방법을 알아보고 들이와 무게의 단위를 알고 들이와 무게를 어림해 볼 수 있도록 지도합니다. 또한 들이와 무게의 합과 차를 학습하여 들이와 무게를 정확히 이해할 수 있도록 지도합니다.

140~141쪽 준비 학습

1 ( )(○)
2 정현, 주원
3 ( )(○)( )
4 (2)(3)(1)
5 (1) 3, 72 (2) 8, 34
6 (1) 2, 45 (2) 4, 25
7 예 약 5 cm 4 mm, 5 cm 4 mm

1 코끼리가 고양이보다 더 무겁습니다.

2 시소는 더 무거운 쪽이 아래로 내려갑니다.

3 그릇의 크기가 클수록 담을 수 있는 양이 더 많습니다.

4 그릇의 모양과 크기가 같으므로 물의 높이가 높을수록 물이 더 많이 담겼습니다.

5 m는 m끼리 더하고, cm는 cm끼리 더합니다.

6 m는 m끼리 빼고, cm는 cm끼리 뺍니다.

143쪽 1단계 | 교과서 개념

1 ㉯
2 ㉮
3 (1) 5 (2) 2 (3) 3

1 ㉯ 병에 물이 다 들어가므로 ㉯ 병의 들이가 더 많습니다.

2 ㉯ 병에 물이 다 들어가지 않으므로 ㉮ 병의 들이가 더 많습니다.

3 참고
옮겨 담은 컵의 수가 많을수록 들이가 더 많습니다.

145쪽 **1** 단계 | 교과서 개념

1 2 L, 2 리터

2 30 mL, 30 밀리리터

3 6000 4 5600 5 3, 200

3 1 L=1000 mL ⇨ 6 L=6000 mL

4 5 L 600 mL=5000 mL+600 mL
=5600 mL

5 3200 mL=3000 mL+200 mL
=3 L+200 mL
=3 L 200 mL

146~147쪽 **2** 단계 | 개념 집중 연습

01 물병 02 우유병

03 ㉮ 04 ㉯

05 8, 6 06 주전자

07 (○)( )( ) 08 (○)( )( )

09 4 L 10 200 mL

11 1 L 70 mL

12 5 리터 13 2 리터 400 밀리리터

14 8000 15 1000, 1800

16 1000, 1 17 1600

18 2, 400

12 5 L는 5 리터라고 읽습니다.

13 2 L 400 mL는 2 리터 400 밀리리터라고 읽습니다.

14 1 L=1000 mL ⇨ 8 L=8000 mL

16 1400 mL=1000 mL+400 mL
=1 L+400 mL
=1 L 400 mL

17 1 L 600 mL=1000 mL+600 mL
=1600 mL

18 2400 mL=2000 mL+400 mL
=2 L+400 mL
=2 L 400 mL

149쪽 **1** 단계 | 교과서 개념

1 mL에 ○표 2 L에 ○표

3 1600 mL 4 2400 mL

1 간장병의 들이는 1 L보다 적으므로 mL로 나타냅니다.

2 1 mL는 아주 적은 양이므로 기름병의 들이는 L로 나타냅니다.

3 비커에 담긴 물이 모두 1600 mL이므로 물통의 들이는 1600 mL입니다.

4 비커에 담긴 물이 모두 2400 mL이므로 물통의 들이는 2400 mL입니다.

151쪽 **1** 단계 | 교과서 개념

1 5, 500 2 6, 900

3 4, 200 4 6, 600

5 7, 900 6 3800, 3, 800

7 2700, 2, 700

1 L는 L끼리 더하고, mL는 mL끼리 더합니다.

3 L는 L끼리 빼고, mL는 mL끼리 뺍니다.

5
	L	mL
	3 L	400 mL
+	4 L	500 mL
	7 L	900 mL

6 2500 mL+1300 mL=3800 mL
⇨ 3800 mL=3000 mL+800 mL
=3 L+800 mL
=3 L 800 mL

7 5700 mL−3000 mL=2700 mL
⇨ 2700 mL=2000 mL+700 mL
=2 L+700 mL
=2 L 700 mL

152~153쪽 2 단계 | 개념 집중 연습

01 (   ) (○)
02 (○) (   )
03 (○) (   )
04 (   ) (○)
05 mL에 ○표
06 L에 ○표
07 L에 ○표
08 L에 ○표
09 1400 mL
10 1200 mL
11 5, 600
12 11, 800
13 8, 900
14 7, 500
15 6400, 6, 400
16 2, 500
17 3, 100
18 5, 100
19 5, 300
20 4300, 4, 300

01 1 mL는 아주 적은 양이므로 음료수 병의 들이는 약 1 L입니다.

03 2 mL는 아주 적은 양이므로 식용유의 들이는 약 2 L입니다.

04 200 mL는 욕조의 들이로 적당하지 않으므로 욕조의 들이는 약 200 L입니다.

05 200 L는 음료수 캔의 들이로 적당하지 않으므로 음료수 캔의 들이는 약 200 mL입니다.

06 1 mL는 아주 적은 양이므로 물병의 들이는 약 1 L입니다.

08 130 mL는 수족관의 들이로 적당하지 않으므로 수족관의 들이는 약 130 L입니다.

09 비커에 담긴 물이 모두 1400 mL이므로 수조의 들이는 1400 mL입니다.

10 비커에 담긴 물이 모두 1200 mL이므로 수조의 들이는 1200 mL입니다.

14
$$\begin{array}{r} 3\text{ L } 200\text{ mL} \\ +\ 4\text{ L } 300\text{ mL} \\ \hline 7\text{ L } 500\text{ mL} \end{array}$$

15 1400 mL+5000 mL=6400 mL
⇨ 6400 mL=6000 mL+400 mL
=6 L+400 mL=6 L 400 mL

19
$$\begin{array}{r} 12\text{ L } 500\text{ mL} \\ -\ 7\text{ L } 200\text{ mL} \\ \hline 5\text{ L } 300\text{ mL} \end{array}$$

20 5600 mL−1300 mL=4300 mL
⇨ 4300 mL=4000 mL+300 mL
=4 L+300 mL=4 L 300 mL

155쪽 1 단계 | 교과서 개념

1 ㉡, ㉢, ㉠
2 풀
3 가위

1 무거운 것부터 생각하면 냉장고가 가장 무겁고 선풍기, 책 순서입니다.

2 저울의 양쪽에 올려 놓을 때 접시가 내려간 풀이 연필보다 더 무겁습니다.

3 지우개는 바둑돌 10개의 무게와 같고, 가위는 바둑돌 15개의 무게와 같으므로 가위가 지우개보다 더 무겁습니다.

157쪽 1 단계 | 교과서 개념

1 3 kg, 3 킬로그램
2 40 g, 40 그램
3 2 t, 2 톤
4 4000
5 9000
6 3, 700
7 5040

1 3 kg은 3 킬로그램이라고 읽습니다.

2 40 g은 40 그램이라고 읽습니다.

3 2 t은 2 톤이라고 읽습니다.

4 1 kg=1000 g ⇨ 4 kg=4000 g

5 1 t=1000 kg ⇨ 9 t=9000 kg

6 3700 g=3000 g+700 g
=3 kg+700 g=3 kg 700 g

7 5 kg 40 g=5000 g+40 g
=5040 g

158~159 쪽 2 단계 | 개념 집중 연습

01 (○) (   )
02 (   ) (○)
03 딸기
04 양파
05 감자
06 7개
07 3개
08 초콜릿
09 4개
10 40 kg, 40 킬로그램
11 200 g, 200 그램
12 5 t, 5 톤
13 4 kg
14 700 g
15 5000
16 8000
17 9, 800
18 2008

01 책상이 의자보다 더 무겁습니다.

02 축구공이 풍선보다 더 무겁습니다.

03 저울의 접시가 올라간 딸기가 배보다 더 가볍습니다.

04 저울의 접시가 올라간 양파가 옥수수보다 더 가볍습니다.

05 저울의 접시가 올라간 감자가 고구마보다 더 가볍습니다.

06 초콜릿의 무게는 바둑돌 7개의 무게와 같습니다.

07 사탕의 무게는 바둑돌 3개의 무게와 같습니다.

08 초콜릿의 무게는 바둑돌 7개의 무게와 같고, 사탕의 무게는 바둑돌 3개의 무게와 같으므로 초콜릿이 사탕보다 더 무겁습니다.

09 초콜릿이 사탕보다 바둑돌 $7-3=4$(개)만큼 더 무겁습니다.

13 저울의 바늘이 4 kg을 가리키므로 수박의 무게는 4 kg입니다.

14 저울의 바늘이 700 g을 가리키므로 사과의 무게는 700 g입니다.

15 $1\,\text{kg}=1000\,\text{g}$ ⇨ $5\,\text{kg}=5000\,\text{g}$

16 $1\,\text{t}=1000\,\text{kg}$ ⇨ $8\,\text{t}=8000\,\text{kg}$

17 $9800\,\text{g}=9000\,\text{g}+800\,\text{g}$
$=9\,\text{kg}+800\,\text{g}$
$=9\,\text{kg}\ 800\,\text{g}$

18 $2\,\text{kg}\ 8\,\text{g}=2000\,\text{g}+8\,\text{g}$
$=2008\,\text{g}$

161 쪽 1 단계 | 교과서 개념

1 kg에 ○표
2 g에 ○표
3 t에 ○표
4 g
5 kg

1 2 g은 아주 가벼운 무게이므로 고양이의 몸무게는 kg으로 나타냅니다.

2 100원짜리 동전은 1 kg보다 가벼우므로 g으로 나타냅니다.

3 승용차는 2 kg보다 무거우므로 t으로 나타냅니다.

4 kg은 귤 한 개의 무게로 적당하지 않으므로 귤 한 개의 무게는 약 70 g입니다.

5 g은 책상의 무게로 적당하지 않으므로 책상의 무게는 약 10 kg입니다.

163 쪽 1 단계 | 교과서 개념

1 7, 700
2 5, 500
3 6, 300
4 5, 500
5 5, 600
6 6, 600
7 6, 100

5		
	3 kg	500 g
+	2 kg	100 g
	5 kg	600 g

6		
	8 kg	900 g
−	2 kg	300 g
	6 kg	600 g

7		
	7 kg	500 g
−	1 kg	400 g
	6 kg	100 g

14		
	8 kg	750 g
+	6 kg	200 g
	14 kg	950 g

15		
	11 kg	600 g
+	9 kg	100 g
	20 kg	700 g

19		
	12 kg	900 g
−	5 kg	600 g
	7 kg	300 g

20		
	7 kg	800 g
−	5 kg	300 g
	2 kg	500 g

164~165 쪽　　**2 단계 | 개념 집중 연습**

01 (○) (　)　　02 (○) (　)
03 (　) (○)　　04 (　) (○)
05 g에 ○표　　06 kg에 ○표
07 kg에 ○표　　08 t에 ○표
09 의자　　10 코끼리
11 7, 600　　12 8, 800
13 9, 500　　14 14, 950
15 20, 700　　16 3, 100
17 2, 500　　18 6, 200
19 7, 300　　20 2, 500

---

01 180 kg은 복숭아의 무게로 적당하지 않으므로 복숭아의 무게는 약 180 g입니다.

02 2 t은 멜론의 무게로 적당하지 않으므로 멜론의 무게는 약 2 kg입니다.

03 3 g은 아주 가벼운 무게이므로 강아지의 몸무게는 약 3 kg입니다.

04 4 g은 아주 가벼운 무게이므로 하마의 몸무게는 약 4000 kg입니다.

05 700 kg은 배 한 개의 무게로 적당하지 않으므로 배 한 개의 무게는 약 700 g입니다.

06 2 g은 아주 가벼운 무게이므로 책가방의 무게는 약 2 kg입니다.

07 150 t은 냉장고의 무게로 적당하지 않으므로 냉장고의 무게는 약 150 kg입니다.

08 360 kg은 비행기의 무게로 적당하지 않으므로 비행기의 무게는 약 360 t입니다.

166~169 쪽　　**3 단계 | 익힘책 익히기**

01 ㄹ, ㄴ, ㄷ, ㄱ　　02 (1) (2) (3)
03 ㉮, ㉯, 2　　04 (1) 2　(2) 400
05 (1) 1, 400　(2) 1　　06
07 2500 mL　　08 (1) L　(2) mL
09 ㉡, ㉣　　10 (1) 소방차　(2) 바둑돌
11 3, 900　　12 2, 300
13 1, 400　　14 1 kg 500 g
15 예 사과와 배 중에 사과가 더 가볍고, 배와 귤 중에 귤이 더 가벼우므로 사과와 귤의 무게를 저울을 사용하여 비교합니다.

---

05 (1) ■ kg보다 ▲ g 더 무거운 무게 ⇨ ■ kg ▲ g
　(2) 900 kg보다 100 kg 더 무거운 무게는
　　1000 kg=1 t입니다.

06 1 kg 200 g=1000 g+200 g=1200 g
　1000 kg=1 t ⇨ 3000 kg=3 t
　9500 g=9000 g+500 g
　　　　　=9 kg+500 g
　　　　　=9 kg 500 g

07 비커에 담긴 물이 모두 2500 mL이므로 주전자의 들이는 2500 mL입니다.

08 (1) mL는 냄비의 들이로 적당하지 않으므로 냄비의 들이는 약 3 L입니다.
　(2) L는 주사기의 들이로 적당하지 않으므로 주사기의 들이는 약 2 mL입니다.

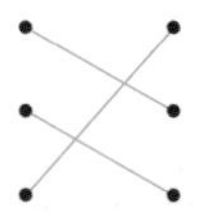

09 무게가 1 t보다 무거운 것은 ㉡ 버스 1대, ㉣ 승용차 1대입니다.

14 3 kg 600 g−2 kg 100 g=1 kg 500 g

15 참고
사과와 배 중 사과가 더 가볍고, 배와 귤 중 귤이 더 가벼우므로 사과와 귤을 저울을 사용하여 무게를 비교하면 가장 가벼운 과일을 알 수 있습니다.

170~172쪽 4단계 | 단원 평가

01 10 톤	02 물병
03 3	04 600 g
05 350, 8, 350	06 750, 3750
07 g	08 우유갑
09 7, 750	10 2, 600
11 6 kg 380 g	12 9 kg 300 g
13 사과, 키위, 6	14 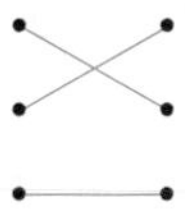
15 >	16 2600 mL
17 ㉠	
18 예 종이컵의 들이는 약 180 mL입니다.	
19 2900 g	20 4800 mL

03 비커의 눈금을 읽으면 3 L입니다.

04 저울의 바늘이 600 g을 가리키므로 농구공의 무게는 600 g입니다.

07 바나나 한 개의 무게로 100 kg은 적당하지 않으므로 바나나 한 개의 무게는 약 100 g입니다.

09 L는 L끼리 더하고, mL는 mL끼리 더합니다.

10 L는 L끼리 빼고, mL는 mL끼리 뺍니다.

11
```
   5 kg  200 g
 + 1 kg  180 g
 -------------
   6 kg  380 g
```

12
```
  18 kg  700 g
 − 9 kg  400 g
 -------------
   9 kg  300 g
```

13 사과가 키위보다 동전 15−9=6(개)만큼 더 무겁습니다.

14 2300 g=2 kg 300 g, 4020 g=4 kg 20 g, 4002 g=4 kg 2 g

15 1 L=1000 mL이므로 5 L 90 mL=5090 mL입니다.
⇨ 5400 mL (>) 5090 mL

16 2 L+600 mL=2000 mL+600 mL
=2600 mL

17 ㉠ 3 kg 200 g=3200 g ㉣ 3 kg=3000 g
⇨ ㉠>㉡>㉢>㉣

18 종이컵의 들이는 mL 단위가 알맞습니다.

19 2 kg 400 g+500 g=2 kg 900 g
⇨ 2 kg 900 g=2900 g

20 (오늘 마신 우유의 양)
=2 L 500 mL−200 mL
=2 L 300 mL
(어제와 오늘 마신 우유의 양)
=2 L 500 mL+2 L 300 mL
=4 L 800 mL
⇨ 4 L 800 mL=4800 mL

173쪽 스스로 학습장

1 ×	2 ○	3 ○
4 ×	5 ×	6 ×
7 ○	8 ×	9 ○

1 200 mL는 200 밀리리터라고 읽습니다.

4 1 t은 1000 kg입니다.

5 900 g보다 10 g 더 무거운 무게는 910 g입니다.

6 4700 mL=4000 mL+700 mL
=4 L+700 mL
=4 L 700 mL

8 2 L 200 mL+5 L 400 mL=7 L 600 mL

6. 자료의 정리

학부모 지도 가이드

학생들이 쉽게 접하는 인터넷, 텔레비전, 신문 등은 다양한 통계적 자료를 소개하고 있습니다. 이 단원에서는 자료 표현의 기본이 되는 표와 그림그래프를 읽고 작성하는 방법을 학습합니다. 또한 표와 그림그래프에 나타난 내용을 알아보고 주어진 자료에 맞는 단위와 그림을 정해 그림그래프로 나타내어 보는 활동을 할 수 있도록 지도합니다.

176~177쪽 준비 학습

1

악기	피아노	바이올린	드럼	기타	합계
학생 수(명)	4	1	3	2	10

2

4		○		
3		○		○
2	○	○		○
1	○	○	○	○
학생 수(명) / 간식	김밥	떡볶이	빵	과자

3

곤충	나비	잠자리	무당벌레	사슴벌레	합계
학생 수(명)	3	4	1	2	10

4		○		
3	○	○		
2	○	○		○
1	○	○	○	○
학생 수(명) / 곤충	나비	잠자리	무당벌레	사슴벌레

4 표

1 배우고 싶은 악기별로 학생 수를 세어 봅니다.
합계: $4+1+3+2=10$(명)

2 표를 보고 좋아하는 간식별 학생 수만큼 아래부터 한 칸에 하나씩 ○로 표시하여 그래프로 나타냅니다.

3 좋아하는 곤충별 학생 수를 세어 표로 나타낸 다음 표를 보고 아래부터 한 칸에 하나씩 ○로 표시하여 그래프로 나타냅니다.

4 표에서 합계를 보면 조사한 전체 학생 수를 한눈에 알 수 있습니다.

179쪽 1단계 | 교과서 개념

1 20명 2 3명 3 짜장면 4 4명

1 표에서 합계가 20명이므로 소희네 반 학생은 모두 20명입니다.

2 표에서 햄버거를 좋아하는 학생은 3명입니다.

3 짜장면을 좋아하는 학생이 6명으로 가장 많습니다.

4 짜장면을 좋아하는 학생은 6명이고, 라면을 좋아하는 학생은 2명이므로 짜장면을 좋아하는 학생이 $6-2=4$(명) 더 많습니다.

181쪽 1단계 | 교과서 개념

1 예 재혁이네 반 학생들이 좋아하는 과일
2 사과, 포도, 바나나, 딸기 3 5명
4

과일	사과	포도	바나나	딸기	합계
학생 수(명)	5	5	8	9	27

1 재혁이네 반 학생들이 좋아하는 과일을 조사했습니다.

2 조사한 자료를 보면 조사한 과일의 종류는 사과, 포도, 바나나, 딸기입니다.

3 조사한 자료에서 사과를 좋아하는 학생은 5명입니다.

참고 조사한 자료에서 붙임딱지 1개는 1명을 나타냅니다.

4 조사한 자료를 보고 과일별 수를 세어 표로 나타냅니다.
⇨ 합계: $5+5+8+9=27$(명)

182~183쪽 2단계 | 개념 집중 연습

01 4명　02 14명　03 의사
04 선생님　05 20명　06 로봇
07 로봇, 블록, 책, 인형　08 1명

09

종류	축구공	농구공	야구공	배구공	합계
개수(개)	5	3	6	2	16

10

혈액형	A형	B형	AB형	O형	합계
학생 수(명)	5	7	5	3	20

11

색깔	빨강	파랑	노랑	초록	합계
학생 수(명)	5	8	7	4	24

12

간식	피자	치킨	햄버거	떡볶이	합계
학생 수(명)	9	7	4	5	25

01 표에서 장래희망이 요리사인 학생은 4명입니다.

02 표에서 합계가 14명이므로 호진이네 모둠 학생은 모두 14명입니다.

03 장래희망이 의사인 학생이 2명으로 가장 적습니다.

04 장래희망이 선생님인 학생이 5명으로 가장 많습니다.

05 표에서 합계가 20명이므로 재형이네 반 학생은 모두 20명입니다.

06 로봇을 받고 싶은 학생이 8명으로 가장 많습니다.

07 로봇(8명) > 블록(5명) > 책(4명) > 인형(3명)

08 블록: 5명, 책: 4명
⇨ $5-4=1$(명)

09 종류별 공의 개수를 세어 표로 나타냅니다.
⇨ 합계: $5+3+6+2=16$(개)

10 혈액형별 수를 세어 표로 나타냅니다.
⇨ 합계: $5+7+5+3=20$(명)

11 좋아하는 색깔별 수를 세어 표로 나타냅니다.
합계: $5+8+7+4=24$(명)

12 좋아하는 간식별 수를 세어 표로 나타냅니다.
⇨ 합계: $9+7+4+5=25$(명)

185쪽 1단계 | 교과서 개념

1 10마리, 1마리　2 34마리
3 바른 목장

2 상상 목장은 이 3개, 이 4개로 34마리입니다.

3 그림그래프에서 10마리를 나타내는 그림이 가장 많은 목장은 바른 목장입니다.
⇨ 바른 목장의 소가 51마리로 가장 많습니다.

참고
그림그래프의 길이가 길다고 소의 수가 많은 것은 아닙니다.

187쪽 1단계 | 교과서 개념

1

과목	학생 수
국어	◎◎◎○○○○○
수학	◎◎◎◎◎○○○○
과학	◎◎○○○○○○○○
사회	◎◎○○○○○○○

◎ 10명
○ 1명

2

농장	귤 생산량
가	□□□△△△△
나	□△△△△△
다	□□△△△
라	□□□□△

□ 10상자
△ 1상자

1 표를 보고 좋아하는 과목별 학생 수를 ◎은 10명, ○은 1명으로 하여 나타냅니다.

2 표를 보고 농장별로 생산량을 □은 10상자, △은 1상자로 하여 나타냅니다.

정답 및 풀이

188~189 쪽 **2** 단계 | 개념 **집중 연습**

01 10송이 **02** 1송이

03 32송이 **04** 2반

05 100상자 **06** 10상자

07 220상자

08 풍성 마을

09 10권, 1권에 ○표

10

이름	책의 수
지성	□ □ □ □
기현	□ □ □ ▫ ▫ ▫ ▫ ▫ ▫
현수	□ □ □ □ ▫ ▫ ▫
재호	□ □ □ □ □ ▫ ▫

□ 10권   ▫ 1권

11 재호

12

마을	학생 수
달빛	◎ ◎ ○ ○ ○ ○ ○ ○
은빛	◎ ◎ ◎ ○ ○ ○ ○ ○
별빛	◎ ○ ○ ○ ○ ○ ○
햇빛	◎ ◎ ◎

◎ 10명   ○ 1명

13

가게	판매량
보람	▲ ▲ ▲ ▲ △ △ △ △
친절	▲ ▲ ▲ ▲ ▲
발랄	▲ ▲ △ △ △ △ △ △ △
소중	▲ ▲ △ △ △ △ △ △ △ △

▲ 10개   △ 1개

---

01 그림 ❀은 10송이를 나타냅니다.

02 그림 ✿은 1송이를 나타냅니다.

03 3반은 ❀이 3개, ✿이 2개로 32송이를 심었습니다.

04 그림그래프에서 10송이를 나타내는 그림이 가장 적은 반을 찾으면 2반입니다.
⇨ 2반이 16송이로 꽃을 가장 적게 심었습니다.

05 그림 🍎은 100상자를 나타냅니다.

06 그림 🍎은 10상자를 나타냅니다.

07 초원 마을은 🍎이 2개, 🍎이 2개로 220상자를 생산했습니다.

08 그림그래프에서 100상자를 나타내는 그림이 가장 많은 마을을 찾으면 풍성 마을입니다.
⇨ 풍성 마을이 420상자로 가장 많이 생산했습니다.

09 책의 수가 몇십몇이므로 10권과 1권 단위를 사용합니다.

10 표를 보고 학생별 읽은 책의 수만큼 □은 10권, ▫은 1권으로 하여 나타냅니다.

11 그림그래프에서 10권을 나타내는 그림이 가장 많은 친구를 찾으면 재호입니다.

190~193 쪽 **3** 단계 | **익힘책** 익히기

01 6명 **02** 5명 **03** 19장

04 노란색, 초록색, 파란색, 빨간색

05 예 종건이네 반 학생들이 좋아하는 간식

06

간식	과자	과일	떡	빵	합계
학생 수(명)	10	5	7	8	30

07 10권, 1권

08 70권, 46권, 23권

09 국화, 15송이

10 카네이션

11

운동	축구	피구	농구	야구	합계
남학생 수(명)	4	2	3	6	15
여학생 수(명)	2	7	3	1	13

12 예 10 kg과 1 kg인 2가지로 나타내는 것이 좋을 것 같습니다.

13

목장	우유 생산량
가	◎◎◎◎◎○○
나	◎◎◎◎○
다	◎◎○○○○○○○○
라	◎◎◎○○○

◎10 kg ○1 kg

14 가 목장, 나 목장, 라 목장, 다 목장

---

01 30−5−9−10＝6(명)

02 윷놀이: 10명, 제기차기: 5명
⇨ 10−5＝5(명)

03 100−24−31−26＝19(장)

04 노란색(31장)＞초록색(26장)＞파란색(24장)＞
빨간색(19장)

05 종건이네 반 학생들이 좋아하는 간식을 조사했습니다.

06 좋아하는 간식별 수를 세어 표로 나타냅니다.

> 참고
> 붙임딱지 한 개는 1명을 나타냅니다.

08 9월: 10권 그림 7개 ⇨ 70권,
10월: 10권 그림 4개, 1권 그림 6개 ⇨ 46권,
11월: 10권 그림 2개, 1권 그림 3개 ⇨ 23권

09 그림그래프에서 10송이 그림이 가장 적은 꽃이 가장
적게 팔렸습니다.
⇨ 국화가 15송이로 가장 적게 팔렸습니다.

10 장미: 24송이, 카네이션: 40송이
⇨ 40송이＞24송이

11 ●는 남학생을 나타내고, ●는 여학생을 나타내므
로 좋아하는 운동별로 남학생 수와 여학생 수를 각각
세어 봅니다.

13 표를 보고 목장별로 생산량을 ◎은 10 kg, ○은 1 kg
으로 하여 나타냅니다.

14 가 목장(52 kg)＞나 목장(41 kg)＞라 목장(33 kg)＞
다 목장(27 kg)

> 참고
> 그림 ◎이 많을수록 우유 생산량이 많습니다.

---

01 5명

02

운동	줄넘기	농구	수영	축구	합계
학생 수(명)	5	3	4	2	14

03 3명   **04** 14명

05 줄넘기   **06** 10명, 1명

07 41명   **08** 학용품

09 ○   **10** ×

11

과목	국어	수학	영어	체육	합계
학생 수(명)	5	7	8	10	30

12 134가마   **13** 은빛 마을

14 19가마   **15** 24그루

16

과수원	배나무 수
풍성	◎◎◎○○○○○○○
햇살	◎◎◎◎◎◎○
신선	◎◎○○○○
금빛	◎◎◎◎○○

◎10그루 ○1그루

17 햇살 과수원, 금빛 과수원, 풍성 과수원, 신선 과수원

18 10

19

이름	책의 수
혜정	☐□□□
지현	□□□
민하	□□□□□□□□
효린	□□□□□□□

☐100권 □ ㉠권

20 지현

---

01 조사한 자료에서 줄넘기를 좋아하는 학생은 5명입니다.

02 좋아하는 운동별로 수를 세어 표로 나타냅니다.
⇨ 합계: 5＋3＋4＋2＝14(명)

03 표에서 농구를 좋아하는 학생은 3명입니다.

05 줄넘기를 좋아하는 학생이 5명으로 가장 많습니다.

07 이 4개, 이 1개이므로 장난감을 가져온 학생은 41명입니다.

08 10명 그림이 가장 많은 학용품을 가져온 학생이 52명으로 가장 많습니다.

> **참고**
> 먼저 10명 그림의 수를 비교하고 10명 그림의 수가 같으면 1명 그림의 수를 비교하여 봅니다.

09 파란색 물감이 31개로 가장 많습니다.

10 빨간색 물감: 29개, 노란색 물감: 27개
⇨ 빨간색 물감이 노란색 물감보다 $29-27=2$(개) 더 많습니다.

11 좋아하는 과목별 수를 세어 표로 나타냅니다.
⇨ 합계: $5+7+8+10=30$(명)

12 표를 보고 각 마을별 생산량의 합을 구합니다.
⇨ $32+24+43+35=134$(가마)

13 10가마 그림의 수가 가장 많은 은빛 마을의 쌀 생산량이 43가마로 가장 많습니다.

14 쌀 생산량이 가장 많은 마을: 은빛 마을(43가마),
쌀 생산량이 가장 적은 마을: 별빛 마을(24가마)
⇨ $43-24=19$(가마)

15 $153-36-51-42=24$(그루)

18 혜정이가 읽은 책은 130권이고 □은 1개, □은 3개이므로 □은 10권을 나타냅니다.

20 그림그래프에서 100권 그림이 가장 많은 지현이가 책을 가장 많이 읽었습니다.

197쪽 스스로 학습장

1

색깔	빨강	노랑	초록	파랑	합계
물감의 수(개)	8	15	13	11	47

2

색깔	물감의 수
빨강	○ ○ ○ ○ ○ ○ ○ ○
노랑	◎ ○ ○ ○ ○ ○
초록	◎ ○ ○ ○
파랑	◎ ○

◎ 10개 ○ 1개

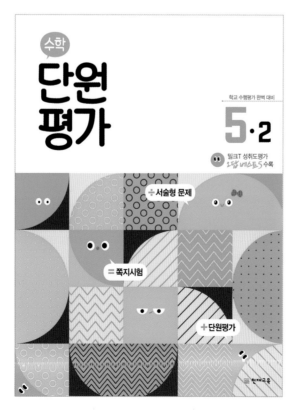

정답은
이안에
있어!

My name~

초등학교		
학년	반	번
이름		

배움으로 행복한 내일을 꿈꾸는

천재교육 커뮤니티 안내

교재 안내부터 구매까지 한 번에!

천재교육 홈페이지

자사가 발행하는 참고서, 교과서에 대한 소개는 물론
도서 구매도 할 수 있습니다. 회원에게 지급되는 별을 모아
다양한 상품 응모에도 도전해 보세요!

다양한 교육 꿀팁에 깜짝 이벤트는 덤!

천재교육 인스타그램

천재교육의 새롭고 중요한 소식을 가장 먼저 접하고 싶다면?
천재교육 인스타그램 팔로우가 필수!
깜짝 이벤트도 수시로 진행되니 놓치지 마세요!

수업이 편리해지는

천재교육 ACA 사이트

오직 선생님만을 위한, 천재교육 모든 교재에 대한 정보가 담긴
아카 사이트에서는 다양한 수업자료 및 부가 자료는 물론
시험 출제에 필요한 문제도 다운로드하실 수 있습니다.

https://aca.chunjae.co.kr

천재교육을 사랑하는 샘들의 모임

천사샘

학원 강사, 공부방 선생님이시라면 누구나 가입할 수 있는 천사샘!
교재 개발 및 평가를 통해 교재 검토진으로 참여할 수 있는 기회는 물론
다양한 교사용 교재 증정 이벤트가 선생님을 기다립니다.

아이와 함께 성장하는 학부모들의 모임공간

튠맘 학습연구소

튠맘 학습연구소는 초·중등 학부모를 대상으로 다양한 이벤트와 함께
교재 리뷰 및 학습 정보를 제공하는 네이버 카페입니다.
초등학생, 중학생 자녀를 둔 학부모님이라면 튠맘 학습연구소로 오세요!